D1491449

1999

FHS-
014

D₂

L'art des
Alcools
à travers le monde

Titre original : *Classic Spirits of the world*
© 1996 Hachette Livre (Hachette Pratique) pour la traduction en
langue française
© Text copyright Gordon Brown 1994
© Prion (Multimedia Books) Limited 1995

N° d'éditeur : 36411-23/6154/1-Edition n° 01
Dépôt légal : 6225-09-1996
ISBN 2-01-236154-4

Direction : Jean Arcache
Traduction : Claude Dovaz
Secrétariat d'édition : Christine Cuperly
Lecture-correction : Adriana Romosan
Production : Gérard Piassale et Françoise Jolivot
Photogravure : Sele & Color, Rome, Italie
Impression et reliure : Artes Graficas, Tolède, Espagne
D.L. TO: 888-1996

L'art des Alcools à travers le monde

Gordon Brown

Traduction de Claude Dovaz

HACHETTE

Sommaire

Préface

Précieux ou vulgaires, fascinants ou inquiétants, les alcools présentent de multiples facettes, souvent contradictoires. À l'origine élixirs confectionnés à des fins thérapeutiques, fruits de recettes mystérieuses transmises par des initiés, alchimistes et clercs, ils sont devenus peu à peu des sources de plaisir, des éléments d'un art de vivre, des articles nouveaux de la gastronomie.

Produits agricoles, élaborés à partir des denrées de base qui ont fondé les civilisations – blé, vin, maïs, riz... –, ils résultent pourtant, peut-être plus que tout autre aliment, des voyages et des échanges. C'est grâce aux explorations, au négoce, aux migrations, aux missions et aux conquêtes qu'ils se sont répandus, enrichis, multipliés. Ce n'est pas un hasard si leur tout premier essor a suivi les Grandes Découvertes et si les peuples commerçants, tels les Hollandais et les Anglais, ont imprimé leur marque sur le marché des spiritueux.

Issus de traditions, proches du champ et de la ferme, éléments de l'identité nationale, les alcools n'en sont pas moins des produits industriels par excellence, ancrés dans la modernité. À la différence du vin, apprécié dès l'Antiquité, ils ne se sont imposés qu'avec les progrès techniques, qui, à partir du XIXe siècle, en ont permis l'élaboration massive. Si la viticulture – en Europe du moins – s'inscrit dans un terroir, les spiritueux composent un univers de marques, parfois aux mains de puissants groupes multinationaux. Un monde où l'imitation, voire la contrefaçon, se donnent libre cours, et où un même nom générique peut recouvrir des contenus d'une grande diversité. Sait-on que le Japon et l'Inde sont de gros producteurs de whisky ? Que la marque la plus connue de vodka s'est développée à l'Ouest ?

En ces temps d'ouverture des marchés et de développement du tourisme, le consommateur découvre, au cours de ses voyages d'agrément ou de ses expéditions, plus prosaïques, dans les grandes surfaces, une profusion d'alcools du monde entier. Une abondance parfois déroutante. Puisse cet ouvrage le guider dans le maquis des étiquettes, et lui permettre de choisir selon ses goûts, en amateur éclairé.

Michel Dovaz

Introduction

Qu'est-ce qu'une eau-de-vie ?

La fermentation d'une substance organique donne de l'alcool. Lorsque l'on porte cet alcool à ébullition, il se convertit en vapeurs qui, condensées et recueillies, constituent un alcool concentré : voilà, dans les grandes lignes, le principe de la distillation. Un vin qui titre 8 % vol. – c'est-à-dire contenant 8 % d'alcool – se condense en un distillat ayant une teneur en alcool de 20 % vol. à la sortie de l'alambic. Si l'on répète la distillation, le titre s'élève à environ 60 % vol. En éliminant la « tête » de la distillation – qui comporte des éléments nocifs – et la « queue » – contenant peu d'alcool –, on obtient une eau-de-vie à forte teneur en alcool : 70 % vol. Le volume du liquide diminue considérablement au cours de l'opération : 9 L de vin donnent 1 L d'eau-de-vie.

L'eau-de-vie ainsi obtenue conserve une bonne partie des arômes et des saveurs de sa matière première (plantes aromatiques, épices, fruits...), mais elle affirme néanmoins sa personnalité propre. Son charme est fondé sur le mélange complexe d'alcool et d'arômes de fruits et de plantes, intensifiés par la distillation. L'eau-de-vie à forte teneur en alcool issue des colonnes de distillation est dite « neutre », car elle est dépourvue de principes aromatiques, à la différence de l'eau-de-vie produite en alambic. Plus souple, cet alcool neutre sert de nos jours à la confection des cocktails : il suffit de quelques gouttes pour qu'un simple jus de fruits devienne soyeux et exubérant.

Les premières distillations auraient eu lieu au IIIᵉ millénaire av. J.- C. en Mésopotamie, où les fabricants de parfum possédaient une technique permettant d'extraire les huiles aromatiques des fleurs et des plantes. Il y a 2000 ans, en Grèce, on avait recours à une distillation rudimentaire : on faisait bouillir un liquide dans une marmite recouverte d'un morceau de cuir ; comme les vapeurs se condensaient sur la face inférieure de la peau, on essorait celle-ci de temps en temps dans un autre récipient. Une telle distillation permettait d'obtenir des substances nécessaires à la préparation de solvants et d'onguents.

Au IVᵉ siècle apr. J.-C., un savant nommé Zozimus décrivit une cornue qu'il avait observée à Memphis, en Égypte, comme un « pélican » : un corps ovoïde, surmonté d'une tête avec un long bec – autrement dit, une chaudière, un dôme et un conduit de condensation incliné vers le bas.

Au VIᵉ siècle, en Irlande, on pratiquait déjà une distillation alcoolique primitive dans les monastères. Les moines irlandais semblent avoir joué un rôle important dans la diffusion de l'art de la distillation sur le continent européen. Entre le VIᵉ et le IXᵉ siècle, les monastères d'Irlande, à l'abri des invasions barbares, ont préservé des éléments essentiels de notre civilisation : la lecture, l'écriture, les études intellectuelles, le Livre saint et, peut-être, les secrets de la distillation. Durant ces siècles obscurs, des missionnaires irlandais parcoururent l'Europe et fondèrent nombre de monastères sur le continent.

Après l'an mille, lorsque les échanges reprirent, leur savoir-faire en matière d'eau-de-vie se répandit probablement en Occident ; c'est peut-être à cette époque que la technique de l'élaboration du whisky parvint dans le sud-ouest de l'Écosse. Étant donné le rôle des Celtes dans la diffusion de la distillation et le fait que le latin était, en Europe, la *lingua franca* du savoir, il y a de fortes chances que le terme universel d'*aqua vitae* soit la version latine du gaélique *uisce* (ou *uisge*) *beatha*, bien qu'on ait longtemps cru à la filiation inverse.

On distingue les types d'orge par le nombre de rangées que compte chaque épi. Pour le whisky de malt, on préfère la variété la plus commune, à deux rangées.

Les pommes de Normandie sont à l'origine du calvados.

En Australie comme ailleurs, la taille d'hiver de la vigne a une influence non négligeable sur la qualité de la future vendange.

Les Arabes maîtrisaient la technique de la distillation lorsqu'ils franchirent la Méditerranée. Après avoir conquis la Sicile au IXe siècle, ils distillèrent le raisin de l'île : l'alcool ainsi obtenu servait à alimenter les lampes et à désinfecter les blessures. Les Siciliens firent macérer du fenouil dans cet alcool, qui devint le *tutone*, la première eau-de-vie anisée connue.

Un siècle plus tôt, les Arabes avaient introduit la distillation dans le sud de la péninsule Ibérique en s'emparant de la région. Accompagnant la Reconquista (du XIe au XVe siècle), l'art de la distillation se répandit progressivement vers le Nord. En Armagnac, de l'autre côté des Pyrénées, on faisait déjà de l'eau-de-vie au XIIe siècle, et on en proposait aux marchands hollandais dès 1400.

De l'autre côté de la Gironde, les vignerons de la région de La Rochelle vendaient aussi du vin aux négociants du nord de l'Europe. Au début du XVIe siècle, les Hollandais inventèrent une installation qui allait devenir l'alambic charentais classique (celui du cognac). Les fournisseurs pouvaient ainsi distiller leurs vins *in situ*, avant l'arrivée des marchands. Grâce à la distillation, les navires hollandais embarquaient à chaque voyage dix fois plus de vin qu'auparavant : ils chargeaient désormais du *brandewijn* (« vin brûlé »), c'est-à-dire de l'eau-de-vie.

Au Moyen Âge, l'alcool jouait essentiellement un rôle thérapeutique. Les infusions de simples, d'origine monastique, devaient avoir un goût atroce. Pourtant, malgré la croyance populaire selon laquelle plus un remède est détestable, plus il est efficace, on commença à ajouter des substances aromatiques aux divers élixirs et potions afin de les rendre plus agréables. Même quand la consommation de spiritueux pour le plaisir devint courante, on continua à additionner l'eau-de-vie d'arômes de fruits et d'épices pour masquer le goût et l'odeur de l'alcool imparfaitement distillé.

Au XVIe siècle, la distillation était répandue à travers toute l'Europe, jusqu'à la Scandinavie et la Russie. Après 1600, les émigrants en introduisirent la technique en Amérique : ils y fabriquèrent du brandy avec les fruits indigènes et du rhum avec de la mélasse provenant des plantations de canne à sucre des Antilles.

Pendant très longtemps, la distillation se limita à un seul passage dans l'alambic. L'idée de répéter l'opération, du moins en ce qui concerne le cognac, remonterait au début du XVIIe siècle : le chevalier de La Croix Maron aurait entrepris de distiller son eau-de-vie une seconde fois pour la purifier.

Les alambics

On utilisait à l'époque un alambic à feu nu composé d'une chaudière se rétrécissant vers le haut pour recueillir la vapeur et d'un tuyau incliné vers le bas, relié à la tête de la chaudière. Le tuyau traversait un liquide réfrigérant grâce auquel la vapeur se condensait ; le distillat était recueilli dans un récipient. Le cuivre était – et demeure – le meilleur matériau pour la construction de l'alambic car il élimine certaines impuretés de l'alcool. Malgré des améliorations considérables, l'alambic à chauffe directe implique toujours une technique de distillation intermittente, exigeant beaucoup de temps et de main-d'œuvre (remplissage de la cucurbite, chauffage pour porter le liquide à ébullition, distillation proprement dite, nettoyage de l'alambic avant de renouveler l'opération).

À la fin des années 1820, un nouveau procédé fit son apparition : la distillation continue. L'appareil dit à colonnes donne un flot ininterrompu d'eau-de-vie tant qu'il est alimenté en vin, en bière, en cidre ou en tout autre liquide à teneur en alcool modérée. Il comporte deux colonnes : dans la première, la vapeur monte, et le liquide à distiller descend par « étages » successifs ; la vapeur extrait l'alcool du liquide à distiller et l'entraîne dans la seconde colonne, où il circule jusqu'à ce qu'il se condense à la richesse alcoolique désirée.

L'appareil de distillation continue présente de nombreux avantages : rapidité, pureté du distillat, forte teneur en alcool et économie de main-d'œuvre. Le principal inconvénient est qu'il produit une eau-de-vie neutre, sans arôme ni saveur. Inventé par Robert Stein, l'appareil de distillation continue fut utilisé commercialement pour la première fois en Écosse. Aeneas Coffey, un fonctionnaire de la régie des alcools de Dublin (Irlande), améliora ensuite le procédé. C'est la version Coffey de l'appareil qui fut adoptée dans le monde entier, mais, par une ironie du sort, les distillateurs irlandais ne passèrent jamais de commande à son inventeur, car, à leurs yeux, Coffey avait porté atteinte au noble art de la distillation du whiskey.

Dès lors, les distillateurs se trouvèrent devant une alternative : utiliser l'alambic à chauffe directe, qui préserve les arômes et les saveurs de la matière première ; ou bien adopter le système Coffey, plus rapide, plus économique, donnant une eau-de-vie plus pure et plus riche en alcool, mais neutre.

Ce vieil alambic de Périgueux, en Dordogne, date de l'époque où les bouilleurs de cru passaient de ferme en ferme.

Ci-dessous : alambic allemand de 1892, utilisé pour la distillation du brandy.

L'univers des spiritueux

Ci-dessus : le Bombay Gin exige un mélange d'aromates.

En haut : dans l'étuve de séchage de Glenfiddich, on retourne régulièrement l'orge germée pour empêcher les radicelles de s'emmêler.

Whisk(e)y, vodka, genièvre, gin, aquavit et certains schnaps sont des eaux-de-vie de grain, issues de la distillation d'une sorte de bière. Le choix des céréales est parfois spécifique : le whisky de malt et le genièvre sont faits avec de l'orge maltée ; les meilleures vodkas et certains whiskies canadiens d'assemblage sont issus de seigle ; le bourbon, principalement de maïs ; la vodka finlandaise, de blé ; le shochu japonais, de riz. Certaines vodkas polonaises et russes sont à base de pommes de terre. Les différents styles anglais de gin dépendent du genièvre et des autres plantes aromatiques utilisés. Comme les gins de qualité sont redistillés après macération, l'origine de l'eau-de-vie entrant dans leur composition importe peu : il suffit que l'alcool de base soit neutre et pur.

Le terme anglais de *brandy*, hors de nos frontières, évoque surtout une eau-de-vie de vin. En France, le public reste attaché au cognac et à l'armagnac d'appellation contrôlée qui ont servi de modèle à ce type de spiritueux.

Le rhum et l'eau-de-vie de canne sont principalement issus de mélasse de canne à sucre ; quelques rhums sont directement extraits du jus de canne.

Les alcools blancs et les liqueurs tirés des innombrables fruits de la planète portent des noms d'une diversité déconcertante. Pourtant, il s'agit souvent des mêmes fruits – et des mêmes boissons – dont le nom varie d'une langue à l'autre. Quelques dénominations régionales – comme le kirsch (cerise en Alsace), la framboise et la slivovitz (prune bleue en Serbie et en Bosnie) – sont devenues des termes génériques.

La teneur en alcool

Le mot *proof* (« preuve ») qui figure sur les étiquettes des bouteilles circulant sur le marché international date de l'époque où l'on ne pouvait pas encore mesurer la teneur en alcool avec précision. Le distillateur mélangeait l'eau-de-vie sortant de son alambic avec de la poudre de chasse et essayait d'y mettre le feu : si le mélange ne s'enflammait pas, l'eau-de-vie n'était pas assez forte (*underproof*) ; s'il s'enflammait et brûlait régulièrement, on avait la « preuve » (*proof*) que la teneur en alcool était suffisante ; s'il explosait, le distillateur (ou son héritier) pouvait préciser que l'eau-de-vie était très forte (*overproof*) et recommander de la diluer avec de l'eau.

Les États-Unis et le Royaume-Uni ont utilisé pendant très longtemps des *proof systems* similaires, fondés sur des valeurs différentes : 100 % *proof* aux États-Unis équivalait à 87,7 *proof* au Royaume-Uni. Le système américain a le mérite de la clarté, car il se réfère au volume d'alcool (50 % vol. = 100 % *proof*). Le système anglais – maintenant abandonné – prenait pour base le volume relatif d'alcool et d'eau à une température de 51° Fahrenheit – et non Celsius (centigrade), que le reste du monde aurait compris plus facilement. Le système Gay-Lussac, que l'on utilise en France, indique le pourcentage du volume d'alcool. Simple et clair, il est en passe de devenir universel. Toutefois, en Allemagne et en Russie, on indique parfois le pourcentage du poids d'alcool.

En ces temps où la santé est devenue une préoccupation majeure, on classe dans la catégorie des eaux-de-vie des boissons beaucoup moins fortes qu'autrefois. Ainsi, on trouve maintenant du schnaps et des liqueurs ne titrant que 17 % vol. et 18 % vol.

Dans cet ouvrage, la teneur en alcool est indiquée en pourcentage du volume d'alcool et parfois en système *proof*. La plupart des whiskies titrent 40 % vol. ou 43 % vol., bien qu'une forte teneur en alcool soit un gage de qualité pour le bourbon ; la plupart des cognacs et des armagnacs titrent 40 %, comme généralement le brandy et la vodka russe classique ; les vodkas polonaises et les rhums des Antilles ont une teneur en alcool très variable ; les vodkas occidentales destinées aux cocktails titrent en général 37,5 % vol.

Ci-dessus : l'eau-de-vie cristalline qui sort de l'alambic a une teneur en alcool deux fois plus élevée que celle du cognac qui sera mis en bouteilles après vieillissement.

Ci-contre : Torres fut le premier producteur espagnol à adopter la fermentation à basse température dans des cuves en acier inoxydable.

Dans des pays comme la Russie ou la Pologne, sous le régime communiste, il n'y a pas eu de marque dans le sens occidental du terme. Les étiquettes fournissaient essentiellement une description du produit. Ce n'est que grâce à ces termes descriptifs que l'on peut distinguer les nombreuses variétés de vodkas russes et polonaises. On les a donc employés dans cet ouvrage.

Whisky

Le whisky, comme l'aquavit et nombre d'eaux-de-vie, est obtenu par la distillation de céréales. Mais le whisky a ceci de particulier qu'il vieillit en fût – généralement de chêne – pendant de longues années le plus souvent. Le séjour dans le bois lui donne une grande partie de son goût, de ses arômes et de son velouté. Des détails tenant à l'origine géographique et aux méthodes d'élaboration différencient les whiskies les uns des autres. Une remarque sur l'orthographe du terme s'impose : par convention, le terme générique est « whisky » ; il s'applique plus particulièrement au scotch et au whisky canadien, tandis que « whiskey » désigne celui qui est produit en Irlande et aux États-Unis.

Si l'on associe dans le monde entier le whisky à l'Écosse, son origine fut probablement l'Irlande, et le whiskey irlandais fut le premier à être distribué sur le marché international. Quand la production de cognac fut presque réduite à néant dans les années 1870 par les ravages du phylloxéra, le scotch fit son entrée en force ; il est resté depuis sur le devant de la scène. On fait maintenant dans d'autres pays des whiskies ayant un caractère national, avec des variantes selon le producteur.

Le scotch traditionnel est un whisky de malt, issu d'orge maltée, séchée dans des séchoirs à claire-voie disposés sur un feu de tourbe dégageant une fumée âcre, d'où son arôme particulier. On produit aussi du whisky de grain, peu typé, qui sert à préparer les *blends* – assemblages de whiskies de malt et de grain – dont certaines marques, telles que Johnnie Walker, Haig, Ballantine's ou Chivas Regal, sont aujourd'hui familières dans le monde entier. L'Irlande produit aussi une gamme de whiskies de malt et de *blends*, mais les malts irlandais ne sont pas exposés à la fumée de la tourbe. Une triple distillation rend le whiskey irlandais un peu plus souple que son cousin écossais.

Les premiers whiskies canadiens furent le fruit du savoir-faire d'immigrants venus notamment d'Écosse. Leur style a évolué depuis : grâce à de savants assemblages, les *blends* canadiens typiques – qui tirent le meilleur parti possible du seigle complété par d'autres céréales – ont une légèreté, une subtilité et un soupçon de douceur qui sont leurs caractéristiques essentielles.

Aux États-Unis, les whiskies du Kentucky et du Tennessee, issus du maïs, sont corpulents. Leurs arômes marqués de bois, de vanille et de caramel sont dus en partie au vieillissement en fût, dont la loi exige qu'ils soient neufs. Même les meilleurs des bourbons et des whiskies du Tennessee possèdent des arômes exubérants, les seconds étant plus soyeux.

Le style du whisky japonais évolue sans doute encore, mais il montre déjà une élégance et un caractère propres qui l'éloignent du scotch authentique, modèle des débuts de l'industrie japonaise, dans les années 20. Après s'être longtemps appuyés sur l'importation en vrac de whisky de malt écossais pour donner du sérieux au leur, les assembleurs japonais ont appris à tirer habilement parti de la production locale et de ses particularités.

D'autres pays produisent du whisky. Certains, telle l'Inde, en très gros volumes, d'autres, comme l'Allemagne, la Turquie ou la Nouvelle-Zélande, plus modestement. Une marque peut être la seule dans son type et bénéficier de l'attrait de la nouveauté, tel le whisky « blanc », incolore, de l'île de Man, au large de la côte ouest de l'Angleterre.

Le whisky n'a plus besoin de ressembler au scotch pour fidéliser une clientèle. Des whiskies d'un style nouveau progressent sur le marché de nombreux pays, et il semble bien que cette tendance va se poursuivre.

L'orge est la matière première du whisky. Si la meilleure provient des environs d'Elgin, dans le Speyside, les distilleries d'Écosse en importent également d'Irlande et du continent.

Écosse

À partir du rattachement de l'Écosse à L'Angleterre en 1707, les taxes élevées sur le whisky – concurrent du gin anglais – firent proliférer la distillation clandestine. Les contrebandiers, qui se procuraient sur place les meilleures matières premières, faisaient un excellent whisky, ce qui n'était pas le cas des distillateurs légaux, handicapés par les taxes. À la fin du XVIIIe siècle, Édimbourg comptait 400 alambics clandestins pour huit distilleries autorisées.

Le bon sens finit par prévaloir et la loi de 1823, qui réduisait considérablement les taxes, permit à l'industrie du whisky de se développer. Robert Stein inventa un appareil de distillation continue (plus rapide et plus économique – mais pas meilleur – que l'alambic traditionnel), puis les premiers *blends* de whiskies de malt et de grain firent leur apparition. La vente en bouteilles rendit le whisky plus accessible ; enfin, la demande pour le scotch explosa quand le phylloxéra ravagea les vignes du cognac dans les années 1870. Les *blends* furent assemblés avec plus de soin pour les marchés extérieurs, et des marques comme Johnnie Walker et Buchanan virent le jour. Ces whiskies ne craignaient pas la concurrence, car les producteurs irlandais refusèrent de reconnaître comme whiskey l'eau-de-vie de grain jusqu'à ce qu'une commission royale décidât, en 1909, que le produit de la distillation continue était aussi du whiskey.

Le caractère du whisky écossais a longtemps tenu au goût et à l'arôme de l'orge employée, à la fumée de la tourbe utilisée pour arrêter la germination des grains et aux levures choisies pour brasser la bière. C'est seulement depuis 200 ans que des études portant sur la forme des alambics et la nature des fûts ont permis d'affiner le produit. Le mérite, le renom et le caractère particulier des whiskies écossais d'aujourd'hui viennent de la richesse et de la variété des whiskies de malt issus des alambics à chauffe directe.

Ils proviennent de quatre zones géographiques : les *Highlands* (Haute Écosse), *Lowlands* (Basse Écosse), Islay et Campbeltown.

Inverary Castle, un des sites les plus pittoresques de la partie occidentale des Highlands, sauvage et accidentée. C'est le siège du clan Campbell, lequel a donné son nom à une célèbre marque de *blend*.

Avec de l'imagination, on pourrait faire remonter l'origine du whisky écossais aux temps préhistoriques. La lie subsistant sur des tessons de poterie datant de 2000 av. J.-C., découverts sur une île de la côte occidentale, a permis de brasser une bière de bruyère, herbacée, telle qu'on devait la faire à l'époque. Une longue quête de la qualité commença quand arrivèrent (probablement d'Irlande) des techniques élémentaires de distillation.

Pendant des siècles, le whisky a fait partie de la vie gaélique : dans les fermes, un alambic primitif occupait la place réservée aujourd'hui à la cafetière. On en produisait surtout pour la consommation familiale, et un peu pour la vente. Les moyens étaient rudimentaires, si bien qu'il fallait souvent recourir à une quadruple distillation pour obtenir un produit de grande qualité.

Les malts des Highlands, extrêmement nombreux, sont en général élégants et très aromatiques. Les principaux viennent du Speyside, à l'est. Ils sont à la fois puissants et doux, complexes, épicés et fumés à la manière des malts des îles.

Ceux des Lowlands – plus légers, plus souples, un peu douceâtres – sont relativement dépréciés.

Les whiskies traditionnels d'Islay, une île de la côte ouest, ont un goût et des arômes âcres et puissants de fumée et de pharmacie, mais trois des sept distilleries en activité – Bunnahabhain, Bruichladdich et Bowmore – produisent maintenant des whiskies de malt plus aimables et plus subtils.

Campbeltown (presqu'île de Kyntyre, au sud-ouest) n'a plus que deux distilleries. Leurs whiskies sont salés, épicés et très aromatiques.

On ne classe pas les whiskies de grain selon leur origine géographique, car celle-ci n'a aucune influence sur leur caractère. Obtenus par distillation continue, ils ont pour rôle essentiel d'assouplir dans les *blends* la raideur des whiskies de malt. Seules deux marques commercialisent du whisky de grain pur.

Pour faire du whisky de malt, on imbibe l'orge d'eau pour lui permettre de germer, puis l'on interrompt sa germination au moment opportun – lorsque l'amidon s'est transformé en sucre – en la faisant sécher sur un feu de tourbe qui lui communique une odeur de fumée caractéristique.

Les malteurs modernistes préfèrent sécher l'orge sans l'exposer à la fumée, puis lui incorporer une quantité donnée de fumée de tourbe pour l'aromatiser selon les désirs du client. Les arômes de fumée se retrouvant dans l'eau-de-vie à la sortie de l'alambic, l'intensité du fumage détermine dans une grande mesure le style du whisky.

L'orge séchée, fumée ou non – que l'on appelle couramment le malt –, est moulue puis mélangée à de l'eau chaude. La bouillie ainsi obtenue, ensemencée de levures, fermente et donne de la bière. Celle-ci est alors distillée à deux reprises dans des alambics en cuivre. Les distilleries les installent par paires : le plus gros sert à la première distillation, le plus petit à la seconde. À la sortie du second, on élimine la « tête » du distillat, qui contient des éléments volatils indésirables, et la « queue », insuffisamment alcoolique, pour n'en garder que le « cœur ».

Le loch Slapin (île de Skye). Souvent enveloppées de brumes, les imposantes hauteurs de Cuillin se dressent au bord du lac, composant un paysage fantomatique. La fameuse distillerie Talisker est située derrière les montagnes.

Ci-dessus : *Alambic à Lochgilphead*, scène de genre peinte en 1819 par David Wilkie (1785-1841). Légale ou clandestine, la distillation du whisky a inspiré nombre de peintres romantiques.

À droite : peuplée surtout de moutons, l'île d'Islay produit un scotch très typé. Elle compte huit distilleries, dont sept en activité.

Les whiskies doivent être logés au moins trois ans dans des fûts de chêne, mais la plupart y restent bien plus longtemps. Pour faire vieillir le whisky de malt, on utilise souvent des fûts ayant contenu du bourbon ou du xérès *oloroso*. Les premiers lui donnent un caractère boisé qui ne masque pas ses nuances subtiles, les seconds superposent un goût et un parfum de xérès, riche et doux, à ceux du whisky et du bois. Les uns et les autres rendent les whiskies complexes, mais seuls les fûts ayant contenu du xérès renforcent leur structure et leur donnent plus de corps. Les variantes sont nombreuses, car les fûts peuvent servir jusqu'à trois fois, chaque réutilisation ayant une influence plus subtile. On peut, par exemple, utiliser des fûts de xérès pour parachever un whisky vieilli dans des fûts de bourbon.

Le whisky de grain a moins de caractère, aussi l'origine des fûts utilisés pour son vieillissement a peu d'importance. L'âge porté parfois sur l'étiquette d'un *blend* est celui du whisky le plus jeune entrant dans l'assemblage. Dans un bon *blend*, c'est l'âge du whisky de grain. L'âge moyen des whiskies de malt qu'il contient est donc plus grand.

L'assemblage des bons *blends* « standard » compte trente à quarante whiskies de malt et de grain, et jusqu'à

40 % de malt (45 %, comme dans le Teacher's, représente une proportion élevée). L'âge de ces whiskies n'est presque jamais indiqué. Dans le cas des *blends* de haut de gamme, l'âge – souvent 12 ans – est généralement mentionné. Cependant, l'étiquette reste muette sur ce point s'il s'agit de marques inconnues commercialisant des whiskies trop jeunes, ou, à l'opposé, de noms présents depuis longtemps sur le marché et dont le whisky offre une merveilleuse souplesse. Le consommateur ne peut alors que se laisser guider par son expérience et par le prix.

Aberlour • Whisky et distillerie des Highlands (Speyside) construite en 1826. Aberlour, maintenant propriété du groupe Pernod-Ricard, est un des nombreux établissements créés après la promulgation de la loi de 1823 qui, réduisant des deux tiers la taxe sur le whisky, rendit rentable la distillation légale. L'eau de la région était renommée depuis longtemps pour sa qualité. Un millénaire plus tôt, un prêtre, canonisé par la suite sous le nom de saint Drostan, l'utilisa pour donner le baptême. Aujourd'hui, celle qui sert à l'élaboration du whisky descend des monts Ben Rinnes voisins. La distillerie prospéra mais fut deux fois la proie des flammes. Un de ces incendies survint au milieu de la nuit, ce qui n'empêcha pas les villageois d'accourir pour faire rouler les fûts de whisky loin du brasier. L'établissement compte à présent deux paires d'alambics datant de 1973.

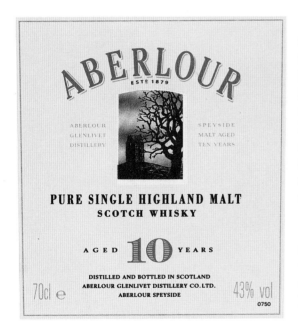

L'Aberlour vieillit – généralement dix ans – en fûts de xérès ou de chêne. C'est un whisky *single malt* riche, élégant, avec une pointe de douceur. Un whisky spécial « du millénaire », logé en barriques, sera mis en vente en l'an 2000. L'Aberlour est présent dans les *blends* Clan Campbell ♦.

An Cnoc • *Single malt* des Highlands, connu autrefois sous le nom de sa distillerie, Knockdhu ♦, puis rebaptisé par ses nouveaux propriétaires, Inver House ♦.

Argyll • Marque appartenant au duc d'Argyll, présente dans le commerce de luxe, les boutiques hors taxes du monde entier et au siège, le splendide château d'Inverary. Pour ses débuts, avant que le whisky de malt ne soit à la mode, Argyll fut le whisky « maison » du prestigieux transatlantique Queen Elizabeth II, avec un Springbank *single malt* de Campbeltown (le duc est le chef du clan Campbell).

Aujourd'hui, pour la gamme de sa marque, le duc fait appel à des whiskies comme l'Aberlour du groupe House of Campbell dont il est l'un des administrateurs. Argyll est disponible en *single malt* (12, 15 et 17 ans) et en *blends* (standard et 12 ans).

Auchentoshan • *Single malt* et distillerie sœur de celles de Bowmore ♦ et de Glen Garioch ♦, installée sur la rive nord du Firth of Clyde, près de Glasgow. Bien qu'il s'agisse d'un whisky des Lowlands, l'Auchentoshan est élaboré avec de l'eau des collines de Kilpatrick, dans les Highlands. Depuis 1800, la distillerie n'a été en activité que de manière intermittente, mais Morrison Bowmore, une entreprise de courtage et de distillation, a récemment redonné vie à la marque. Le malt est légèrement fumé à la tourbe. La distillation est triple, d'où l'installation d'un groupe de trois alambics dont l'âge varie de trois à trente ans.

L'Auchentoshan, souple et moelleux comme d'ailleurs tous les whiskies issus d'une triple distillation, a un caractère floral, fruité et légèrement épicé. Disponible en 10 et 20 ans d'âge, il est aussi utilisé pour les *blends* Rob Roy.

Auchroisk • Distillerie située dans les Highlands qui produit le *single malt* Singleton. Dans les années 60, un cadre de la société Justerini et Brooks découvrit près d'Aberlour une source dans un ravin écarté. J & B acheta le terrain pour cinq millions de livres afin d'y construire une distillerie, Auchroisk (prononcer Ah-thrusk). Inauguré en 1975, l'établissement produit pour la marque J & B un whisky d'assemblage, légèrement fumé à la tourbe. On eut l'heureuse surprise de constater par la suite que ce whisky méritait d'être bu sans assemblage préalable : on le baptisa Singleton.

Le Singleton est moyennement corpulent, fruité, malté, légèrement fumé et possède une structure souple. Le vieillissement s'effectue dans des fûts de bourbon et s'achève dans des fûts de xérès. Il ne comprend que des whiskies de la même année (qui figure sur l'étiquette). Généralement disponible à 10-12 ans d'âge.

*B*allantine's • Un des whiskies les plus vendus dans le monde – deux bouteilles toutes les secondes. On peut faire remonter son origine aux années 1820 dans une modeste épicerie d'Édimbourg qui bénéficiait d'une licence de distillation. En 1895, elle obtint un brevet de fournisseur de la maison de la reine Victoria. Après la Grande Guerre, de nouveaux propriétaires s'intéressèrent au marché de l'exportation, et James Barclay tissa aux États-Unis, au mépris du danger, un réseau clandestin de distributeurs pendant la Prohibition. Quand celle-ci fut rapportée, ce réseau s'avéra précieux. David Niven, qui devint par la suite l'une des stars de Hollywood, est connu comme le « premier et plus mauvais vendeur » de la marque aux États-Unis.

Le Ballantine's est assemblé à Dumbruck, sur le golfe de la Clyde, près de l'endroit où grandit l'ancien champion du monde de formule 1 Jackie Stewart. La sécurité des chais de vieillissement, qui abritent 1,5 million de fûts, est assurée par un troupeau d'oies chinoises – la « Scotch Watch » – qui font un vacarme assourdissant si un étranger pénètre sur leur territoire. Autre anecdote célèbre, le naufrage du *SS Politician* : en 1941, le bâtiment s'abîma sur les récifs de l'île d'Eriskay, avec une cargaison de Ballantine's destinée à La Nouvelle-Orléans – à la grande satisfaction des habitants, cela va de soi. Cet épisode a inspiré le film d'Alexander Mackendrick, *Whisky à gogo* (1948). Les distilleries de Miltonduff et de Balblair contribuent largement au style du whisky de la marque, disponible en versions standard et « de luxe », jusqu'au très rare 30 ans d'âge.

*B*alvenie • *Single malt* des Highlands (Speyside) et distillerie sœur de celle de Glenfiddich♦. En 1892, quatre ans après avoir distillé son premier whisky sur le Fiddich Burn, William Grant monta sa seconde distillerie dans un château abandonné, New Balvenie Castle, en tirant parti d'anciens alambics des distilleries de Glen Albyn et de Lagavulin qu'il avait rachetées.

On procède toujours à Balvenie au maltage manuel – très rare maintenant en Écosse, sauf dans les îles–, lequel assure environ 15 % des besoins. La tourbe utilisée pour le séchage est extraite localement. Balvenie utilise quatre paires d'alambics, qui sont bien plus grands que ceux de la distillerie de Glenfiddich toute proche, aussi le style de son whisky est-il différent. Il est corpulent, doux, riche et malté.

Trois qualités sont disponibles : Founder's Reserve (10 ans), Doublewood (12 ans, vieilli dans des fûts de bourbon et de xérès) et 15 ans (vieilli en fûts de même origine).

À droite : Balvenie Castle. Ce château en ruine se dresse à l'écart de la distillerie du même nom.

Ci-dessous : l'acteur David Niven. Avant de devenir une des stars d'Hollywood, il fut représentant de la marque Ballantine's.

John Begg • *Blend* créé par les propriétaires du Royal Lochnagar♦. Le John Begg est maintenant une marque mineure exploitée par United Distillers. Whisky standard.

Bell's • Marque de *blend* la plus vendue en Angleterre, mais pas en Écosse. Elle se classe au quatrième rang des marques mondiales. En 1837, Arthur Bell commença sa carrière comme voyageur de commerce pour le compte de l'entreprise de vins et spiritueux Thomas Sandeman, installée à Perth. Il en devint associé en 1851. Des essais d'assemblage de whiskies de grain et de malt étaient alors en cours et une modification de la loi autorisa, en 1860, la préparation de *blends* en entrepôt. Bell consacra les deux années suivantes à visiter des distilleries et à goûter leur whisky. Ses premiers *blends* furent mis en vente en 1863.

Le whisky de malt de la distillerie Blair Athol♦ à Pitlochry donne son caractère au Bell's, dans lequel on retrouve ses arômes de noisette et d'épices. L'assemblage du Bell's utilise trente-cinq whiskies ; les malts étaient, jusqu'il y a peu de temps, âgés de cinq à douze ans. En 1994, Bell's, pour tenter de ranimer la vente de son scotch qui souffrait de la concurrence du bourbon et de whiskies élaborés dans d'autres pays, rehaussa la qualité de son *blend* standard en le logeant au moins huit ans en fût. Il fit également figurer la durée du vieillissement sur l'étiquette, ce qu'aucune marque de whisky standard n'avait fait jusqu'alors.

Ben Nevis • *Single malt* et distillerie des Highlands construite en 1825 au pied de la plus haute montagne du Royaume-Uni, Ben Nevis, par « Long John » McDonald. Celui-ci était un véritable géant, et, bien que le whisky qu'il produisait s'appelât Dew of Ben Nevis (« Rosée de Ben Nevis »), son surnom devint par la suite le nom du *blend* célèbre de la distillerie. Dans les années 50, le propriétaire de l'entreprise, Joseph Hobbs, un Canadien d'origine écossaise, installa dans un vallon, à proximité de la distillerie, un ranch authentique, avec cow-boys à cheval.

Ben Nevis, qui compte deux paires d'alambics, appartient maintenant à la firme japonaise de whisky

Nikka *(voir Japon)*. Une bouteille de Ben Nevis vieille de soixante-trois ans a récemment changé de mains pour 2 000 livres et une autre, vieille de vingt-six ans, a aussi été mise en vente. Le *blend* Dew of Ben Nevis est disponible en versions de 4 à 21 ans d'âge ; un *single malt* mis en bouteilles à la sortie du fût, sans dilution, est commercialisé de temps à autre. C'est un whisky légèrement fumé à la tourbe, douceâtre, avec des nuances herbacées et épicées.

Point culminant du Royaume-Uni, le Ben Nevis a donné son nom à une distillerie située dans un des cadres les plus grandioses d'Écosse. Au premier plan, le loch Eil.

Black & White • Célèbre marque de *blend* de James Buchanan dont l'étiquette porte deux terriers écossais, l'un noir et l'autre blanc. Pourtant, le premier *blend* qu'il assembla pour obtenir un whisky suave et souple – avec déjà en tête le marché d'exportation – portait son nom : The Buchanan Blend. Or, comme il était logé dans une bouteille noire munie d'une étiquette blanche, les clients réclamaient le *black-and-white whisky* (le « whisky noir et blanc »). On le rebaptisa alors Black & White, et l'on décora son étiquette des deux chiens maintenant familiers. Buchanan créa son affaire à Londres en 1884. Un an plus tard, un contrat prestigieux de fournisseur de la Chambre des communes lui permit de proposer un *blend* nommé comme de juste « House of Commons ». Aujourd'hui encore, la branche Buchanan de United Distillers continue à fournir du whisky au bar des parlementaires britanniques.

À l'époque du « boom » sur le whisky, dans la seconde moitié du XIXᵉ siècle, les bâtiments abritant le siège des grandes marques (ici Black & White) affichaient la prospérité des distillateurs.

En 1899, Buchanan obtint un brevet de fournisseur de la maison de la reine Victoria ; l'empereur du Japon lui accorda le même privilège en 1907. Pionnier en matière de publicité, le distillateur faisait livrer les commandes à ses clients londoniens par des cochers en livrée conduisant des voitures décorées et tractées par des chevaux splendides ; il fut aussi un des premiers à faire de la publicité dans les journaux. Le Black & White, un *blend* standard, est resté populaire. Il fait partie de la douzaine de marques les plus vendues dans le monde.

Black Bottle • *Blend* original très parfumé, qui séduit un nombre croissant d'amateurs en Écosse et ailleurs. En 1897, les frères Graham, assembleurs de thé à Aberdeen, choisirent comme violon d'Ingres d'assembler des whiskies. Quand des amis demandèrent à acheter leur scotch, ils décidèrent d'en faire le commerce. La clientèle est restée locale jusqu'à la reprise récente de la société par Allied Distillers qui améliora la qualité des produits. Le whisky de malt qui domine dans ce *blend* est le Laphroaig♦. La forme de la bouteille est inspirée par celle d'un alambic que les contrebandiers nommaient *black pot* (« pot noir »).

Bladnoch • *Single malt* et distillerie des Lowlands. Située dans la région sud-est du pays, cette distillerie – la plus méridionale d'Écosse– fut la dernière encore en production dans un district qui en comptait une douzaine, mais elle a fermé ses portes. Bladnoch date de 1817 et resta dans la même famille jusqu'en 1938. Elle passa ensuite entre des mains irlandaises puis américaines avant d'être rachetée par United Distillers. Le Bladnoch est modérément fumé à la tourbe. Léger et subtil, il a une fin de bouche légèrement herbacée. Il est disponible en 10 ans d'âge, mais les stocks s'amenuisent.

Blair Athol • *Single malt* et distillerie des Highlands, à Pitlochry, jolie ville où Robert Louis Stevenson écrivit quelques-unes de ses nouvelles. Blair Athol, qui date de 1798, est une des rares distilleries du XVIIIᵉ siècle ayant survécu. Son whisky de malt, légèrement fumé à la tourbe, sert à l'assemblage du Bell's♦, le *blend* le plus vendu au Royaume-Uni. Seul le *single malt* commercialisé sous la marque Blair Athol vieillit en fût dans les vénérables entrepôts de la distillerie ; le reste est vendu ou stocké ailleurs. Frais et délicatement fumé, ce whisky est agréablement long en bouche. Son vieillissement a été récemment porté de 8 à 12 ans.

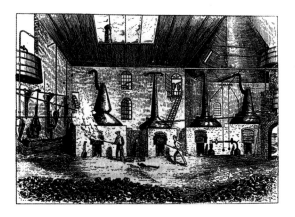

Bruichladdich pour alimenter le marché des États-Unis, florissant après l'abrogation de la Prohibition. Parmi eux, Joseph Hobbs, un Canadien d'origine écossaise, devint propriétaire d'autres distilleries et installa un véritable ranch dans la région centrale des Highlands.

Discret, souple, avec à peine un soupçon d'arôme de tourbe, le Bruichladdich est généralement commercialisé à 10 ans d'âge, mais des whiskies plus vieux sont aussi disponibles.

***B**owmore* • *Single malt* et distillerie de l'île d'Islay, au large de la côte occidentale d'Écosse. Construite en 1779, c'est une des plus vieilles distilleries écossaises encore en activité... et la première d'Islay à être devenue entièrement japonaise. On s'efforce à Bowmore de respecter les traditions : ainsi, on y procède encore au maltage sur place, ce qui est devenu rare en Écosse. Le directeur de la distillerie, James MacEwan, fut autrefois assembleur et tonnelier.

Durant la dernière guerre, un des greniers à grains de Bowmore servit de salle de commandement à l'aviation qui s'efforçait de repérer les sous-marins allemands infestant l'Atlantique.

La distillerie compte quatre alambics. Maintes fois primé, son whisky a valu nombre d'éloges à la société propriétaire de l'établissement, Morrison Bowmore. S'il ne possède pas complètement l'âcreté typique des whiskies d'Islay qui déroute certains, il n'en est pas moins riche et élégant.

Le Bowmore est généralement disponible à 10 et 17 ans d'âge.

***B**ruichladdich* • *Single malt* et distillerie de l'île d'Islay. Le Bruichladdich est le plus léger et le moins typique des whiskies d'Islay, connus pour leur concentration et leurs arômes un peu pharmaceutiques. La distillerie fut construite en 1881, à une époque où la demande de whiskies de malt pour les *blends* était forte. Une grande partie du matériel d'origine, y compris une cuve en fonte et un alambic riveté, est encore en service. En 1938, un groupe d'Américains du Nord racheta

JAMES BUCHANAN   & COMPANY GLASGOW

THE
BUCHANAN
BLEND

AGED **8** YEARS

Finest Scotch Whisky

James Buchanan & Company
Glasgow G2 5RG

DISTILLED, BLENDED AND BOTTLED IN SCOTLAND

70 cl e   40% vol

En haut à gauche : la distillerie Bowmore (gravure ancienne). L'élaboration du whisky a longtemps requis une main-d'œuvre nombreuse. Aujourd'hui, l'homme n'intervient plus directement dans l'entretien du feu sous les alambics.

***B**uchanan's* • Ce *blend* fut d'abord vendu dans une bouteille noire avec une étiquette blanche, à l'époque où le propriétaire de la marque, James Buchanan, installa ses bureaux à Londres en 1884. Le « Buchanan Blend » devint le Black and White♦, mais la marque Buchanan's fut conservée et contribua aussi à la croissance de l'entreprise, notamment grâce à sa popularité sur les marchés d'Amérique centrale et du Sud. La distillerie Dalwhinnie♦ est particulièrement associée à Buchanan's ; elle a été construite à la plus haute altitude en Écosse. Disponible à 8 ans d'âge et en version « de luxe » (12 ans d'âge).

Bunnahabhain • *Single malt* et distillerie d'Islay. Aujourd'hui encore, Bunnahabhain reste isolée sur la côte nord-est de l'île, au large de l'Écosse. Quand la distillerie fut créée, en 1881, la société propriétaire dut construire sa propre route, ainsi qu'un village comprenant des magasins, des maisons pour ses employés et leurs familles, et une école pour leurs enfants. C'est un site sauvage d'où l'on peut voir, depuis 1974, la carcasse d'un navire qui rouille sur les rochers au pied de la falaise.

Le Bunnahabhain (prononcer « Bouna-hav'n ») est un des malts d'Islay les plus discrets. On évite l'âcreté typique des whiskies d'Islay en prélevant l'eau à la source, afin qu'elle ne traverse pas de terrains tourbeux. Autre originalité : l'eau est dure, comme celle que l'on utilise pour un autre malt écossais figurant parmi les plus subtils, le Glenmorangie♦. Le vieillissement au bord même de l'Atlantique donne au Bunnahabhain une touche salée caractéristique. Il s'effectue dans des fûts de bourbon et de xérès, mais on prend soin que ces derniers ne masquent pas la délicatesse naturelle du whisky de malt. Disponible à 12 ans d'âge.

Burn Stewart • Marque d'un *blend* « de luxe » relativement récent dans le firmament du scotch. Formée en 1988, l'entreprise réunit des distillateurs indépendants, expérimentés, dynamiques et dotés d'un capital suffisant, déjà distingués pour leur habile gestion et leur réussite à l'exportation. La société a racheté deux distilleries, Deanston♦ et Ledaig♦, une poignée de marques vieillissantes et des marques récentes (comme le *blend* Burberry de 12 ans d'âge) qu'elle s'efforce de hisser au premier rang. Elle a acquis une gamme étendue de vieux whiskies. Disponible à 12 ans d'âge.

Cameron Brig • *Single grain* de la distillerie de Cameronbridge. L'établissement joua un rôle moteur dans l'amélioration des techniques de production du whisky au début du XIXᵉ siècle. Construite en 1813 par la famille Haig♦, la première distillerie fit place en 1824 à une autre produisant du whisky de malt des Lowlands avec une unique paire d'alambics. Stein, un parent des Haig, inventa en 1827 un appareil de distillation continue dont deux exemplaires furent installés à Cameronbridge. Ils donnaient une eau-de-vie moins parfumée, mais moins coûteuse à produire et en plus gros volumes. Quand Aeneas Coffey améliora le procédé, deux appareils du nouveau modèle furent ajoutés. Ainsi, Cameronbridge fut en mesure de produire une gamme étendue allant du whisky de malt le plus parfumé au whisky de grain presque neutre. La plus grande partie du whiskey irlandais est aujourd'hui élaborée de la même manière, dans une unique distillerie, Midleton, située non loin de Cork, (*voir Irlande*), où l'on combine les produits issus d'alambics et de colonnes de distillation fractionnée.

Cameronbridge possédait sa propre usine à gaz qui fournissait l'énergie nécessaire à sa chaudronnerie, sa fonderie, sa scierie et sa tonnellerie.

L'établissement ne produit plus à présent que du whisky de grain avec les colonnes de distillation système Coffey. Les alambics furent enlevés dans les premières années du siècle et la production avec les appareils Stein fut arrêtée en 1929. Le Cameron Brig est un des deux seuls whiskies de grain écossais vendus tels quels (l'autre étant l'Invergordon◆). On peut le décrire comme léger, doux, souple et musqué.

vieux alambics pour 120 livres à un M. Grant qui tenta sa chance dans le Fiddich Glen (le vallon de Fiddich). Cardhu, qui ravitaillait en whisky de malt John Walker de Kilmarnock, vendit la distillerie à ses successeurs peu avant que le *blend* Johnnie Walker fût lancé sur le marché avec le succès que l'on sait.

Le Cardhu est un whisky de malt suave, délicatement fumé et épicé, avec des arômes de fleurs et de noix. Il est disponible à 12 ans d'âge.

Chequers • *Blend* standard de United Distillers, particulièrement apprécié en Amérique du Sud.

Chieftain Choice • Gamme de whiskies de malt et de *blends* d'une entreprise indépendante qui propose quelques très vieux malts comme, par exemple, récemment, un 21 ans de Speyside et un 30 ans des Lowlands.

Chivas Regal • *Blend* haut de gamme et de prestige. Les frères Chivas ne possédèrent jamais de distillerie, mais la marque est connue depuis sa création pour l'excellence et la régularité de ses assemblages. Le Chivas Regal, qui appartient depuis 1949 à Seagram, continue une tradition dont l'origine remonte à une épicerie fine d'Aberdeen. Quand la reine Victoria commença, dans les

Ci-dessous : la distillerie Strathisla à Keith, une des plus splendides d'Écosse. Elle produit le whisky de malt qui donne son caractère au Chivas Regal.

Cardhu • *Single malt* et distillerie des Highlands (Speyside). Whisky de malt, le Cardhu donne sa marque aux *blends* de Johnnie Walker. Il commença sa carrière comme le whisky de contrebande produit par un cultivateur pour joindre les deux bouts. John Cumming prit à bail la ferme de Cardhu en 1811 et engagea à mi-temps un distillateur expérimenté. Il fut condamné à maintes reprises – quelques-uns des jugements décorent aujourd'hui le bureau du directeur de la distillerie. Très habile, sa femme Helen avait l'art de faire passer la fermentation et le brassage pour la fabrication du pain quand l'inspecteur des alcools arrivait à l'improviste. Le producteur manifesta un excellent sens des affaires quand son activité devint finalement licite, tout comme sa belle-fille Elizabeth, qui reconstruisit la distillerie ; elle céda ses années 1840, à passer l'été au château de Balmoral, l'établissement Chivas lui livra, entre autres denrées, ses whiskies ; il reçut en 1843 le brevet envié de fournisseur de la maison royale. Pourtant, c'est seulement dans les années 1870 que les premiers *blends* portant le nom de Chivas furent commercialisés et bientôt vendus à tous ceux qui comptent en Europe. D'autres *blends* suivirent, qui eurent autant de succès, dont, en 1891, le Chivas Regal, rapidement exporté aux États-Unis.

Le whisky de malt riche et corpulent qui est au cœur du Chivas Regal vient de la splendide distillerie Strathisla à Keith. Ceux de Glenlivet♦, Glen Grant♦ et Longmorn jouent aussi leur rôle. L'assemblage fait appel à plus de trente whiskies. La marque se classe au cinquième rang mondial du scotch avec plus de trois millions de caisses vendues par an, et au premier rang des whiskies haut de gamme.

Disponible à 12 et 15 ans d'âge.

Clan Campbell • Gamme de *blends* du groupe Pernod-Ricard, qui possède les distilleries de malt d'Aberlour♦ et Edradour♦. La maison Campbell remonte à 1879, mais la qualité de ses *blends* avait beaucoup baissé au moment où le groupe français en prit le contrôle. Quand le duc d'Argyll, chef du clan Campbell, dit aux nouveaux propriétaires qu'en faisant un mauvais whisky, ils avaient réussi l'impossible, ceux-ci l'invitèrent à siéger au conseil d'administration pour les aider à relancer la marque. Le Clan Campbell approche aujourd'hui le million de caisses et pourrait bien bien être la marque de scotch dont les ventes progressent le plus vite en Europe.

Disponible en versions standard et haut de gamme de 12 et 21 ans d'âge.

Claymore • Marque de *blend* créée par Distillers Co. Ltd et appartenant aujourd'hui à Whyte & Mackay. Elle compte au nombre de celles qui virent le jour à la fin des années 70 pour éponger les stocks encombrant à l'époque les entrepôts. Certains des whiskies utilisés à cet effet étaient vraiment excellents, car ils avaient vieilli en fût plus longtemps que d'habitude. Les marges furent réduites au minimum et les clients qui payaient le plus vite obtenaient les meilleurs prix. La plupart de ces

marques auxiliaires disparurent quand les stocks retombèrent au niveau normal, mais la demande pour le Claymore resta forte, et cette marque subsista.

Développée par Whyte & Mackay, y compris à l'exportation, la marque figure aujourd'hui parmi les six premières au Royaume-Uni.

Disponible en qualité standard.

Cragganmore • *Single malt* et distillerie des Highlands (Speyside). Le Cragganmore fait partie de la gamme des whiskies de malt classiques distribués par United Distillers. La distillerie fut construite en 1869 par l'un des hommes les plus talentueux de l'époque, John Smith, qui avait déjà dirigé Macallan♦, Glenfarclas♦ et Glenlivet♦. Désormais seul maître à bord, il laissa libre cours à ses idées.

Ce whisky est aristocratique et même un peu austère. Plus sec que la plupart des whiskies de Speyside, il est complexe et subtil. Disponible en 12 ans d'âge.

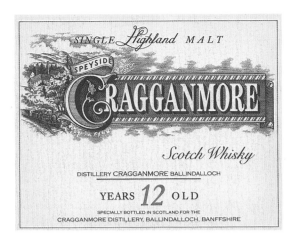

Le Cutty Sark est léger, mais la plupart des whiskies de l'assemblage ont séjourné de quatre à dix ans dans des fûts de chêne américain ayant généralement contenu du xérès.

Outre la variété standard, on trouve sur le marché des versions haut de gamme de 12 ou 18 ans d'âge. Il existe également quelques éditions limitées.

*C*rawford Three Star • *Blend* très apprécié en Écosse. Bien que son assemblage ne fût pas conçu pour le marché international par les propriétaires de la marque, Whyte & Mackay, il est maintenant largement exporté.

*C*utty Sark • Marque internationale : la moitié de sa production est vendue dans l'UE et presque tout le reste aux États-Unis. Comme celle du J & B♦, la robe du Cutty Sark est claire, car il n'est pas additionné de caramel. Ce whisky « nouveau » fut créé dans les années 20 par Berry Brothers et Rudd, marchands de vins londoniens, pour l'ajouter à leur liste de whiskies traditionnels. Il porte le nom d'un grand voilier construit en Écosse, qui avait longtemps navigué sous celui de *Ferreira*, mais avait repris au retour son nom d'origine, *Cutty Sark*, typiquement écossais. Il évoque le souvenir de l'héroïne d'un magnifique poème de Robert Burns, *Tam O'Shanter*, une ravissante sorcière qui ne portait qu'un *cutty sark* (en gaélique, « petite chemise »).

La célèbre étiquette jaune est due à l'erreur d'un imprimeur : elle aurait dû être couleur crème, mais quand Francis Berry constata qu'elle était ainsi plus lisible, il l'adopta. Le Cutty Sark était l'un des alcools de contrebande que le capitaine Bill McCoy livrait au large des côtes américaines pendant la Prohibition. Un tel commerce explique la visite du gangster américain Legs Diamond au magasin des Berry à Londres, un beau jour de la fin des années 20. Il y acheta tout le Cutty Sark disponible, paya comptant et l'emporta sur-le-champ dans une flotte de taxis.

La distillerie Dallas Dhu a été transformée en musée, au grand regret des amateurs du *single malt* portant le même nom.

*D*allas Dhu • *Single malt* des Highlands, maintenant rare, et ancienne distillerie transformée en musée. Dallas Dhu est l'archétype des distilleries des Highlands, préservée pour montrer comment on faisait autrefois le whisky. On peut encore en acheter, mais la quantité disponible diminue vite. Construite en 1899, Dallas Dhu a survécu à la grande crise du whisky, à deux guerres, à la récession, à un incendie, mais le manque d'eau en a eu raison.

Le Dallas Dhu est soyeux, avec des arômes légèrement herbacés et épicés. La dernière distillation date de 1983 et certains lots sont mis en vente de temps à autre, comme récemment un whisky de 18 ans d'âge et le millésime 1978.

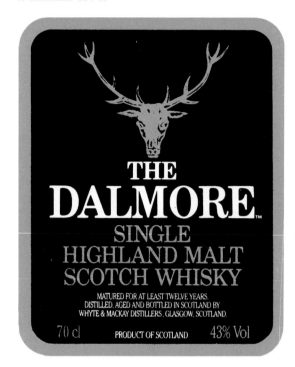

Dalmore • *Single malt* et distillerie des Highlands. Alexander Matheson, associé de la société commerciale Jardine Matheson de Hongkong, acheta en 1839 la ferme Ardross, au nord d'Inverness, y fit construire un alambic et en afferma l'exploitation. La famille Mackenzie, qui travaillait sur le domaine Matheson, reprit la distillerie et finit par la racheter. Dans les années 1870 déjà, les Mackenzie comprirent l'intérêt du vieillissement en fût de xérès et le pratiquèrent pour leur whisky de la meilleure qualité. La distillerie Dalmore appartient aujourd'hui à Whyte & Mackay, mais l'emblème du clan Mackenzie, un andouiller, figure toujours sur l'étiquette de son whisky en hommage à la famille qui présida aux destinées de la marque durant près d'un siècle. Le Dalmore est un des principaux composants des *blends* de Whyte & Mackay.

Le tiers environ du whisky achève son vieillissement dans des fûts de xérès, ce qui superpose une note douce à son goût de fumée et à sa matière soyeuse. Disponible à 12 ans d'âge.

Dalwhinnie • *Single malt* et distillerie des Highlands. Le Dalwhinnie fait partie de la gamme des whiskies de malt classiques de United Distillers. Il révèle combien tendres et délicats peuvent être certains whiskies en dépit (ou en raison) de leur provenance : les endroits les plus sauvages et les plus exposés à la fureur des éléments. On raconte que les employés de la distillerie, située à près de 330 m au-dessus du niveau de la mer, devaient passer par une fenêtre du premier étage pour aller travailler les hivers où les chutes de neige étaient particulièrement abondantes.

La distillerie, qui portait à l'origine le nom de Strathspey, fut construite en 1898, haut sur la route du col de Drumochter, afin d'être le plus proche possible des eaux pures d'un petit *loch* (« lac ») qui s'y trouve. Mise en liquidation au moment de la grande crise du whisky de la fin du siècle dernier (*voir annexes p. 247-248*), elle fut finalement rachetée pour produire du whisky destiné au *blend* Black & White de Buchanan♦, ce qui explique que les bâtiments soient peints en noir et blanc. La distillerie abrite aussi une station météorologique officielle. Parfumé et légèrement fumé, le Dalwhinnie est disponible en 15 ans d'âge.

Deanston • *Single malt* et distillerie des Highlands, aux portes de Doune, dans le comté de Perth. La ville est renommée pour son château du XIVᵉ siècle – où fut tourné le film *Monty Python et le sacré Graal* – et pour les pistolets qui y étaient fabriqués au XVIIᵉ siècle. Deanston est une ancienne filature conçue par Richard Arkwright, inventeur du métier à filer, construite en 1785 sur la rive du Teith, qui est toujours une excellente rivière à saumons. Sa transformation en distillerie date des années 60. L'eau qui faisait tourner les turbines de la filature sert maintenant à l'élaboration du whisky. Burn Stewart♦, les actuels propriétaires, l'ont acquise en 1991.

De nos jours, le whisky n'est plus fumé à la tourbe ; celui qui est mis en bouteilles a presque l'apparence d'un vin, ainsi que le bouquet et le goût discrets, tendres, fruités et maltés. Il est disponible à 12, 17 et 25 ans d'âge.

Les whiskies vendus aujourd'hui étant encore l'œuvre du propriétaire précédent, il reste à savoir si, dans l'avenir, leur style évoluera ou pas.

The WHISKY of HIS ANCESTORS

et encore aujourd'hui, sa production constitue le cœur des whiskies Dewar. Cette même année 1898, les Dewar engagèrent Thomas Edison pour qu'il tourne un film publicitaire, le premier jamais produit. Il représentait des personnages en kilt, au sourire épanoui, sortant d'un portrait et dansant une gigue endiablée : pas très imaginatif mais terriblement efficace (et sans doute très onéreux) à l'époque. Les deux frères devinrent membres de la Chambre des communes – sous des couleurs politiques différentes. John appartint au parti libéral (il devint plus tard lord Forteviot), Tom choisit le parti conservateur (il fut anobli par la suite).

Les whiskies Dewar, riches et corpulents, ont un style très caractéristique. Disponibles en versions standard (White Label) et 12 ans d'âge « de luxe » (Ancestor).

*D*imple • La bouteille « à fossettes » du *blend* « de luxe » de la société Haig♦ – Dimple en Europe, Pinch aux États-Unis – a une forme particulière qui est devenue familière. Apparue au tournant du siècle, elle suscita aussitôt la curiosité. Haig a mené une quantité impressionnante d'actions en justice contre des imitateurs de cette bouteille, dont le modèle fut déposé en 1919 (seul Coca-Cola l'avait précédé dans cette voie). Même des fabricants de parfum furent poursuivis pour avoir copié une bouteille en miniature. C'est en 1952 seulement que la cour suprême d'Écosse reconnut à Haig le droit exclusif d'employer ce modèle. Après plusieurs essais d'étiquettes adaptées à ses courbes, la sérigraphie fut adoptée. Le filet à larges mailles qui couvre la bouteille, toujours appliqué à la main, avait à l'origine pour fonction de retenir le bouchon si le whisky voyageait à bord d'un navire. Le whisky de malt de la distillerie Glenkinchie♦ des Lowlands est très présent dans le Dimple. Disponible en 12 et 15 ans d'âge.

Deux entreprises pionnières en matière de promotion : Dewar (à gauche) mit en scène des personnages en kilt dans un des premiers films publicitaires jamais réalisés ; Dimple (ci-dessous) déposa dès 1919 le modèle de sa célèbre bouteille.

*D*ewar • Le White Label de Dewar est en tête des ventes de *blends* aux États-Unis et en sixième position sur le marché mondial. John Dewar fut le premier à vendre en bouteilles du scotch de qualité avec son nom comme garantie. Il exerça d'abord le métier de charpentier, puis ouvrit un commerce de vins et spiritueux à Perth en 1846. Il eut l'idée, dans les années 1860, de vendre son propre *blend* en bouteilles de plus faible contenance mais moins chères que les tonnelets et les jarres dans lesquels on écoulait habituellement le whisky à l'époque. Cette pratique fut bien accueillie, et Dewar fidélisa ainsi une clientèle qui revenait dans son magasin faire remplir ses bouteilles.

John Dewar mourut en 1880, laissant à ses deux fils, John Alexander et Thomas Robert, une affaire florissante. En 1892, le second s'embarqua pour un voyage d'affaires d'une durée de deux ans au cours duquel il choisit des représentants dans les vingt-six pays qu'il visita. En 1895, les deux frères ouvrirent un bureau à New York. Ils obtinrent un brevet de fournisseur de la maison royale de la reine Victoria et édifièrent la distillerie d'Aberfeldy. Depuis son inauguration en 1898,

Dunhill • Marque d'un whisky de prestige, créé pour la célèbre marque de produits de luxe. C'est le whisky haut de gamme qui connaît la progression la plus rapide dans le monde. Le riche et ample Old Master de Dunhill a été complété depuis 1993 par du Gentlemen's Blend, plus robuste et plus riche en arômes de tourbe – probablement le seul scotch qui se proclame « d'un caractère distinctement britannique ». 1993 étant l'année du centenaire de la fondation de l'entreprise par Alfred Dunhill, une « cuvée du Centenaire » a été préparée : un *blend* élaboré avec un Strathmill de 30 ans d'âge, complété par quinze autres whiskies de malt (ayant entre 15 et 30 ans d'âge), chacun provenant d'une distillerie au moins centenaire. Chaque fût de cette cuvée contient l'équivalent de trente caisses de scotch et coûte 43 000 livres, mais ce prix inclut deux billets d'avion en première classe de n'importe quel point du globe permettant aux acheteurs de venir inspecter leur fût à Strathmill. La moitié environ des cent fûts proposés trouvèrent preneur les six premiers mois...

Edradour • Single malt et distillerie des Highlands proche de Pitlochry. Edradour est la plus petite distillerie écossaise. Elle est ravissante : bâtiments blanchis à la chaux, terrain entouré d'une palissade, ponts de bois enjambant une petite rivière. Le personnel affecté à la production comprend trois personnes. Avec douze fûts d'eau-de-vie à 70 % vol. par semaine, il faut une année à Edradour pour atteindre la production hebdomadaire d'une distillerie de scotch standard. La contenance des alambics est la plus petite autorisée : 230 l. Deux mille caisses seulement sont disponibles chaque année.

Dernière distillerie artisanale du comté de Perth, l'établissement fonctionnait illégalement avant d'obtenir la licence en 1825. Il s'appelait à l'origine Glenforres, nom actuel d'un malt faisant partie de la gamme des whiskies de House of Campbell. L'Edradour est riche et épicé, avec des notes de fumée, de caramel et de fruit. Disponible à 10 ans d'âge.

Famous Grouse • Excellent *blend* de Gloag, le plus vendu en Écosse, au neuvième rang dans le monde. Matthew Gloag était maître d'hôtel au XIXᵉ siècle à Perth, en Écosse. En 1825, sa femme quitta son emploi au

service d'une maison noble pour reprendre, en ville, un commerce de vins et spiritueux. Gloag ne se joignit à elle à temps complet qu'en 1835. Les Gloag ravitaillaient l'aristocratie locale et furent chargés de fournir les boissons pour le banquet offert à la reine Victoria lors de sa visite à Perth. Un neveu – nommé lui aussi Matthew – spécialisa l'affaire dans le commerce du whisky et créa en 1896 sa première marque, Bridge of Perth. Un an plus tard, il lança à grand renfort de publicité le Famous Grouse, un *blend* de 7 ans d'âge. L'exportation vers les États-Unis débuta en 1908. Pendant la Première Guerre mondiale, poussée par des officiers qui étaient d'anciens clients, l'intendance passa de fortes commandes.

Les Gloag furent toujours des assembleurs ne possédant pas de distillerie. Toutefois, du fait que l'entreprise fait partie de Highland Distilleries depuis 1970, elle a des liens privilégiés avec des distilleries comme Highland Park♦ et Bunnahabhain♦, dont les whiskies de malt participent à l'assemblage du Famous Grouse. Il faut aussi citer le Tamdhu♦, dont la riche douceur maltée imprime sa marque. Le Famous Grouse a la réputation de faire appel à des whiskies plus vieux qu'il n'est habituel pour son *blend* standard, dont la qualité se situe entre celle des whiskies standard et des whiskies « de luxe ».

Disponible en versions standard et « de luxe », à différentes durées de vieillissement.

Le Bunnahabhain est le moins fumé des whiskies d'Islay. Il entre dans l'assemblage du Famous Grouse.

THE FAMOUS GROUSE

FINEST SCOTCH WHISKY
100% SCOTCH WHISKIES BLENDED & BOTTLED BY
Matthew Gloag & Son Ltd.,
Perth,   *Scotland*

BY APPOINTMENT TO HER MAJESTY THE QUEEN
SCOTCH WHISKY BLENDERS

| 40% vol. | PRODUCT OF SCOTLAND | 70cl |

OLD FETTERCAIRN

ESTABLISHED 1824

10 YEARS OLD
SINGLE HIGHLAND MALT
SCOTCH WHISKY

Distilled, aged and bottled
in Scotland by
FETTERCAIRN DISTILLERS COMPANY
PRODUCT OF SCOTLAND

70cl   43%Vol

intéressant pour un whisky de malt lui assure une bonne distribution dans les supermarchés en France et ailleurs en Europe. Disponible en 5, 8 et 12 ans d'âge.

Glendeveron • *Single malt* des Highlands élaboré à la distillerie Macduff♦.

Glendronach • *Single malt* et distillerie des Highlands restée très traditionnelle : on élabore sur place le whisky du début à la fin. On y pratique notamment le maltage de l'orge récoltée dans le voisinage, son séchage et les travaux de tonnellerie. Les cuves de fermentation sont en bois, les alambics chauffés au charbon ; les entrepôts de vieillissement ont un sol en terre battue qui leur donne une humidité idéale. Les bâtiments sont impeccables, bien qu'ils aient peu changé depuis la création de la distillerie, en 1826, par un groupe de fermiers. Le Glendronach fait partie des *blends* de Teacher's♦.

Il y avait autrefois deux styles de Glendronach, selon qu'il vieillissait en fûts de xérès ou dans un mélange de fûts ordinaires et de fûts de xérès. Celui d'aujourd'hui, baptisé Traditional, a un style plus léger, tout en nuances. Bien structuré, il montre un bon équilibre entre les arômes de fumée, de vanille et de caramel grillé. Disponible à 12 ans d'âge.

Glenfarclas • *Single malt* et distillerie des Highlands (Speyside). Construite en 1836, la distillerie est dans la famille Grant depuis 1865. Frappés durement par la grande crise du whisky de 1899 (*voir annexes p. 247*) – affaiblis notamment par les difficultés que devaient surmonter leurs associés, les propriétaires évitèrent de peu la faillite. Autrefois, le Glenfarclas était proposé vieilli en fûts de xérès ou en fûts ordinaires, mais seuls les premiers sont aujourd'hui employés. Certains des fûts utilisés pour le vieillissement servent deux fois, ce qui donne au whisky une finesse particulière.

Le Glenfarclas est riche, très aromatique et souple, avec du corps et une bonne structure. Il « descend en chantant des hymnes », ainsi que l'a dit éloquemment un dégustateur. Disponible avec plusieurs durées de vieillissement (8 à 25 ans) et en une version directement tirée du fût.

Fettercairn • *Single malt* et distillerie des Highlands. Un ancien moulin à céréales fut transformé en distillerie un an après la loi de 1823. Elle était située dans le domaine Fasque du comté de Kincardine, acheté par la famille de William Gladstone, lequel devint plus tard Premier ministre. Son whisky fut utilisé dans des *blends* célèbres comme Buchanan's et Johnnie Walker. Arrêtée entre les deux guerres mondiales, elle faillit être démontée. Le fameux Joseph Hobbs, de Ben Nevis♦, la sauva. Le Fettercairn appartient maintenant à Whyte & Mackay et domine dans les *blends* de cette entreprise. Il n'est que légèrement fumé à la tourbe, mais, étant donné qu'il est élaboré avec de l'eau imprégnée de tourbe, son goût de fumée est très présent, avec des nuances de noix, de fruit et de malt crémeux. Le Fettercairn est disponible à 10 ans d'âge.

Glen Blair • Whisky de malt de Burn Stewart♦, propriétaire de Deanston♦ et Ledaig♦. Il compte parmi les dix whiskies les plus vendus en France. Il possède un peu de la robustesse des whiskies de Speyside, avec le goût de tourbe de ceux d'Islay. Son rapport qualité-prix

À droite : d'une architecture discrète et de bon aloi, la distillerie Glengoyne se trouve à la frontière des Highlands et des Lowlands.

Glenfiddich • *Single malt* – le plus vendu au monde – et distillerie des Highlands (Speyside). William Grant & Sons ont redonné au monde le goût du whisky de malt (curieusement, c'est en 1963 seulement que la firme décida d'« exporter » son whisky en Angleterre). Glenfiddich proposa aux amateurs du monde entier, qui ne connaissaient que le *blended* scotch, un produit différent, le whisky de malt traditionnel d'Écosse, dont le goût et la personnalité reflètent l'origine, comme c'est le cas d'un grand vin mis en bouteilles au château.

Le fondateur, William Grant, travailla vingt ans à la distillerie Mortlach avant de créer la sienne, Glenfiddich, en 1887. Il racheta des alambics rapiécés de la distillerie Cardhu. Ses filles assuraient l'approvisionnement en tourbe et ses fils surveillaient le matériel tout en préparant leurs examens d'entrée à l'université d'Aberdeen.

La distillerie Balvenie ♦ suivit en 1892 puis, un siècle plus tard, celle de Kininvie. La famille Grant dirige toujours l'ensemble. Les méthodes traditionnelles d'élaboration du whisky « de l'orge à la bouteille » sont observées dans les trois distilleries : maltage, séchage, chauffage des alambics au charbon, tonnellerie et, ce qui est rare sur place, mise en bouteilles.

Le Glenfiddich est léger, délicat et sec, avec un subtil goût de fumée. Le whisky de bouteilles plus anciennes a davantage de corps, d'arômes de xérès et de velouté. Disponible en version Special Reserve (environ 8 ans d'âge) et avec différentes durées de vieillissement (jusqu'à 50 ans).

Glen Garioch • *Single malt* et distillerie des Highlands. Construite en 1797 dans le village d'Old Meldrum (comté d'Aberdeen), Glen Garioch (prononcer « glen guiiry ») est une des plus vieilles d'Écosse. Elle effectue toujours son propre maltage. La distillerie s'est distinguée par sa politique d'économie d'énergie : elle cultive des tomates dans des serres qui utilisent la chaleur et le gaz carbonique dégagés lors du processus de distillation. Les alambics sont chauffés au gaz naturel de la mer du Nord.

Le Glen Garioch est un whisky de malt corpulent, avec un cœur fruité et une finale sèche et fumée. Disponible avec plusieurs durées de vieillissement (8 à 21 ans d'âge).

Glengoyne • *Single malt* et distillerie des Highlands dont le whisky entre dans les blends de Langs ♦. Distillerie la plus méridionale des Highlands, Glengoyne produit des whiskies de malt qui possèdent un peu de l'amabilité de ceux des Lowlands. Elle est l'héritière des distilleries clandestine du *glen* – qui fut le repaire de Rob Roy et de ses voleurs de troupeaux – d'où les jeunes filles se rendaient à Glasgow, ce qui demandait une journée entière, avec du whisky dissimulé sous leur jupe. Elle fut construite en 1883 et cédée à Lang Brothers en 1876.

Le Glengoyne est insolite en Écosse car, son malt n'étant pas séché à la tourbe, il est dénué de goût de fumée. C'est un whisky élégant, net, malté, fruité, avec une finale sèche. Disponible en 10, 12 et 17 ans d'âge, auxquels s'ajoutent des éditions spéciales à tirage limité.

Glen Grant • *Single malt* et distillerie des Highlands (Speyside), construite à Rothes en 1840 par les frères John et James Grant, anciens contrebandiers – occupation que le second n'avait pas jugée incompatible avec sa profession d'avocat. Quand une seconde unité de distillation (qui reçut par la suite le nom de Caperdonich) fut construite en 1898 de l'autre côté de la route, le whisky coula librement, mais par-dessus la tête des villageois, dans une conduite surplombant la route.

Le Glen Grant participe aussi à l'assemblage de *blends* prestigieux dont le Chivas Regal ♦ et le Royal Salute ♦. Une grande partie du Glen Grant est bu jeune (5 ans d'âge), particulièrement en Italie où l'on aime sa vivacité, sa fraîcheur et son goût de noix. Il possède une certaine douceur herbacée. Disponible aussi en diverses durées de vieillissement (à partir de 10 ans d'âge) et en millésimes remontant aux années 30.

Glenkinchie • *Single malt* et distillerie des Lowlands. L'Écosse était à l'avant-garde de la recherche agronomique européenne au XIXᵉ siècle, et la qualité de l'orge produite dans les Lowlands, près d'Édimbourg, était superbe. On commença à en tirer parti pour produire du whisky dès avant la construction de la distillerie, qui date de 1825. Son whisky devint un des plus particuliers des Lowlands, avec une sécheresse insolite. Il fait partie aujourd'hui de la gamme des malts classiques de United Distillers. Un musée du whisky a pris place sur l'aire de maltage. Le Glenkinchie est léger, douceâtre, souple et rond, avec des nuances fumées et épicées.

Disponible en 10 ans d'âge.

Glenlivet • *Single malt* et distillerie des Highlands (Speyside). Distillateur clandestin, George Smith fut au nombre des soixante-dix-neuf candidats qui sollicitèrent une licence après la promulgation de la loi de 1823 (*voir p. 18*). Il eut la chance d'être le premier sur la liste. Sa distillerie avait pour nom Glenlivet, ce qui constituait un avantage sérieux, car le whisky de contrebande du *glen* était très apprécié depuis longtemps. Le nom de *glen* était une assurance de qualité, si bien que le roi George IV s'en faisait livrer – en toute illégalité !

Plusieurs distilleries furent incendiées par des contrebandiers mécontents, mais Smith échappa au désastre, en partie grâce aux pistolets qui lui avaient été offerts par le laird (châtelain) d'Aberlour et qu'il porta des années à la ceinture. Il déménagea sur le site actuel en 1858. En 1880, la cour reconnut que le whisky de Smith était « The Glenlivet », mais elle donna à d'autres distilleries établies dans le *glen* (vallon) ou près de la rivière Livet la possibilité d'ajouter « Glenlivet » à leur propre nom. De nos jours, la plupart ont renoncé à ce droit.

La complexité du Glenlivet tient à la diversité des whiskies assemblés – certains fortement, d'autres peu fumés à la tourbe – et à l'utilisation d'eaux de duretés

Georges Smith défendit pistolet à la ceinture sa distillerie Glenlivet, une des premières des Highlands à avoir été légalisée, et son *single malt* du même nom, un whisky d'exception.

différentes. C'est un *single malt* succulent, épicé, moyennement fumé, aux nuances de xérès. Disponible de 12 à 21 ans d'âge. On peut même trouver, chez d'autres embouteilleurs, des whiskies encore plus vieux.

*G*lenmorangie • *Single malt* – au deuxième rang des ventes mondiales – et distillerie dans les Highlands. La distillation de contrebande à la vieille ferme de Morangie remonte aux années 1730. D'abord brasserie et fabrique de limonade, Glenmorangie devint distillerie légale en 1843. L'eau met cent ans à filtrer à travers le roc et à jaillir dans les sources auxquelles s'alimente l'établissement. Il s'agit d'une eau dure, ce qui est inhabituel. Les alambics, par leur taille – ce sont les plus grands d'Écosse – et par le renflement bulbeux qu'ils portent sur le col, contribuent à améliorer le processus de distillation : seules les vapeurs les plus subtiles sont admises dans le condensateur.

Le Glenmorangie est complexe, avec des arômes floraux et des nuances de noix. Seuls des fûts de bourbon sont utilisés, car les fûts de xérès pourraient masquer l'harmonie délicate du malt – un parfumeur parisien a identifié vingt-six arômes dans son bouquet. La finition des éditions spéciales est toutefois confiée à des fûts de xérès pour des whiskies plus pleins et plus vieux que ceux

de dix ans. Un programme de recherches comparatives a été engagé avec la distillerie Maker's Mark ♦ du Kentucky : un fût plein de bourbon a été livré à Glenmorangie pour étudier son évolution loin de son pays d'origine, et l'équivalent d'une caisse de Glenmorangie a été logé dans du chêne neuf au Kentucky.

*G*len Moray • *Single malt* et distillerie des Highlands (Speyside). Sœur de celle de Glenmorangie ♦, elle est édifiée au pied de la « colline des Gibets », sur la vieille route d'Elgin. Son origine remonte à une brasserie du début du XIXe siècle, convertie en distillerie au tournant du siècle suivant. Elle prit le nom de Glen Moray à la veille de la grande crise du whisky de 1899. Les propriétaires de Glenmorangie furent tellement séduits par la qualité de son eau-de-vie qu'ils renoncèrent à acheter Aberlour ♦ pour acquérir Glen Moray.

Le Glen Moray, doux, fruité et épicé, vieillit en fût de bourbon, ce qui lui confère des arômes de vanille. Il est disponible en 12 ans d'âge, mais des éditions spéciales et certains whiskies millésimés sont aussi proposés.

*G*len Scotia • *Single malt* et distillerie de Campbeltown, une des deux seules à subsister encore dans cette région du sud-ouest de l'Écosse, autrefois grande productrice. Fondée en 1832, Glen Scotia ferma ses portes dans les années 20, lorsque la réputation de son whisky déclina, puis les rouvrit et les referma pour la dernière fois dans les années 80, après une rénovation complète. Elle a été reprise par Glen Catrine Distillers, et son avenir paraît maintenant assuré. Le Glen Scotia, légèrement fumé et salé, possède une structure délicate mais une grande puissance aromatique. Disponible à 8 ans d'âge.

*G*lentromie • Marque d'un whisky de malt ; il résulte de l'assemblage de whiskies provenant de plusieurs distilleries. Il est commercialisé par une entreprise familiale qui s'est attachée depuis quarante ans à produire son propre whisky. George Christie acheta en 1955 des terres proches de Kingussie, dans les Highlands, voisines de la distillerie Speyside qui avait fait faillite en 1911. La construction de la nouvelle distillerie, au bord de la rivière Tromie, fut confiée en 1969 à un maçon de la région. Le bâtiment, qui devait être en pierre de taille, ne

fut achevé qu'en 1985, et la première eau-de-vie ne coula pas avant 1990. Dans l'intervalle, la société a commercialisé les *blends* Speyside ◆, et le Glentromie s'est fait connaître jusqu'au Japon et en Amérique. Disponible en 12 et 17 ans d'âge.

Glenturret • *Single malt* et distillerie des Highlands. La production de whisky en cet endroit ravissant remonte à 1717, mais elle s'effectuait dans des alambics illégaux. Les bâtiments actuels datant de 1775, Glenturret est probablement la plus ancienne distillerie d'Écosse bien que l'activité n'y ait pas été continue.

En 1957, James Fairlie ressuscita Glenturret, qui avait été démantelée en 1920. À une époque où le whisky de malt était pour ainsi dire un secret, partagé localement par quelques initiés, son ambition fut de créer une distillerie artisanale et intégrée, qui serait un modèle. De fait, il fit un excellent whisky.

Cette petite distillerie, où l'innovation et l'enthousiasme sont la règle, est maintenant l'une des plus dynamiques de toute l'industrie du whisky. On y embouteille de nombreuses versions de malt (y compris une liqueur). Son centre d'accueil est l'un des meilleurs du pays, et ses whiskies ont remporté de nombreuses récompenses ces dernières années.

Le Glenturret se distingue par une saveur affirmée et par des arômes puissants, avec des nuances persistantes de noix et de malt. Les bois utilisés, notamment pour la finition, et diverses durées de vieillissement en font un *single malt* à la personnalité multiple. Généralement disponible en 8 à 25 ans d'âge.

Grant's • Gamme de *blends* des distilleries de Glenfiddich ◆, – d'où vient le *single malt* le plus vendu au monde – et de Balvenie ◆. William Grant commença à distiller à son compte en 1877 pour ravitailler le commerce des assemblages, florissant à l'époque. Quand Pattison, pierre angulaire de l'industrie des *blends*, s'écroula en 1898, Grant se retrouva sans débouché. Les Grant, contraints de créer leurs propres *blends* et de les commercialiser, durent acquérir de nouveaux savoir-faire. Leur unique voyageur de commerce, un gendre, fit 500 visites à des détaillants de Glasgow avant de réussir sa première vente – une seule caisse – , mais la situation s'améliora progressivement. Le *blend* en bouteilles fut baptisé Standfast (que l'on pourrait rendre par « fortitude ») en hommage au courage et à la solidarité dont la famille avait fait preuve dans l'adversité.

Au début du siècle, les affaires se développèrent en Angleterre, et des membres de la famille voyagèrent en Amérique et en Extrême-Orient pour organiser un réseau de distributeurs. La bouteille triangulaire caractéristique de la marque fut adoptée et bientôt connue dans le monde entier. La distillerie de Kininvie (créée en 1992) est maintenant en pleine production, les ventes de Grant's dépassant les trois millions de caisses par an. Ce serait le *blend* dont le développement est le plus rapide. Le nom de Family Reserve a récemment remplacé celui de Standfast pour le *blend* standard. La gamme « de luxe » s'étend jusqu'à 21 ans d'âge et compte aussi des whiskies directement tirés du fût ou présentés en carafe.

Haig • *Blend* d'une des grandes dynasties du whisky. Les Haig remontent aux Normands qui se fixèrent dans les îles Britanniques après la victoire de Guillaume le Conquérant en 1066. Le premier Haig à figurer dans l'histoire du whisky fut Robert : fermier à Sterling, il fut publiquement réprimandé en 1655 par les autorités ecclésiastiques pour avoir distillé un dimanche. À la fin du XVIIIe siècle, les Haig commencèrent à créer des distilleries ; celle de Cameronbridge ◆, à Fife, est encore en activité. Les Haig étaient liés par mariage aux Stein, autre famille de distillateurs. Robert Stein (et non Aeneas Coffey comme on le dit souvent) mit au point le premier appareil de distillation continue en 1827, après des expériences menées à la distillerie de Port Ellen, sur l'île d'Islay.

Les Haig et les Stein devinrent très puissants au début du XIXᵉ siècle. Ils commencèrent à alimenter le marché d'Angleterre et ne furent guère regardants sur le choix des moyens pour protéger leurs intérêts. Ainsi, ils mirent un concurrent de Fife hors jeu en rachetant un moulin en amont de sa distillerie pour pouvoir le priver d'eau. Dans les années 1850, les Haig commencèrent à s'intéresser aux *blends* et à la création de whiskies de marque. Le Dimple ♦ a été une réussite dès son lancement à la fin du siècle dernier et Haig fut la marque la plus vendue en Grande-Bretagne entre les deux guerres. Disponible en versions standard et « de luxe ».

Hankey Bannister • *Blend* d'Inver House. Hankey Bannister était un commerce londonien de vins et spiritueux qui fournissait la bonne société au XVIIIᵉ siècle. À la fin du siècle dernier, quand l'industrie du whisky devint florissante, l'entreprise commença à assembler son propre *blend*. Elle se spécialisa ensuite dans les livraisons aux administrations militaires et diplomatiques. La marque a beaucoup progressé sous la direction actuelle. Elle se vend bien en Europe, en Afrique du Sud et dans les boutiques hors taxes. Disponible en versions standard et « de luxe » de 12 ans d'âge.

Highland Park • *Single malt* et distillerie la plus septentrionale d'Écosse. Le Highland Park vient de Kirkwall, dans la plus grande île de l'archipel des Orcades. La distillerie fut construite en 1798 à l'emplacement de l'alambic d'un contrebandier qui était aussi un ecclésiastique. Il dissimulait ses fûts sous de faux cercueils et la chaire de son église pour les protéger de la curiosité des agents du fisc. Distillerie très traditionnelle, Highland Park exploite encore sa propre aire de maltage, utilise de la tourbe d'origine locale et fait vieillir ses fûts dans des entrepôts au sol en terre battue.

Le whisky Highland Park est fumé et très aromatique, avec des nuances salées venant des vents humides de l'Atlantique. Disponible en 12 ans d'âge. La distillerie commercialise de temps à autre des whiskies millésimés et d'autres éditions spéciales.

Highland Queen • *Blend* « de luxe» des propriétaires de Glenmorangie ♦. Le siège de la société est fixé à Leith, le port d'Édimbourg, où Marie Stuart débarqua de France en 1561 pour essayer de faire valoir ses droits au trône d'une Écosse alors divisée par la Réforme. Le Highland Queen, qui date des années 1890, fut ainsi nommé pour commémorer l'événement. Ses propriétaires s'intéressèrent à des marchés peu recherchés à l'époque comme l'Amérique latine, l'Extrême-Orient et l'Égypte. Disponible en 15 et 21 ans d'âge.

House of Lords • *Blend* des propriétaires d'Aberlour ♦ et d'Edradour ♦. William Whiteley créa cette marque – un excellent *blend*, pendant du House of Commons de Buchanan – dans les années 20, bien décidé à tirer parti de l'association qui ne pouvait manquer de se faire, dans l'esprit du consommateur, entre House of Lords (Chambre des lords) et House of Commons (Chambre des communes). C'était l'époque de la Prohibition, et Whiteley imagina toutes sortes de stratagèmes pour que son whisky parvienne aux consommateurs américains : un sous-marin fut utilisé pour s'approcher sans être repéré par les gardes-côtes ; des torpilles modifiées, chargées de caisses de whisky, furent tirées vers les plages de Long Island (New York) ; la distribution fut effectuée par bennes à ordures, camionnettes de livraison de journaux, paniers de ramassage du linge sale. On reconnaît dans ces pratiques l'héritage des contrebandiers écossais d'avant 1823. Whiteley fit fabriquer une bouteille spéciale capable de résister aux aléas de la distribution : carrée et solide bien que légère.

À droite : le vieillissement à Highland Park, distillerie traditionnelle. Dans cet entrepôt bas de plafond, au sol de gravier, l'atmosphère froide et humide permet un vieillissement optimal du whisky de malt.

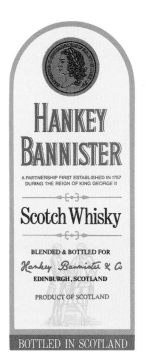

Whiteley était lui-même excellent dégustateur. Les jours où il savait qu'il aurait à goûter du whisky, il se faisait conduire à son bureau plutôt que d'être exposé à la fumée d'un compartiment de chemin de fer, et il sirotait de l'eau de source en route. Un autre de ses *blends*, King's Ransom, fut pendant un certain temps le whisky le plus cher du monde. Il fut servi en 1945 à la conférence de Potsdam et faisait partie de l'ordinaire de la Maison-Blanche. Comme le Ballantine's ♦, le King's Ransom est associé au naufrage du *SS Politician* : quand ce bâtiment s'échoua sur les côtes de l'île d'Eriskay en 1941, une grande partie de la cargaison de whisky disparut dans les greniers, sous les lits et derrière les tas de tourbe des habitants. Cet incident a inspiré le film *Whisky à gogo*.

Disponible en 8 et 12 ans d'âge.

*1*00 Pipers • *Blend* populaire des propriétaires des Chivas Regal ♦, Glenlivet ♦ et Glen Grant ♦. Disponible en qualité standard.

*I*mmortal Memory • *Blend* de haut de gamme de Gordon & MacPhail, négociants spécialistes des assemblages (Speyside). Désigné comme « meilleur *blend* du monde » par le Concours international des vins et spiritueux organisé à Londres en 1991.

Disponible en 8 ans d'âge.

*I*nvergordon • *Single grain* et distillerie. Très vaste et très moderne, Invergordon est la seule distillerie de grain des Highlands. Elle englobe Ben Wyvis, petite distillerie de malt inactive depuis 1977. Si la plus grande partie de la production est destinée aux *blenders* (assembleurs), le whisky de grain mis en bouteilles à la distillerie – un des deux seuls d'Écosse, l'autre étant le Cameron Brig ♦ – fut une création inspirée. Élégant, d'une forte teneur en alcool (43 % vol.), il séduit par son velouté et par ses arômes de fruits, d'épices et de céréales. Disponible en 10 ans d'âge.

*I*nver House Green Plaid • *Blend* des propriétaires des distilleries Speyburn ♦ et Knockdhu ♦, destiné à l'exportation. Depuis son rachat par le personnel de direction en 1988,

Inver House Distillers a prospéré : la société a remporté le Prix de la reine pour la réussite à l'exportation quatre ans après avoir acquis son indépendance. L'alambic de Glen Flager pour la distillation du whisky de malt n'existe plus, mais on utilise le stock pour l'assemblage.

Le Green Plaid a la légèreté et la robe claire du J & B ♦ et du Cutty Sark ♦. Il réussit bien dans le sud de l'Europe, en Amérique centrale et dans les boutiques hors taxes. Disponible en versions standard, 12 ans et 17 ans d'âge « de luxe ».

*I*slander • *Blend* des producteurs du Bell's ♦. Le style de ce whisky est exclusivement insulaire, avec sa combinaison de malts des Orcades, de Skye et d'Islay. Disponible en qualité standard.

*I*slay Mist • Marque datant des années 20. Crée par les propriétaires de l'époque de la distillerie Laphroaig ♦, il associe la puissance et la concentration des whiskies de malt d'Islay, l'élégance de ceux de Speyside et la relative neutralité du whisky de grain. La marque a été rachetée par MacDuff International, société indépendante récemment formée, qui cherche à se faire une place sur les marchés d'exportation et dans les boutiques hors taxes. Disponible en versions standard et 17 ans d'âge.

Une scène du film *Whisky à gogo*.

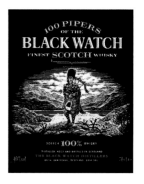

Ïsle of Arran • Nouvelle distillerie et *single malt* qui n'a pas encore vu le jour, si ce n'est dans l'esprit de l'ancien directeur général de Chivas, Harrold Currie, qui a courageusement construit une distillerie indépendante au large de la côte ouest d'Écosse, sur l'île d'Arran. La distillation devait commencer en 1995 et la vente, après le vieillissement obligatoire, en 1998. Le *blend* correspondant sera nommé Lochranza.

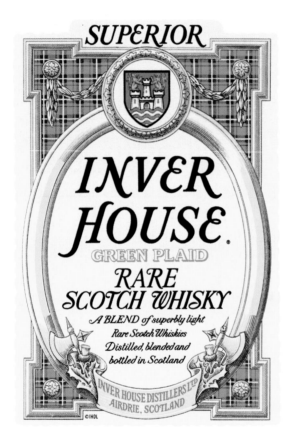

Ïsle of Jura • *Single malt* et distillerie des Highlands, la seule de l'île de Jura, proche de celle d'Islay, au large de la côte ouest. Les daims sont plus nombreux que les hommes sur cette île où George Orwell a écrit *1984*.

La distillation commença en 1775 à Craighouse, où il y avait un moulin et un four de séchage. Entre 1775 et 1831 on distilla d'abord clandestinement dans une caverne, puis légalement dans un des premiers établissements à obtenir une licence. Le propriétaire voulant augmenter le loyer, la distillerie fut abandonnée

en 1901, et il n'y eut plus de production légale sur Jura avant sa reconstruction en 1963. La distillerie a deux systèmes d'adduction d'eau : le premier amenant directement celle du lac de Market pour l'élaboration du whisky, l'autre branché sur le réseau municipal.

Le whisky de Jura était un malt corpulent et fumé, dans le style de ceux d'Islay. Quand la distillerie fut reconstruite, dans les années 60, les alambics furent conçus pour produire l'élégant whisky que nous connaissons : aimable, tendre, soyeux, avec des arômes subtils de tourbe. Disponible à 10 ans d'âge et parfois, sous le nom de Stillman's Dram, à 26 ans d'âge.

J & B • *Blend* international des propriétaires de Knockando ♦ et Auchroisk ♦. L'héritage du J & B remonte à l'époque où l'Italien Giacomo Justerini et le Londonien George Johnson s'associèrent pour créer un commerce de vins, trois ans après la bataille de Culloden (1746) qui mit fin au dernier soulèvement des jacobites. Les affaires prospérèrent et quand le riche M. Brooks – le jardin de sa résidence de Londres était assez vaste pour qu'on y eût installé un tir au pigeon – racheta la part de la famille Johnson en 1831, le nom actuel de la firme fut adopté.

Dans les années 1880, J & B commença à acheter des whiskies en Écosse pour assembler son propre *blend* nommé Club. Le cognac avait alors presque disparu des étalages, car le phylloxéra avait détruit le vignoble des Charentes. Aussitôt après la fin de la Prohibition, J & B fit de grands efforts pour s'imposer sur le marché des États-Unis. C'est à cette époque que le style de la version « Rare » fut fixé en tenant compte de la préférence des Américains pour des whiskies légers. En 1962, il s'en est vendu un million de caisses, aujourd'hui environ cinq millions, ce qui place ce whisky au deuxième rang des ventes mondiales de scotch.

Le malt de Speyside domine dans l'assemblage du J & B. Une version, le J & B Jet, a été spécialement conçue pour les marchés d'Extrême-Orient et celui des boutiques hors taxes. On compte plus de quarante whiskies dans les assemblages, qui retournent six mois en fût pour s'homogénéiser avant d'être mis en bouteilles. Disponible en Rare, Reserve et Jet, les deux derniers étant des 15 ans d'âge « de luxe ».

King George IV • *Blend* autrefois lié à la distillerie Glenury Royal, maintenant disparue. L'origine du qualificatif « royal » vient d'une rumeur : l'associé supposé du propriétaire, un certain M. Windsor, aurait été le roi George IV lui-même. C'est peu vraisemblable car, même si le roi aimait son petit verre de Glenlivet ♦ de contrebande, il était déjà mort quand la distillerie commença à produire. La marque est populaire au Danemark et sur quelques autres marchés tenus depuis longtemps. Disponible en qualité standard.

Knockando • *Single malt* et distillerie des Highlands (Speyside). La plus grande partie de la production sert à l'assemblage du J & B Rare, mais le whisky vendu sous l'étiquette de la distillerie a ses amateurs. Construite en 1898, celle-ci fut l'une des premières à être rachetée par une firme anglaise de spiritueux, Gilbey's (six ans plus tard).

Le Knockando est élégant, velouté et aromatique. L'étiquette porte le millésime de distillation et l'année de mise en bouteilles, la durée du vieillissement de ce *single malt* pouvant varier.

Knockdhu • Distillerie des Highlands qui produit le *single malt* An Cnoc. Dans les années 1890, à l'époque du « boom » du whisky, Knockdhu se trouvait au milieu d'une communauté de fermiers, où il y avait de l'eau pure, de l'excellente tourbe, de l'orge de la meilleure qualité et une abondante main-d'œuvre. En été, les fermiers travaillaient à leurs champs, et en hiver – quand on peut faire la meilleure eau-de-vie – ils vendaient leur surplus d'orge à la distillerie qui les employait à l'élaboration du whisky. L'An Cnoc est souple, fruité, épicé et moyennement fumé. Généralement disponible en 12 ans d'âge.

Lagavulin • *Single malt* et distillerie d'Islay. Le Lagavulin est un des grands whiskies de malt dans le style classique d'Islay : corpulent, puissant, épicé et fumé, mais avec une élégance que l'on ne perçoit peut-être pas au premier abord. Lagavulin est la seule survivante d'une douzaine de cabanes, situées sur la côte sud de l'île, où l'on distillait du whisky de contrebande dans les années 1740. Elle fut rachetée en 1867 par Peter Mackie (le créateur du White Horse ♦), qui mettait son malt au cœur de ses assemblages – comme c'est encore le cas aujourd'hui. Mackie construisit en 1908 une seconde distillerie à Lagavulin, qu'il nomma Malt Mill et dans laquelle on élaborait un whisky de malt avec des méthodes ancestrales. Il était différent de celui de Lagavulin, mais on a arrêté sa production en 1960. Le Lagavulin est un malt splendide, qui s'épanouit magnifiquement en bouche et possède les arômes salés du bord de mer. Disponible à 16 ans d'âge.

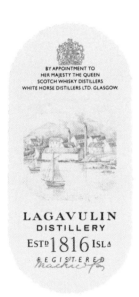

Langs • *Blend* associé à la distillerie Glengoyne ♦. Les frères Lang achetèrent Glengoyne en 1876 afin de disposer d'un malt pour leurs *blends*. Le standard de Langs, appelé Supreme, est un assemblage d'environ vingt-cinq whiskies dont aucun n'a moins de cinq ans d'âge. Comme le Select, la version haut de gamme, il retourne en fût un an afin de donner aux constituants le temps de se bien marier. Langs est titulaire d'un brevet de fournisseur de la maison de la reine mère. La société commercialise des éditions spéciales dont une « distillation du jour de Noël 1967 » et d'autres millésimes intéressants. Disponible en versions standard (Supreme) et 12 ans d'âge (Select).

Laphroaig • *Single malt* et distillerie d'Islay. Le Laphroaig est le whisky d'Islay par excellence – corpulent, puissant, spectaculaire et glorieux. C'est par la concentration de leurs arômes que les whiskies de malt d'Islay se placent dans une catégorie à part. La côte de Kildalton, au sud de l'île, ne comptait pas moins de cinq distilleries entre Port Ellen et Ardbeg au début du XIXᵉ siècle. Situé au bord d'une crique, Laphroaig était un hameau aux maisons blanchies à la chaux quand les frères Johnson, des fermiers, commencèrent à distiller en 1815.

La personnalité puissante du Laphroaig en faisait un malt très recherché pour entrer dans les assemblages quand les *blends* prirent de l'importance, et c'est toujours le cas. Laphroaig continue à produire une partie de son propre malt grâce à ses aires de maltage et ses séchoirs chauffés à la tourbe locale. Le prince Charles, qui adore l'Écosse, a récemment accordé à ses propriétaires un brevet de fournisseur de sa maison. Ceux-ci ont aussi reçu le Prix de la reine pour leur réussite à l'exportation. Ce whisky est fumé, salé, avec un goût de tourbe intense, mais aussi soyeux et d'un abord étonnamment facile. Il vieillit dans des fûts de bourbon. Disponible en 10 et 15 ans d'âge.

Lawson's • *Blend* d'une société fondée en 1849 par les Lawson, qui étaient assembleurs et négociants. Ils ne firent jamais d'étincelles, et la société tomba en sommeil. En 1972, les propriétaires belges de la marque rachetèrent la distillerie Macduff ♦. Les assembleurs ont

avantage à posséder leur propre distillerie. En 1980, l'affaire, devenue plus intéressante, fut rachetée par la General Beverage Corporation (holding contrôlant Martini & Rossi, Bénédictine et d'autres marques internationales). Les ressources et le réseau de distribution désormais à sa disposition ont permis à la marque de se développer comme jamais auparavant. Disponible en versions standard et « de luxe ».

Ledaig • *Single malt* et distillerie des Highlands. Un port de pêche fut créé en 1788 à Tobermory, sur l'île de Mull, au large de la côte ouest. Deux cents ans plus tôt, un galion espagnol avait sombré dans la baie et des plongeurs cherchent encore le trésor qu'il aurait transporté.

Ledaig a produit sans interruption de 1798 à 1837 mais, au cours de ce siècle et du précédent, elle a été arrêtée à plusieurs reprises. Sous l'impulsion de ses nouveaux propriétaires, Burn Stewart ♦, la distillerie s'est refait une réputation. Le nom « Ledaig » est utilisé pour le *single malt* (généralement millésimé) et celui de « Tobermory » pour les assemblages de whiskies de malt. Il manque des millésimes dans l'inventaire de Ledaig, mais l'important stock de vieux whiskies que possède Burn Stewart permet de tirer le meilleur parti possible des millésimes existants. Le whisky de Ledaig est floral, fruité, légèrement ou moyennement fumé à la tourbe. Disponible en versions Tobermory (assemblage de malts) et Ledaig (*single malt*) millésime 1974. D'autres millésimes des années 70 sont attendus.

Littlemill • *Single malt* et distillerie des Lowlands. Créée en 1772, Littlemill est peut-être la plus ancienne d'Écosse encore en activité. C'est aussi l'une des plus intéressantes. Elle utilise de la tourbe des Highlands. L'eau, de même origine, est amenée des collines d'Old Patrick par une conduite. Jane McGregor, qui obtint une licence après la loi de 1823, fut une des premières femmes à distiller du whisky, et Duncan Thomas, un Américain qui racheta la distillerie en 1931, fut un inventeur : il modifia le système Saladin de maltage, revêtit les alambics d'aluminium et remplaça le col de cygne par une colonne de rectification, afin de produire différents styles d'eau-de-vie vieillissant plus vite. Littlemill bénéficia d'une triple distillation jusque

LAPHROAIG®
SINGLE ISLAY MALT
SCOTCH WHISKY
10
Years Old
The most richly flavoured of
all Scotch whiskies
ESTABLISHED
1815
DISTILLED AND BOTTLED IN SCOTLAND BY
D. JOHNSTON & CO. (LAPHROAIG), LAPHROAIG DISTILLERY, ISLE OF ISLAY.
40% vol   70 cl

Les whiskies produits sur la côte sud-est de l'île d'Islay se distinguent par leurs intenses arômes de tourbe. Le Laphroaig est le plus connu.

dans les années 30. C'est aujourd'hui un modèle de la subtilité des whiskies des Lowlands, aimables, doux, un peu herbacés, maltés et ronds. Disponible à 8 ans d'âge.

Long John • Marque d'un *blend* historiquement lié à la distillerie Ben Nevis ✦. Long John McDonald fut le fondateur, en 1825, de la distillerie, la première dans la région du *Ben* (mont), la plus haute montagne du Royaume-Uni. C'était un homme aux multiples talents : fermier, homme d'affaires, sportif (il lança le marteau aux Jeux des Highlands) et distillateur. Après une visite de la reine Victoria à sa distillerie, la demande pour son whisky, le Dew of Ben Nevis, s'accrut considérablement. Long John McDonald mourut en 1856, et sa tombe, que l'on avait cru perdue, fut retrouvée récemment au flanc d'une belle colline dominant Fort William.

Même sans campagne promotionnelle, la marque a maintenu le niveau de ses ventes à 750 000 caisses. Pourtant elle a été récemment réorganisée et relancée. Une version haut de gamme de 12 ans d'âge a été ajoutée au whisky standard. Plus de trente whiskies de malt entrent dans l'assemblage du Long John, présenté comme un whisky insolite, peu orthodoxe. Ce qui ne manque pas d'intriguer, c'est que le holding Long John ait choisi de vendre la distillerie Ben Nevis à Nikka ✦, producteur japonais de whisky, peu avant de décider de rehausser

l'image de sa propre marque. Disponible en versions standard et 12 ans d'âge « de luxe ».

Longrow • *Single malt* de Campbeltown, aujourd'hui produit à la distillerie Springbank ✦. De fait, le Longrow est distillé dans les mêmes alambics que le Springbank mais, son malt étant entièrement séché à la tourbe, ce qui n'est pas le cas pour le second, la différence entre ces deux whiskies est spectaculaire. Longrow obtint une licence en 1824, Springbank en 1828, mais les deux distilleries faisaient déjà du whisky de contrebande depuis longtemps. La première était dirigée conjointement avec celle de Kintyre voisine. Elle se trouvait à l'emplacement de l'aire de stationnement de Springbank et ferma ses portes dans les années 1890. Le Longrow est un whisky riche, fumé, salé, aux arômes pharmaceutiques – le style de ceux d'Islay en plus accusé. Disponible en 16 et 17 ans d'âge.

Macallan • *Single malt* et distillerie des Highlands (Speyside). Le Macallan est un des grands whiskies de malt des Highlands, complexe, concentré et équilibré. La distillerie fut construite en 1824 et sa réputation était telle que Roderick Kemp, pour pouvoir la racheter, vendit en 1892 sa part dans Talisker ✦ sur l'île de Skye. Le président actuel de Macallan, Allan Shiach, est un descendant direct de Kemp. Sous le pseudonyme d'Allan Sharp, il écrit des scénarios pour Hollywood. Parmi eux, celui du thriller *Ne vous retournez pas* (*Don't Look Now*) dont Julie Christie et Donald Sutherland sont les vedettes.

Pour le vieillissement, les distillateurs sont des inconditionnels des fûts de xérès. Quand ceux-ci commencèrent à manquer dans les années 70, Macallan fut la première entreprise à commander des fûts de chêne neuf à Jerez et à les « prêter » à des producteurs de xérès, parfois pour quatre ans, afin qu'ils y fassent fermenter et vieillir leur vin. Ce système (très coûteux) lui garantissait un approvisionnement régulier. Le xérès, très présent, masque les nuances les plus subtiles du malt ; l'intention des distillateurs n'est cependant pas de dissimuler un quelconque défaut. De manière délibérée, ils n'ont pas recherché la succulence et la splendeur, préférant des nuances plus discrètes. De fait, le Macallan est un excellent whisky.

Disponible en 7 à 25 ans d'âge.

À gauche : remplissage des fûts de vieillissement à Littlemill.

Ci-dessous : pour le vieillissement du *single malt* de Macallan, on utilise des fûts de xérès.

Macduff • Distillerie des Highlands qui produit le *single malt* Glendeveron. Macduff est un établissement moderne (1963), avec des alambics calorifugés pour éviter la déperdition de chaleur. Il possède sa propre tonnellerie. Le whisky, corpulent, se montre épicé, avec des nuances fumées et salées dues à la proximité du golfe de Moray. Il est net et franc, ce qui permet de le boire jeune (le 5 ans d'âge est exporté en Italie). Généralement disponible à 12 ans d'âge.

Mackinlay • *Blend* particulièrement apprécié en Écosse, en Europe et en Extrême-Orient. Son origine remonte à 1815 à Édimbourg. Ernest Shackleton, lors de l'expédition qu'il mena vers le pôle Sud en 1907, en emporta vingt-cinq caisses de dix ans d'âge (il préféra le Vat 69 pour ses expéditions de 1914 et 1921).

Miltonduff • *Single malt* et distillerie des Highlands (Speyside). L'eau de source utilisée pour le Miltonduff servit d'abord aux moines de Pluscarden pour brasser de la bière. Le monastère ayant été fondé en 1263, peut-être y faisaient-ils déjà de l'eau-

de-vie. Curieusement, l'Église catholique, à la suite d'un legs en 1900, eut des intérêts dans Miltonduff pendant quelque temps. Ce malt aux arômes floraux et au délicat goût de noix participe aussi à l'assemblage des *blends* de Ballantine's. Disponible à 12 ans d'âge.

Oban • *single malt* et distillerie des Highlands. Ce whisky aimable fait partie de la gamme des malts classiques de United Distillers. La distillerie est établie sur un site archéologique : des ossements humains et des outils datant de 6500 ans av. J.-C. ont été mis au jour lors de travaux d'agrandissement. L'Oban se caractérise par sa souplesse, un fruité vif et un léger goût de tourbe. Disponible en 14 ans d'âge.

Old Elgin • Whisky de malt des négociants et embouteilleurs spécialisés Gordon & MacPhail. Disposant d'un stock considérable de whiskies, très vieux pour la plupart, cette société peut produire des bouteilles extraordinaires. L'Old Elgin est principalement mis en bouteilles à 8 et 15 ans d'âge, mais il existe aussi des whiskies millésimés remontant aux années 30 et 40.

Old Parr • Gamme de *blends* de très haut de gamme. Thomas Parr, figure légendaire du Shropshire, aurait vécu jusqu'à l'âge de 152 ans, sa vie s'étendant du XVᵉ au XVIIᵉ siècle. « Old Parr » se serait marié à 80 ans, aurait été infidèle à sa femme à 100, se serait remarié dans sa cent vingt-deuxième année et aurait alors fait un enfant à sa nouvelle épouse. Il fut présenté au roi Charles Iᵉʳ, Rubens

OLD PARR Æta 152.
Sold by T. Jefferys in the Strand and W. Herbert on London Bridge.

elle remonte de fait aux « jours heureux » où le whisky de contrebande était bien meilleur que celui produit légalement. La forme de la bouteille, en cloche, rappelle celle des lanternes dont se servaient les contrebandiers pour signaler l'arrivée de leur bateau, la nuit, à ceux qui les attendaient sur le rivage. Les Stodart auraient été les premiers à faire vieillir leur *blend* dans des fûts de xérès pour permettre à ses constituants de s'homogénéiser. Old Smuggler est depuis peu de temps associé à la distillerie de Glenburgie. Disponible en qualité standard.

***P**assport* • Whisky de comptoir qui s'est tranquillement hissé parmi les douze scotches les plus vendus au monde, avec près de 1,5 million de caisses par an. Le propriétaire de la marque, la société canadienne Seagram, l'a mis sur le marché à la fin des années 60 et les whiskies des distilleries qui lui appartiennent (dont Glenlivet ✦ et Glen Grant ✦) entrent dans l'assemblage. Le Passport se vend bien aux États-Unis, en Amérique latine, dans le sud de l'Europe et dans quelques pays d'Extrême-Orient. Disponible en qualité standard.

***P**ig's Nose* • Le choix du nom de ce *blend*, qui signifie « groin de cochon », dénote un déplorable manque de respect pour ce whisky – ce qui est regrettable, car il est de qualité. Son origine remonte à 1977 : c'était alors un modeste whisky élaboré pour un *pub* de l'ouest de l'Angleterre. Ce *blend* et le whisky de malt du même propriétaire, le Sheep Dip ✦, sont largement distribués au Royaume-Uni et même exportés. Disponible en qualité standard.

***P**inch* • Nom donné aux États-Unis au Dimple ✦, le *blend* « de luxe » de Haig ✦.

***P**layer Special* • Gamme de *blends* d'un assembleur indépendant, petit mais très actif, Douglas Laing de Glasgow, qui a obtenu une licence d'utilisation du nom. Il propose des *blends* d'une qualité au-dessus de la moyenne dans des emballages séduisants qui lui ont permis de se faire une place dans les marchés des boutiques hors taxes et du Pacifique.

Disponible en versions standard et « de luxe ».

À gauche : portrait de Thomas Parr, le patriarche qui donna son nom à un célèbre *blend*.

et Van Dyck firent son portrait et il fut enterré dans l'abbaye de Westminster, parmi les célébrités du « coin des poètes ».

La marque date des années 1870. Il s'agit d'un *blend* de whiskies de malt et de grain, au cœur duquel se trouve le malt de Cragganmore ✦. Ce fut l'un des premiers *blends* sur le marché. L'Old Parr a été commercialisé principalement au Japon et dans les boutiques hors taxes d'Extrême-Orient. La marque est aujourd'hui dans le peloton de tête des whiskies haut de gamme. C'est le premier des whiskies de cette catégorie sur le marché japonais, où il aurait été introduit il y a un siècle par un ministre qui en aurait rapporté d'un voyage à l'étranger. La bouteille granitée caractéristique de l'Old Parr est la reproduction d'un modèle utilisé dans les tavernes du temps de Thomas Parr ; le portrait qui orne l'étiquette est celui qu'a fait Rubens du personnage. Disponible en 12 ans d'âge ou plus vieux.

***O**ld Smuggler* • *Blend* offrant un excellent rapport qualité-prix, très populaire aux États-Unis et en Allemagne. La marque a été officiellement créée en 1835 par les frères Stodart, peu de temps après que la distillation commerciale fut largement autorisée, mais

Poit Dubh • Whisky de malt « à l'ancienne » de la petite société Praban na Linne. Assemblage de malts de l'île de Skye dans le style authentique des whiskies des Highlands, il ne subit pas les rigueurs de la clarification par le froid qui s'applique aux whiskies « modernes ». Un brin moins limpide que ceux-ci, il bénéficie en revanche d'un supplément d'arôme et de goût. Les amateurs de Poit Dubh sont de plus en plus nombreux : ses ventes augmentent de 50 % chaque année, uniquement grâce au bouche-à-oreille (le producteur ne fait pas de publicité), particulièrement à l'exportation vers la France, la Suisse et le Canada.

Le propriétaire de l'entreprise, fondée dans les années 70, est un défenseur du gaélique : dans l'école de commerce qu'il a créée à proximité de la société, les cours sont dispensés dans cette langue. C'est aussi dans l'idiome traditionnel de l'Écosse que sont rédigées les étiquettes. Ainsi, Poit Dubh signifie « pot noir » – en souvenir des alambics noirs de suie qu'utilisaient jadis les distillateurs clandestins. Disponible en 12 et 21 ans d'âge.

Pride of Strathspey • Whisky de malt de la gamme de prestige des négociants spécialisés Gordon & MacPhail. Disponible en 12 ans d'âge, plus quelques whiskies plus vieux et des bouteilles millésimées remontant aux années 30.

Real Mackenzie • Marque auxiliaire de Bell's ♦. La société Real Mackenzie fut fondée dans les années 1820 à Édimbourg. Elle racheta les distilleries Dufftown et Blair Athol ♦ à la fin des années 1890, à l'époque du « boom » sur le whisky. Bell's la reprit en 1933 avec les distilleries. Disponible en qualité standard.

Royal Citation • *Blend* de très grande qualité des frères Chivas ♦. Son vieillissement fait appel à cinq types de fûts de chêne. Si les fûts de xérès et de bourbon sont d'un usage courant, moins fréquente est l'utilisation de fûts fabriqués à partir d'anciens tonneaux de xérès et de bourbon, qui donnent à ce *blend* des nuances crémeuses de chêne et une douce complexité. Plus insolite encore, l'emploi de chêne neuf brûlé apporte à ce whisky velouté des arômes frais de vanille.

Royal Lochnagar • *Single malt* et distillerie des Highlands. La fortune de John Begg, distillateur du petit village de Crathie (comté d'Aberdeen), fut acquise le jour où s'installèrent de nouveaux voisins. En effet, le terrain où Begg avait établi sa nouvelle distillerie de Lochnagar jouxtait le château de Balmoral, qui devint résidence d'été de la reine Victoria trois ans à peine après la construction de l'établissement. La famille royale visita la distillerie et la souveraine accorda bientôt à Begg le brevet de fournisseur de la maison royale. Les commandes affluèrent alors pour ce whisky, rebaptisé Royal Lochnagar. À la fin des années 70, un Royal Lochnagar Selected Reserve fut créé pour le marché international des whiskies très haut de gamme. C'est un vieux malt tiré de fûts sélectionnés, évidemment très cher. Il est riche, généreux et d'une homogénéité parfaite. Des nuances de fumée se fondent parfaitement dans un malt tendre.

Royal Salute • *Blend* haut de gamme des producteurs du Chivas Regal ♦. Ce whisky fut créé en 1953 pour commémorer le couronnement de la reine Élisabeth II, qui était aussi la première Élisabeth à régner sur l'Écosse.

Un Royal Salute désigne les vingt et un coups de canon tirés pour célébrer de grands événements ; le whisky du même nom a donc 21 ans d'âge. Glenlivet ♦, Strathisla ♦, Glen Grant ♦ et Longmorn se retrouvent parmi les malts de son assemblage. C'est le whisky de très haut de gamme le plus vendu dans le monde.

Scapa • *Single malt* et distillerie des Highlands. Scapa se trouve au-dessus de la baie de Scapa Flow, ancienne base de la flotte britannique dans l'archipel des Orcades, au fond de laquelle gisent encore les épaves de la flotte allemande de la Grande Guerre. Elle s'était sabordée en 1919 sur ordre du contre-amiral von Reuter à la veille de la signature du traité de Versailles qui exigeait sa livraison aux Alliés. Scapa, qui commença à distiller en 1885, utilise une eau si chargée en tourbe que l'orge n'a pas besoin d'être fumée. On se sert pour la première distillation d'un rare alambic de type Lomond, qui donne une eau-de-vie plus lourde. Le whisky en bouteille est maintenant plus largement distribué qu'autrefois. Il possède les notes fumées et salées propres aux whiskies des îles, mais a un goût de tourbe moins prononcé. Le vieillissement s'effectue entièrement dans des fûts de bourbon. Disponible en 8 ans d'âge.

Sheep Dip • Marque du whisky de malt des producteurs du Pig's Nose ♦. Elle remonte à 1974, quand un *pub* du comté de Gloucester mit des étiquettes spéciales sur un honorable whisky de malt que ses clients avaient surnommé *sheep dip* (pesticide pour moutons). Il est maintenant exporté dans une demi-douzaine de pays. Disponible à 8 ans d'âge.

Singleton • *Single malt* et marque de la distillerie d'Auchroisk ♦.

Speyburn • *Single malt* et distillerie des Highlands (Speyside). La petite ville de Rothes comptait cinq distilleries à la fin du XIXᵉ siècle. La quatrième, Speyburn, fut édifiée en 1897 sur un emplacement pittoresque, au fond d'une vallée étroite. C'est pourquoi elle comprend des bâtiments de deux et trois étages, ce qui est exceptionnel en Écosse où les constructions sont généralement disposées de plain-pied autour d'une cour centrale. La

première distillation eut lieu à l'extrême fin de 1897, avant même que les portes et fenêtres eussent été installées, pour commémorer le soixantième anniversaire du règne de la reine Victoria. Les ouvriers, qui travaillèrent gantés et engoncés dans d'épais manteaux tandis qu'une tempête de neige faisait rage, ne réussirent à produire qu'un seul fût. C'est seulement en 1950 qu'un camion remplaça la traction hippomobile pour les transports entre la distillerie et la gare. Le Speyburn est soyeux et doucement malté, avec des notes sèches de fruits et d'épices. Disponible à 10 ans d'âge.

Speyside • *Blends* de qualité supérieure de la Speyside Distillery Co. Ltd, qui a récemment achevé la construction de sa propre distillerie dans les Highlands (les bureaux sont à Glasgow). Il lui a fallu presque quarante ans pour y parvenir, mais elle a assemblé d'excellents *blends* dans l'intervalle. Elle propose, sous l'étiquette Speyside, une gamme de whiskies plus étendue que la plupart des marques, à laquelle s'ajoute le whisky de malt Glentromie ♦. Disponible en versions standard et « de luxe » (de 8 à 21 ans d'âge pour ces dernières).

Ci-dessus : un paysage tranquille typiquement écossais. On aperçoit au loin l'île granitique d'Arran et le cap de Kintyre.

Springbank • *Single malt* et distillerie de Campbeltown, située à l'extrémité du cap de Kintyre, au sud-ouest de l'Écosse. À Springbank, on procède *in situ* à l'ensemble des opérations d'élaboration du whisky – du maltage de l'orge et de l'extraction de la tourbe jusqu'à la mise en bouteilles. Les trois alambics sont utilisés en une séquence compliquée pour produire l'eau-de-vie qui, pourtant, n'est pas distillée trois fois. Le premier alambic est chauffé à flamme nue et l'on retrouve dans le whisky une note de pain grillé. La distillerie appartient toujours aux descendants des contrebandiers qui produisaient du whisky illégal au début du XIXᵉ siècle. Ce n'est pas avant 1828, ou peut-être même 1837, qu'Archibald Mitchell se soucia d'obtenir une licence.

Le Springbank était encore récemment le whisky de malt le plus vendu au Japon. Il est très aromatique – on ne le clarifie pas par le froid –, mais sans lourdeur. Au contraire, il se montre soyeux, élégant, avec des notes vives poivrées et salées, et un goût de tourbe modéré. La distillerie produit aussi un malt plus lourd, le Longrow ♦. Les malts de Springbank bénéficient toujours d'un long vieillissement. Ils sont généralement disponibles entre 15 et 30 ans d'âge.

S.S. Politician • *Blend* très haut de gamme qui contient de l'authentique whisky du bateau évoqué dans *Whisky à gogo*. En 1941, le *S.S. Politician* s'abîma sur les récifs de l'île d'Eriskay, au nord-ouest de l'Écosse. Le bateau, qui se rendait aux États-Unis, transportait, entre autres produits de luxe, un chargement de whisky. Après avoir sauvé l'équipage, les insulaires décidèrent de tenter de sauver aussi au moins une partie du scotch. Ils se risquèrent à discuter de leur projet – mais en gaélique – au bar même de l'hôtel où l'équipage attendait le bateau qui devait les rapatrier. Le livre de sir Compton Mackenzie et le film s'en inspirant relatent toute l'histoire de ce « sauvetage ». Des bouteilles restées dans l'épave, une partie fut récupérée en 1990 par la société Laing de Glasgow, qui incorpora un peu de ce scotch dans un *blend* spécial assemblant des whiskies de l'époque. Cette édition limitée est proposée dans un beau flacon étiqueté S.S. Politician.

Stewart's Cream of the Barley • *Blend* à prix moyen qui a des amateurs fidèles dans son Écosse natale. Les Stewart étaient, dans les années 1830, des assembleurs dont le quartier général était une taverne de Dundee. Leur scotch, ainsi que celui de leurs successeurs, a conservé une clientèle malgré l'apparition de *blends* au standard international comme les Bell's et Famous Grouse. Disponible en qualité standard.

Strathisla • *Single malt* et distillerie des Highlands (Speyside). C'est la plus ancienne distillerie d'Écosse restée en activité sans interruption. C'est aussi, avec ses cheminées jumelles en pagode et son moulin à eau, l'une des plus pittoresques. Créée en 1786, elle eut de nombreux propriétaires. Le premier ajoutait à sa production légale du whisky de contrebande, distillé dans un alambic bien dissimulé ; un autre fut emprisonné à la fin des années 40 pour fraude fiscale. L'un et l'autre durent payer des amendes énormes. Le propriétaire actuel est Seagram, et le *single malt* entre dans les *blends* de la firme : Chivas Regal ♦, Royal Salute ♦ et 100 Pipers ♦. Le Strathisla, rond en bouche, est fruité, doux et herbacé, avec un net goût de tourbe. Généralement disponible en 12 et 21 ans d'âge ; la marque propose aussi quelques whiskies plus forts et de vieux millésimes.

Talisker • *Single malt* et distillerie des Highlands, la seule de l'île de Skye. Elle fut construite en 1831 à Carbost, sur le lac Harport, par deux frères qui vivaient dans une splendide résidence perchée sur une colline, Talisker House. Walter Scott, Boswell et Johnson la

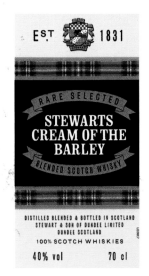

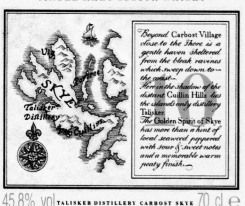

visitèrent à l'époque où elle était la demeure du fils du chef du clan Macleod. Une partie du loyer était payée en whisky au chef du clan, au château de Dunvegan. En 1892, un des associés, Roderick Kemp, vendit sa part pour racheter la distillerie Macallan ◆ dans le Speyside. La communauté de Talisker parle le gaélique, et c'est seulement en faveur d'un ancien directeur de la distillerie (un Anglais !) que l'on a fait récemment l'effort de parler la langue de Shakespeare. Robert Louis Stevenson aimait le Talisker, qu'il qualifia de « reine des boissons » dans un poème de 1880. Corpulent, fumé, soyeux, très épicé, pharmaceutique, présentant un net goût de tourbe, le Talisker rappelle les whiskies d'Islay, mais avec sa propre personnalité. Disponible en 10 ans d'âge.

*T*amdhu • *Single malt* et distillerie des Highlands (Speyside), peut-être la dernière à rester entièrement fidèle aux traditions de la région : l'orge est cultivée sur place, la distillerie produit tout son malt et le sèche dans ses propres séchoirs, avec de la tourbe extraite localement. Pour le maltage, on se sert du système Saladin, maintenant rare, qui a remplacé l'ancienne aire de maltage. L'orge, qui germe dans des caissons rectangulaires, est retournée par des pales parcourant lentement le caisson en un mouvement de va-et-vient. L'établissement est édifié autour d'une source. Il date de 1897, année où nombre de distilleries furent construites dans les Highlands. Le Tamdhu est un des constituants majeurs du *blend* Famous Grouse ◆. Il est léger, assez doux et légèrement fumé. Généralement disponible en 10 ans d'âge, d'autres durées de vieillissement étant parfois proposées.

*T*eacher's • *Blend* étroitement associé à la distillerie Glendronach ◆. Après avoir travaillé chez un grossiste de Glasgow, William Teacher se fit un nom avec ses *pubs*, où les hommes pouvaient boire du whisky mais où il était interdit de fumer. Son idée eut un tel succès qu'il devint bientôt le plus gros propriétaire de *pubs* détenant une licence de vente d'eau-de-vie (il en possédait dix-huit). Ses fils commencèrent à assembler du scotch pour leurs établissements, puis entreprirent de liver des b*lends* à l'industrie du whisky.

L'étape suivante fut la création, en 1884, de leur propre marque, Teacher's Highland Cream. Le succès fut considérable, et aujourd'hui, ce whisky occupe la troisième place sur le marché du Royaume-Uni. La distillerie Ardmore fut construite par la société Teacher en 1897, à l'époque où la demande pour le whisky connaissait une augmentation considérable. Glendronach, dont le malt était depuis longtemps aussi utilisé pour le *blend*, fut rachetée beaucoup plus tard, en 1960. Peu avant la Première Guerre mondiale, William Bergius inventa le bouchon à ouverture facile, maintenant d'usage courant. Pendant la Prohibition, le Teacher's fut exporté au Canada, d'où il était introduit en fraude aux États-Unis. C'est ainsi que la marque était déjà bien connue quand cette mesure fut rapportée, et son importance sur le marché américain ne cessa de croître. Aujourd'hui, Teacher vend annuellement environ deux millions de caisses, principalement dans les pays de l'Union européenne. La proportion de malt dans le Teacher's a toujours été élevée, au minimum de 45 %. Les stocks de whisky de malt étant considérables dans les années 70, cette proportion fut alors portée à 60 %. Disponible en versions standard (Highland Cream) et « de luxe » de 12 ans d'âge.

Andrew Usher, l'inventeur du whisky d'assemblage.

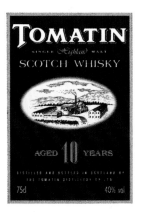

Te Bheag • *Blend* « à l'ancienne », auquel le traumatisme de la clarification par le froid est épargné, élaboré par la petite société Praban na Linne établie sur l'île de Skye, qui produit aussi le whisky de malt Poit Dubh ♦. La marque fut créée en 1976 afin de satisfaire la demande pour un whisky traditionnel – d'où le choix délibéré de la langue gaélique pour l'étiquetage – et de donner une nouvelle impulsion à l'économie de l'île. La marque continue à progresser localement et à l'exportation. Le Te Bheag est aussi livré à nombre d'ambassades britanniques, dont celles de Washington et de Paris. La loi canadienne stipule que les marchandises importées doivent porter des étiquettes bilingues, normalement en anglais et en français, les deux langues officielles, mais la Commission canadienne des liqueurs autorisa pour le Te Bheag l'utilisation du français et du gaélique. Disponible en qualité standard.

Tomatin • *Single malt* et distillerie des Highlands. Tomatin fut construite en 1897, juste à la fin du « boom » sur le whisky, aussi il ne se passa pas une

décennie avant sa liquidation. De nouveaux propriétaires l'exploitèrent jusqu'à son rachat par un associé japonais dans les années 80. Auparavant, on avait doublé sa capacité de production en ajoutant douze alambics aux onze qui existaient déjà. Le Tomatin n'est pas toujours apprécié à sa juste valeur. C'est un whisky élégant, avec d'aimables arômes floraux. Il participe au *blend* Big T de la société. Disponible en 10 ans d'âge.

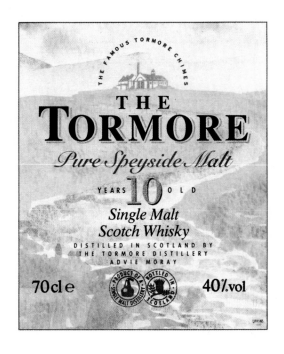

Tormore • *Single malt* et distillerie des Highlands (Speyside), construite en 1960. L'architecture de la distillerie, qui se dresse près de la route courant le long de la Spey à Advie, est insolite : on pense à un croisement entre une galerie d'art et une salle de concert. Sa grande cheminée aurait dû avoir la forme d'une immense bouteille, mais – peut-être heureusement – l'idée fut abandonnée. Tormore dispose de sa propre tonnellerie et participe aux économies d'énergie en utilisant comme carburant les chutes de bois de l'industrie forestière locale.

L'histoire de la distillerie est courte, mais on peut déjà dire que sa production est de qualité. Le whisky est léger et velouté, avec un goût de noix et des arômes de malt. Il participe à l'assemblage du Long John ♦. Disponible à 10 ans d'âge.

Usher's Green Stripe • *Blend* de la société qui a inventé le whisky d'assemblage moderne. Andrew Usher s'établit négociant en vins et spiritueux à Édimbourg, au début du XIXᵉ siècle, époque où l'on buvait le whisky transparent comme de l'eau, sans le faire vieillir, comme on boit la jeune grappa en Italie aujourd'hui. Usher savait que le vieillissement en fût améliorait les eaux-de-vie et eut l'idée d'assembler des whiskies de type complémentaire, comme on le faisait en France pour le cognac. Il assembla des whiskies de malt avec le Glenlivet de George Smith, dont il assurait la distribution, et n'eut qu'à se féliciter de cette initiative.

L'appareil à alimentation continue, inventé en 1827, permettait de distiller plus rapidement et à moindre coût un whisky de grain plus léger que le whisky de malt obtenu par l'alambic à feu nu. Le fils d'Usher, prénommé lui aussi Andrew, imagina d'assembler des whiskies des deux types. Sa motivation était double : économiser de l'argent dans l'assemblage du whisky, le gouvernement anglais ayant de nouveau augmenté les taxes sur le scotch, et obtenir des whiskies plus légers et dont les caractéristiques seraient plus régulières. Le nouveau style de *blend* d'Usher, créé en 1853, trouva une clientèle enthousiaste, notamment à l'étranger. Les exportations ne cessèrent de croître et au tournant du siècle, Usher était devenue une grande marque. Aujourd'hui, elle appartient à United Distillers. Distribuée sur nombre de marchés en développement, elle est en tête des ventes de scotch au Venezuela. Disponible en qualité standard.

Usquaebach • Marque exploitée par une société américaine prospère, spécialisée dans la fourniture de *blends* haut de gamme aux marchés hors taxes. L'origine de ce nom est une faute dans le catalogue d'un commissaire-priseur londonien daté de 1768, dans lequel le terme « usquebaugh », qui désignait le whisky depuis l'époque élisabéthaine, est orthographié « usquaebach » (en gaélique, *uisge beatha* signifie eau-de-vie). Le terme fautif fut adopté par Stan Stankiwicz, un collectionneur de scotches, quand il fonda, en 1969, à Pittsburgh, la société Twelve Stone Flagons pour commercialiser de bons *blends* dans des emballages de prestige. De l'Usquaebach figura, à côté du Bunnahabhain ♦, au banquet d'inauguration de la présidence américaine en 1989 et

fut également servi quand le président Clinton reçut le Premier ministre britannique John Major à Pittsburgh en 1994. Twelve Stone Flagons ne possède pas de distillerie, mais un bureau à Glasgow qui choisit de vieux whiskies et contrôle les assemblages. Ces *blends*, qui contiennent 85 % de whiskies de malt de 18 à 27 ans d'âge, sont élevés au moins 18 mois dans des fûts de xérès. L'Usquaebach est disponible dans nombre de flacons fantaisie, y compris des bouteilles soufflées.

Vat 69 • *Blend* de United Distillers. William Sanderson, jeune et énergique marchand de vins et spiritueux installé à Leith, près d'Édimbourg, fut très tôt convaincu du mérite de l'assemblage de whiskies de malt et de grain. Dix ans après Usher ♦, Sanderson était déjà un assembleur accompli. Il vendit des whiskies portant sa marque dès 1870. En 1882, il entreprit l'un des premiers sondages auprès de la clientèle, en vue de lancer un nouveau scotch sur le marché. Il commanda cent *blends* différents à des assembleurs d'expérience et en fit la dégustation avec un groupe d'amis. Le whisky du fût *(vat)* n° 69 fut alors choisi, et le nom Vat 69 retenu. Il fut commercialisé dans une bouteille identique à celle dans laquelle était vendu le porto (les Sanderson avaient des liens étroits avec le porto), et son succès fut retentissant. Il est toujours présent sur tous les marchés du monde. Disponible en qualité standard.

Born 1820
—Still going strong.

JOHNNIE WALKER : "Well, how are you ?"
MR. TOMMY ATKINS : "Like yourself, Sir—Fit to go anywhere."

JOHN WALKER & SONS, LTD. SCOTCH WHISKY DISTILLERS, KILMARNOCK.

HIGHEST AWARDS
JOHNNIE WALKER
ESTABLISHED 1820
BOTTLED IN SCOTLAND
JOHN WALKER & SONS KILMARNOCK SCOTLAND
John Walker

« Comme vous, Monsieur, je suis capable d'aller partout. » Marchant à grands pas, le dandy créé pour servir de logo à la marque Johnnie Walker a fait le tour du monde.

Walker • Marque d'une gamme étendue de *blends*. Le Johnnie Walker Red Label est le scotch le plus vendu au monde ; le Black Label occupe le septième rang. La vente annuelle de ces deux *blends* dépasse largement les dix millions de caisses. Le Black Label était considéré comme la version « de luxe » de la marque, mais, depuis l'apparition récente de whiskies « super de luxe » sur le marché, le whisky à l'étiquette noire n'est plus qualifié que d'« extra-spécial ».

John Walker était un épicier de Kilmarnock, au sud-ouest de Glasgow, qui arrondissait ses fins de mois en vendant du whisky au détail. Son fils Alexander comprit que le marché pour un bon *blend* était pour ainsi dire illimité. Six ans après qu'il se fut associé avec son père, en 1856, la vente annuelle de leur *blend* atteignait près d'un demi-million de litres. En 1893 l'entreprise racheta la distillerie Cardhu ♦ pour s'assurer un approvisionnement régulier de whisky de malt. Le Cardhu est toujours au cœur des *blends* de Walker. Les Red et Black Label virent le jour en 1908, en même temps que Johnnie Walker, le

personnage créé par le dessinateur publicitaire Tom Browne. L'étiquette oblique et la bouteille carrée que nous connaissons achevèrent de donner une forte identité à ces nouveaux *blends*, plus légers, que la société lançait sur le marché. Leur succès fut éclatant : aujourd'hui, une bouteille sur cinq de tout le scotch exporté porte l'étiquette Johnnie Walker.

Les différentes versions du Johnnie Walker ont aussi leur histoire. Par exemple, le Blue Label, dont l'assemblage compte du whisky de 60 ans d'âge, est logé dans une bouteille qui est la reproduction de celle du Johnnie Walker de 1908 ; le Swing est contenu dans un flacon dessiné en 1920 pour les transatlantiques de luxe : son fond arrondi lui permettait de rester vertical malgré les roulis du paquebot – plus de 2 500 flacons étaient bus à chaque traversée. Le Johnnie Walker est disponible en versions standard, 12 ans d'âge et Blue Label, avec en outre des tirages limités « de luxe ».

White Horse • *Blend* qui est en tête des ventes de scotch sur nombre de marchés. À Édimbourg, la White Horse Inn (Auberge du Cheval blanc) était le terminus du service de diligences, créé en 1742, reliant Londres à la capitale de l'Écosse deux fois par semaine. Elle appartenait depuis le début du XVIIe siècle aux Mackie, qui devinrent distillateurs. Ils assemblaient déjà des *blends* livrés en vrac aux débits de boisson et aux détaillants quand ils caressèrent l'idée, dès 1883, de créer leur propre marque. Ce ne fut fait qu'en 1891, quand Peter Mackie, un homme jeune et dynamique, déposa la marque White Horse, nom de l'auberge de ses ancêtres. Il avait appris l'art d'élaborer le whisky à la distillerie Lagavulin ♦, appartenant à la famille, et prévoyait d'assembler un *blend* composé de whiskies de malt de l'île d'Islay (Lagavulin), des Highlands (de la distillerie Craigellachie) et de whisky de grain. Le White Horse d'aujourd'hui est beaucoup plus complexe, mais le Lagavulin y joue toujours un rôle essentiel.

Le succès de la marque fut immédiat : 30 000 caisses furent vendues la première année, toutes à l'exportation. Mackie créa en 1920 le premier laboratoire de recherche de l'industrie du whisky à la distillerie Hazelburn de Campbeltown. Un étudiant japonais, Masataka Taketsuru, y fit un stage et retourna dans son pays avec non seulement des connaissances qui lui permirent de jouer un rôle majeur dans l'industrie japonaise du whisky (*voir* Suntory et Nikka), mais aussi avec une ravissante épouse écossaise, Jessie Cowan, fille d'un médecin exerçant près de Glasgow.

Où qu'il se trouvât en Europe, le duc de Windsor (Édouard VIII d'Angleterre avant son abdication) prit l'habitude de commander télégraphiquement son White Horse. Un jour, quelqu'un jeta un regard indiscret sur un de ses télégrammes, et les journaux autrichiens annoncèrent qu'il avait fait venir d'Angleterre le cheval blanc qu'il montait quand il était roi. En 1926, la société White Horse fut la première à adopter un bouchon à vis. Avec environ deux millions de caisses par an, White Horse se classe dans les dix premières marques mondiales et en tête des whiskies standard au Japon. Disponible en qualité standard.

White Label • *Voir* Dewar.

Whyte & Mackay • *Blend* lié aux distilleries Dalmore ♦ et Fetter-cairn ♦. La marque a ses origines dans l'association inattendue d'un ingénieur chimiste et d'un saleur de jambons qui possédaient une entreprise de magasinage de produits alimentaires et de whisky. Employés de la firme depuis 1875, James Whyte et Charles Mackay purent racheter l'affaire en 1881, à la mort d'un nouveau propriétaire. Ils concentrèrent leurs activités sur le whisky et avaient entrepris un ambitieux programme d'assemblage pour les marchés d'exportation quand la grande crise du whisky les frappa de plein fouet. Ils sauvèrent leur affaire de justesse et réussirent même, au début du XXᵉ siècle, à augmenter les ventes de leur *blend*. Les exportations vers des pays comme les États-Unis, l'Australie et la Nouvelle-Zélande connurent des hauts et des bas, notamment en raison de la guerre et des restrictions, mais les ventes progressèrent sur le marché national et, dans les années 60, Whyte & Mackay commença à entamer la domination de Bell's et des autres grands du scotch. Les whiskies de malt et de grain sont mariés séparément avant leur assemblage, puis on les laisse s'homogénéiser, ce qui les assouplit et les rend plus aimables. C'est Whyte & Mackay qui commença à distribuer les magnums, que l'on accroche la tête en bas sur des présentoirs, munis d'un doseur. Les ventes dépassent un million de caisses par an. Disponible en versions standard et « de luxe » de 12 et 21 ans d'âge.

Ye Monks • *Blend* lancé en 1898 par la société Donald Fisher d'Édimbourg. Fisher fit œuvre de précurseur en choisissant pour ses *blends* des whiskies plus vieux et plus tendres que ceux qui étaient utilisés à l'époque, et en les faisant vieillir dans des fûts de xérès, ce qui leur donnait une douceur et une richesse caractéristiques. Disponible en qualité standard.

Le transport du whisky dans des camions frappés de leur logo accrut la notoriété des grandes marques (ici White Horse).

Irlande

En haut et en bas : de toutes tailles et de toutes couleurs, les *pubs* irlandais sont plus que de simples débits de boisson. Bien souvent, ils représentent le centre de la vie sociale.

À droite : le comté du Donegal a longtemps été réputé pour le savoir-faire de ses distillateurs clandestins.

L'origine du whiskey irlandais remonterait au VIᵉ siècle, quand des moines missionnaires apportèrent, probablement du Moyen-Orient, l'art de distiller les céréales fermentées. La reine Élisabeth Iʳᵉ d'Angleterre et Pierre le Grand de Russie apprécièrent cette boisson. L'explorateur Walter Raleigh, en route pour la Guyane, en embarqua un tonneau à Cork, en 1595. Il y avait autrefois plus de 2 000 distilleries réparties dans toute l'Irlande, il en restait une douzaine au XIXᵉ siècle, mais on n'en compte plus que trois aujourd'hui. Toutefois, plus d'une vingtaine de marques ont survécu.

L'industrie irlandaise du whiskey se limitait il y a quelques années à une distillerie traditionnelle en Irlande du Nord, Bushmills, dont l'origine remonte au moins au début du XVIIᵉ siècle, ainsi qu'à un complexe industriel ultramoderne, proche de Cork, en République d'Irlande, Midleton, construit dans les années 70. Dans ce dernier établissement, 140 réservoirs-récepteurs permettent d'élaborer de nombreux whiskies différents, dans le style de ceux qui étaient produits au XIXᵉ siècle. Cooley, une

troisième distillerie édifiée à Dundalk avec l'aide de l'État, associe alambics à chauffe directe et colonnes de distillation continue. Elle est entrée en activité en 1989 et ses whiskies sont apparus sur le marché après les trois ans légaux de vieillissement.

Il y a un siècle, c'est le whiskey irlandais et non le scotch qui était exporté dans le monde entier. Les Portugais s'en servaient pour viner leur porto et, lorsqu'il atteignit le faîte de sa popularité, on en aurait compté 400 marques sur le marché américain. Pendant la Grande Guerre cependant, le gouvernement, inquiet des progrès de l'alcoolisme, rendit illégales les tournées dans les *pubs*. Vinrent d'autres restrictions liées à la guerre, puis la Prohibition. Enfin, les producteurs ne surent pas répondre à la demande quand les États-Unis y mirent fin. Autant de facteurs qui sonnèrent le glas de la suprématie du whiskey irlandais. De plus, les Irlandais avaient refusé de reconnaître l'authenticité du whiskey issu de la distillation continue. Le Dublinois Aenas Coffey, qui avait inventé un appareil perfectionné de distillation continue, ne réussit pas à intéresser ses compatriotes et ce furent les Écossais qui l'adoptèrent. Quand les Irlandais revinrent sur leur décision, il était trop tard : les Écossais s'étaient emparés du marché.

Il n'existait plus que cinq distilleries en 1966. Quatre d'entre elles – Jameson, Power, Midleton et Tullamore – formèrent une société commune, Irish Distillers, dans l'espoir d'éviter de disparaître et avec elles leurs dix-huit marques. Six ans plus tard, la cinquième – Bushmills – se joignit à elles. Toute la production de whiskey irlandais fut dès lors contrôlée par une entreprise unique, jusqu'à la création récente de la distillerie de Cooley, dont la production est encore modeste.

Le whiskey irlandais est fait d'orge, maltée et non maltée, ainsi que d'autres céréales mais, sauf à Cooley, les malts ne sont pas fumés à la tourbe. Le whiskey est distillé dans des alambics traditionnels et dans des colonnes de distillation continue. Ceux issus d'alambic bénéficient, à Bushmills et à Midleton, d'une distillation triple et non double comme en Écosse. La loi exige un vieillissement d'au moins trois ans, mais les whiskies de haut de gamme ne sont mis sur le marché qu'après douze ans au moins.

Black Bush • Whiskey de la distillerie Bushmills. Tout comme l'Original Bushmills♦, le Black Bush est un *blend*, mais la proportion de whiskey de malt est plus grande (80 %) et le vieillissement, plus long (jusqu'à neuf ans), s'effectue principalement dans des fûts de xérès *oloroso*. Nez riche de malt et de xérès, bouche piquante, maltée, avec une agréable nuance de chêne.

Bushmills • Marque commerciale, whiskey pur malt, et aussi distillerie à Antrim (Irlande du Nord), proche de la Chaussée des Géants, célèbre formation de basalte. Le ruisseau de Saint-Columb, qui alimente la distillerie, sourd dans une tourbière puis coule sur des rochers de basalte. Un établissement de la région de Bushmills obtint une licence dès 1608, mais celui d'Antrim ne remonte qu'à 1784. On y a toujours utilisé l'alambic à chauffe directe et produit du whiskey de malt, mais le Bushmills pur malt n'est vendu en bouteilles que depuis 1985. À la sortie des alambics, le whiskey est logé dans des fûts de xérès (20 %), de bourbon et dans des fûts ayant servi trois fois au maximum. Leur contenu est assemblé pour obtenir le whiskey pur malt de la marque.

La salle où sont accueillis les visiteurs est décorée avec du matériel d'autrefois. Un alambic provenant de l'ancienne distillerie Coleraine voisine ressemble à un vaisseau spatial sorti de l'imagination de Jules Verne. Occupant la place d'honneur, une lettre de l'ancien Président George Bush rend hommage au « Black Bush, cet élixir magique ». Les présidents des États-Unis sont à l'Irlande du Nord ce que les souverains britanniques sont à Hanovre : onze d'entre eux ont en effet leurs racines dans le voisinage.

La distillerie Bushmills tire de ses dix alambics quatre whiskies d'assemblage – Original Bushmills♦, Black Bush♦, 1608 et Coleraine – et deux whiskies de malt. Le Bushmills pur malt étant logé presque entièrement dans des fûts de bourbon, le souvenir du xérès est à peine perceptible ; le parfum de vanille n'est pas trop présent grâce à l'utilisation d'un mélange de fûts neufs et de fûts ayant déjà servi. Ce whiskey, commercialisé après cinq ou dix ans, est souple et doux, avec des nuances de chêne et de malt. Le Bushmills 1608, élégant whiskey haut de gamme au nez très marqué, vieilli douze ans, majoritairement dans des fûts de xérès, est très parfumé.

Cooley • Distillerie créée en 1987 avec l'aide de l'État irlandais à Dundalk, sur la côte est, près de la frontière de l'Irlande du Nord. John Teeling a investi 4 000 000 de livres dans les installations, les locaux de stockage et le rachat de marques autrefois célèbres, dans l'intention d'établir une « deuxième force », indépendante d'Irish Distillers. Il commença à distiller en 1989 et commercialisa dès 1992 son premier whiskey, le Tyrconnell pur malt♦. Deux blends, Kilbeggan♦ et Locke♦, s'y sont ajoutés par la suite. Cooley importe aussi un scotch étiqueté Glen Millar.

À gauche : la Chaussée des Géants, saisissantes colonnes de basalte, est située sur la côte au nord d'Antrim, à quelque 4 km de la distillerie Old Bushmills.

55

WHISKEY

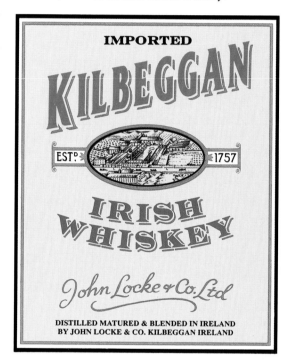

IMPORTED
KILBEGGAN
ESTD 1757
IRISH WHISKEY
John Locke & Co. Ltd
DISTILLED MATURED & BLENDED IN IRELAND
BY JOHN LOCKE & CO. KILBEGGAN IRELAND

Irish Distillers • Société faisant partie du groupe Pernod-Ricard, qui possède les principales marques de whiskey irlandais : Jameson♦, Bushmills♦, Paddy♦, Power♦ et Midleton♦. Elle a récemment cédé la marque Tullamore Dew♦ au groupe anglais Allied Distillers, mais continue à distiller ce whiskey pour le compte du nouveau propriétaire. Ces cinq marques étaient exploitées par les dernières distilleries existant encore en 1966. Elles ont formé la société Irish Distillers pour sauver le whiskey irlandais de la déconfiture. Cette entreprise détient le monopole de la distillation jusqu'à l'entrée en activité, en 1989, de la distillerie Cooley♦ à Dundalk.

Jameson • Ce *blend* est le whiskey irlandais le plus vendu dans le monde. L'Écossais John Jameson fonda sa distillerie à Dublin en 1780, à 200 m de l'église Saint-Michan où Haendel joua de l'orgue. Sa femme appartenait à une famille de distillateurs écossais d'Édimbourg, les Haig, et un de ses petits-fils fut Guglielmo Marconi, inventeur de la télégraphie sans fil. Jameson, qui aimait que son whiskey eût du corps et du bouquet, acquit nombre de fûts de xérès pour l'y faire vieillir. Les installations ne pouvant s'étendre au centre-

ville, la production fut déplacée en 1971 à la distillerie Power♦, puis finalement à Midleton♦. Le whiskey Jameson, rond, élégant et très parfumé, est commercialisé jeune, ou après un vieillissement de douze ans sous l'étiquette «1780».

Kilbeggan • *Blend* standard de l'entreprise Cooley♦. La distillerie Kilbeggan, dans le village du même nom (comté de Westmeath), s'appelait Brusna à l'origine, puis Locke's♦ à partir des années 1840. Ce whiskey, qui compte 30 % de malt, est un des deux *blends* de la gamme Cooley. Ses whiskies, issus d'alambics et d'appareils à colonnes, sont l'un et l'autre distillés à Cooley.

Locke's • *Blend* haut de gamme de Cooley♦. L'ancienne distillerie Locke's, à Kilbeggan, sert aujourd'hui d'entrepôt pour le vieillissement du whiskey distillé à Cooley. Cette distillerie porta successivement le nom de Brusna (licence accordée en 1757), celui du village et enfin celui de Locke's quand John Locke reprit l'affaire dans les années 1840. La famille Locke ne réussit jamais à surmonter les difficultés engendrées par la Prohibition et par la crise économique de 1929.

La distillerie ne fut jamais modernisée, aussi le matériel que peuvent admirer les visiteurs date du dernier quart du XIXe siècle. L'énergie mécanique était

En haut : la distillerie de William Jameson (dessin d'époque victorienne). William créa une entreprise concurrente de celle de son frère John.

En bas : dans les années 20, le whiskey John Jameson était vendu le plus souvent en tonneaux.

JOHN JAMESON & SON
Established Since 1780
IRISH WHISKEY
BOW STREET
DUBLIN 7

filature datant de 1796, qui avaient servi de caserne pendant les guerres napoléoniennes. Elle s'enorgueillissait de posséder le plus grand alambic à feu nu du monde, d'une capacité voisine de 150 000 l. Celui-ci resta en service jusqu'en 1975 ; on le laissa sur place quand la production fut déplacée dans la nouvelle distillerie. Il était équipé d'une cloche que l'on sonnait quand il fallait détiser le feu ; tous les ouvriers abandonnaient leur travail et accouraient : pas question de traîner quand le plus grand alambic du monde risque la surchauffe. Un alambic explosa un jour alors que quelqu'un traversait le local. Par miracle, l'imprudent ne fut pas blessé, mais seulement étourdi, et on le trouva dépouillé par le souffle de l'explosion de tous ses vêtements, à l'exception de ses chaussures, de ses chaussettes et de sa cravate. Un musée consacré au whiskey irlandais, le Jameson Heritage Center, est maintenant logé dans cette vieille distillerie.

Le Midleton Very Rare est le whiskey irlandais le plus cher. Ce whiskey millésimé, produit en quantité limitée est un admirable *blend*, avec une structure soyeuse et fondue et des arômes intenses de malt et de chêne.

***O**riginal Bushmills* • *Blend* de whiskey de grain et de whiskey de malt ayant six ans d'âge, vieilli principalement dans des fûts de bourbon. Les constituants de ce whiskey aux nuances délicates et suaves de céréales se laissent deviner, car, contrairement à la plupart des autres *blends* qui en comptent une quarantaine, le Bushmills n'en contient que deux : un pur malt et un pur grain, distillés à Midleton◆, en République d'Irlande. Son nez, qui est doux, rappelle celui d'un vin ; sa bouche est légèrement caramélisée.

***P**addy* • Marque de la Cork Distilleries Company fondée en 1867 à Midleton◆. Dans les années 20, le représentant de cette société, Paddy O'Flaherty, dut en faire l'article avec un bel enthousiasme, car on enregistra de nombreuses commandes exigeant le « whiskey de Paddy O'Flaherty », si bien que le nom de celui-ci figura bientôt sur l'étiquette. Actuellement, le Paddy joue un rôle d'initiateur. C'est en effet un whiskey d'abord facile, léger, assez chaleureux et agréablement malté. Disponible en version standard.

fournie par un moulin à eau, une machine à vapeur n'étant mise en service qu'en été, lorsque le niveau de l'eau était trop bas. Les cuves de brassage (1892) sont en bon état ; les meules et les pompes datent des années 1870. On a distillé à Locke's pour la dernière fois en 1953, mais on prévoit maintenant d'y produire de nouveau un malt traditionnel : trois alambics qui servaient à la distillation du Tullamore Dew◆ ont été installés à cet effet. À Kilbeggan, des tonneliers écossais préparent des fûts de chêne importés des États-Unis pour y loger les whiskies distillés à Cooley.

***M**idleton* • Marque commerciale et distillerie proche de Cork. L'établissement ultramoderne de Midleton a été construit en 1975, à côté d'une vieille distillerie qu'il remplaça, pour produire sous le même toit les différentes marques appartenant à quatre des cinq entreprises ayant fusionné pour former Irish Distillers◆. Quatre alambics à chauffe directe et sept colonnes de distillation continue de différentes tailles produisent les assemblages recherchés. Avec 140 réservoirs-récepteurs de contenances variées et différentes options – orge ou autres céréales, maltées ou non –, plus de mille combinaisons sont possibles. Les cadences sont si élevées qu'il n'est possible de stocker du grain que pour six heures de production. Les camions se succèdent tous les quarts d'heure pour décharger leur cargaison dans les trémies. De lourdes astreintes sont imposées aux malteurs au moindre retard de livraison.

L'ancienne distillerie de Midleton fut créée en 1823 par les frères Murphy dans les bâtiments d'une

En haut : vue de Dublin, avec la rivière Liffeh et les anciennes distilleries Power et John Jameson.

à la frontière de l'Irlande du Nord. Le Tyrconnell est aujourd'hui un whiskey pur malt issu d'un alambic à chauffe directe. Premier whiskey produit au XXe siècle par une société purement irlandaise, il vise particulièrement les marchés d'exportation : vers la Grande-Bretagne, les États-Unis, l'Europe continentale et l'Extrême-Orient.

La distillerie d'Andrew Watt, propriétaire initial de la marque Tyrconnell, aurait commencé à mettre ses produits sur le marché en 1762, mais on n'en sait guère plus sur ses activités avant les années 1830, époque à laquelle l'entreprise s'occupait aussi du commerce des vins et autres spiritueux. Le Tyrconnell d'origine était largement exporté aux États-Unis, comme le montrent de vieux films de matchs de base-ball ayant pour cadre le Yankee Stadium de New York, qu'on voit entouré de panneaux publicitaires de la marque. Sa dépendance du marché américain était telle que la Prohibition entraîna la faillite de la distillerie en 1925.

Le Tyrconnell est le produit d'une double distillation, alors que celle du Bushmills d'Irlande du Nord est triple. Il a un nez frais, malté, et une bouche délicate, avec une pointe de douceur. Il est mis en vente après un vieillissement de cinq à six ans.

Power • Le *blend* de cette marque est le whiskey le plus vendu en Irlande. La distillerie Power fut fondée en 1791 à la porte ouest de Dublin. Elle comprenait une auberge, point de départ des malles-poste desservant le nord et l'ouest de l'Irlande. Power fut le premier à utiliser la bouteille miniature (« Baby Power »), pour laquelle une législation spéciale fut nécessaire. Avant toutes les autres en Irlande, cette distillerie se lança aussi dans la vente du whiskey en bouteilles (et non en fûts). Après son démantèlement en 1976, la production fut transférée à la distillerie de Midleton, dans le comté de Cork. Ce whiskey est rond et très aromatique. Disponible en version standard.

Tullamore Dew • *Blend* d'une distillerie fondée en 1829 à Tullamore, comté d'Offaly, au centre de l'Irlande. Daniel Williams commença à y travailler à l'âge de 15 ans, y passa soixante ans et fit beaucoup pour le succès de cette entreprise au XIXe siècle. Sa famille en devint le principal actionnaire et créa la première liqueur irlandaise, l'Irish Mist, à la fin des années 40. Irish Distillers a vendu la marque au groupe anglais Allied Distillers en 1993, mais elle continue à élaborer le whiskey pour les nouveaux propriétaires. Le Tullamore Dew, qui contient beaucoup de whiskey de malt, est un *blend* raffiné, délicat, souple et noiseté.

Tyrconnell • Marque célèbre de l'ancienne distillerie Watt à Derry, ressuscitée en 1992 par la distillerie Cooley♦ dans le comté de Louth, sur la côte est,

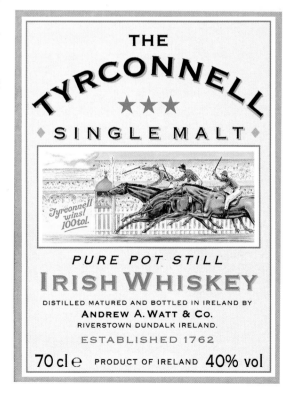

Éats-Unis

Les premiers whiskies américains furent faits en Pennsylvanie, au Maryland et en Virginie par des immigrés écossais et irlandais qui avaient apporté dans leurs bagages l'art de la distillation. Autrefois, posséder du whiskey, c'était avoir à la fois de l'argent, un médicament et une boisson de fête. Les transports étaient difficiles, et deux tonnelets de whiskey chargés sur un cheval valaient six fois plus que deux sacs de grain. Selon un historien, on faisait boire au nourrisson du *toddy* (grog au whiskey) léger, celui de la mère était plus fort, le père buvait son whiskey sec ; quant aux vieux, ils s'en servaient pour masser leurs membres perclus.

Une taxe sur l'alcool votée en 1791 provoqua la « rébellion du whiskey », qui allait durer trois ans : les inspecteurs du fisc furent renvoyés chez eux, le corps enduit de goudron et couvert de plumes, et les fermiers prirent les armes. Le Président George Washington dut mobiliser pour les disperser plus de soldats que pour chasser les Anglais. Cette taxe provoqua la migration de nombreuses familles de distillateurs au Kentucky, où le maïs couvrait de vastes espaces. Elles furent à l'origine de ce qui allait devenir l'industrie du bourbon.

Certains font remonter à un pasteur baptiste du comté de Bourbon, le révérend Elijah Craig, l'origine, en 1789, du style particulier du whiskey américain. Le comté avait été nommé Bourbon en hommage au roi de France, qui avait appuyé la Révolution américaine. Il fallut attendre 1840 pour que le whiskey reçût officiellement le nom de bourbon, 1870 pour que sa distribution commençât à se faire en bouteilles plutôt qu'en fûts et 1964 pour que le gouvernement des États-Unis édictât les conditions de sa production. Il y eut autrefois 2 000

Grâce aux pionniers qui y plantèrent des céréales, les distilleries se multiplièrent dans les grandes plaines des États-Unis.

distilleries de bourbon, il n'en reste plus qu'une douzaine au Kentucky, où sont concentrés les 95 % de la production. De nombreuses distilleries se trouvant dans des comtés dits « secs », où le commerce de détail de l'alcool est généralement interdit, les visiteurs ne sont pas certains de pouvoir goûter le whiskey que l'on produit, ni même d'en acheter. On peut s'en procurer dans des magasins spécialisés, mais pas au restaurant. De plus, il est illégal de consommer pendant la nuit les boissons alcooliques contenues dans le minibar de sa chambre d'hôtel !

Le *straight whiskey* (« whiskey franc ») doit être fait d'au moins 51 % de maïs pour le bourbon, ou d'au moins 51 % de seigle pour le *rye*, et ne doit pas avoir été étendu avec de l'alcool neutre. Si la proportion de maïs est supérieure à 80 %, il ne s'agit plus de bourbon, mais de *corn whiskey*.

Le *blended whiskey* peut ne comprendre que 20 % de *straight*, associé à de l'alcool neutre ou à d'autres whiskies, ou bien encore à un assemblage des deux. S'il contient au moins 51 % de *straight*, on peut l'appeler *blended bourbon, blended rye*, etc. Il peut y avoir soixante-dix différents whiskies dans les *blends*. Bien que, souvent, ils se ressemblent et soient un peu douceâtres, ils sont très populaires aux États-Unis.

Le *light whiskey* est distillé à un minimum de 80 % vol., étendu d'eau et logé dans des fûts ayant déjà servi. Les arômes sont ténus et ce whisky ne présente pas beaucoup d'intérêt.

Le *sour mash* est une méthode d'élaboration dans laquelle des résidus de la distillation précédente sont ajoutés à la bouillie afin d'obtenir un style, une saveur et des caractéristiques aromatiques constantes.

Le style dominant aux États-Unis est celui du bourbon et du whiskey du Tennessee.

En haut à droite : Bourbon Street, dans le célèbre quartier français de La Nouvelle-Orléans.

Ci-contre : fûts de vieillissement de bourbon. Il faut que les inspecteurs du fisc soient dans les parages pour que le gardien quitte son fauteuil.

Bourbon

Le bourbon, qui vient surtout du Kentucky, est issu principalement du maïs. On le fait vieillir au moins deux ans dans des fûts brûlés. Les autres constituants peuvent être un mélange de seigle (qui donne une certaine amertume), d'orge maltée et, parfois, de blé. Les meilleurs bourbons comprennent environ 70 % de maïs, mais la qualité dépend plutôt de la composition que de la richesse en maïs : le *corn whiskey* (90 % de maïs) manque de complexité : il est fade – et bon marché. Le bourbon ne devant pas obligatoirement être mis en bouteilles aux États-Unis, il est en grande partie exporté en vrac.

La bouillie de céréales est ensemencée avec une levure dont le choix est un secret jalousement gardé par chaque distillerie, car il influence le caractère du whiskey. Celui-ci est généralement fait avec la méthode du *sour mash*. Le Kentucky se trouvant sur une terrasse calcaire, la qualité de l'eau convient parfaitement à ce type de whiskey.

La bouillie fermente et donne une sorte de bière, distillée dans un appareil à alimentation continue puis dans un « doubleur », qui ressemble à un alambic. Autrefois, le whiskey était tenu pour largement inférieur au scotch ou au cognac, car rien n'empêchait de le mettre en vente dès la fin de la distillation, aussitôt refroidi. Après l'abrogation de la Prohibition en 1933, il était souvent produit et vendu le même jour. Quand la loi imposa le vieillissement en fût, une durée de deux ans fut jugée suffisante. Aujourd'hui, les possibilités d'amélioration des whiskies étant plus largement reconnues, on commence à les faire vieillir jusqu'à douze ans. Les fûts doivent être neufs – non pour obtenir un produit de meilleure qualité, ni même pour protéger l'emploi des tonneliers, mais pour faciliter le recouvrement des taxes : « X fûts quittent la distillerie, donc X dollars pour le fisc, s'il vous plaît ».

Le type de fût utilisé explique également que l'on ne fasse pas vieillir le bourbon très longtemps : l'exposition au chêne neuf peut engendrer un boisé trop présent. Le bois donne au whiskey un arôme prononcé de crème glacée à la vanille, et le brûlage, des marques accusées de toast et de caramel caractéristiques du bourbon. Une forte teneur en alcool est un indice de qualité. Contrairement au scotch, dont la teneur en alcool diminue pendant le vieillissement – les fûts étant disposés dans des entrepôts humides –, celle du bourbon augmente dans les locaux chauds du Kentucky.

Curieusement, le comté de Bourbon du Kentucky est soumis au « régime sec » et ne compte aucune distillerie, alors que c'était autrefois un important centre d'expédition du whiskey. On peut, en revanche, boire librement dans le comté voisin de Christian. Pendant la Prohibition (1919-1933), la demande pour l'alcool « médicinal » était telle que plus de dix millions d'ordonnances, totalisant près de 3 800 000 l, étaient délivrées chaque année aux prétendus malades.

Ancient Age • Marque de la distillerie Leestown. La ville fut fondée par des pionniers en 1773, mais la distillerie date de 1869. Quand le jeune Albert Blanton y entra, en 1897, elle était déjà prospère. Sous son impulsion, elle devint en cinquante-cinq ans une des plus importantes des États-Unis. Elle fut la première à commercialiser un bourbon tiré d'un seul fût, adéquatement étiqueté Blanton.

La distillerie abrite le plus petit entrepôt du monde sous surveillance du fisc. Quand il fut construit en 1953, on y logea un seul fût, le deux millionième produit depuis l'abrogation de la Prohibition en 1933. Dans le grand hall d'embouteillage, on remplit 10 000 bouteilles à l'heure. Le fameux Blanton est mis en bouteilles à la main dans un autre local. Il fut le premier du genre, mais la distillerie commercialise maintenant d'autres whiskies du même style : Rock Hill Farms, Hancock's Reserve, Benchmark et Elmer T Lee (nom du distillateur en chef).

La distillerie produit aussi deux whiskies de 10 ans d'âge, dont les teneurs en alcool sont différentes, et du *blended whiskey*.

Jim Beam • Bourbon le plus vendu au monde. Dans les années 1780, Jacob Beam et sa famille étaient fermiers dans les collines couvrant le futur État du Kentucky. Ils produisaient du maïs, des fruits, et élevaient des pourceaux. Beam exploitait aussi un moulin à céréales dont il faisait profiter ses voisins. Ceux-ci le payant généralement en nature, il utilisa ce surplus de grain pour distiller du whiskey destiné à la consommation familiale. En 1795, il commença à le commercialiser. Le nom de Jim Beam ne fut toutefois adopté pour la marque que beaucoup plus tard.

Afin de conserver au Jim Beam un style inchangé, on utilise une levure maintenue active depuis plus de soixante ans ; elle aurait été sélectionnée par Jim Beam lui-même dans la véranda de sa maison du comté de Nelson. Pour son petit-fils Booker Noe, distillateur en chef, « cette levure donne un meilleur bourbon ». La distillation est menée dans un appareil à alimentation continue puis dans un « doubleur ». Le Jim Beam vieillit quatre ans, puis sa teneur en alcool est ramenée à 80 *proof* (40 % vol.). Chaque jour, 600 nouveaux fûts

(l'équivalent de 17 000 caisses) entrent dans le chai de vieillissement, tandis que le même nombre en sort pour assemblage et mise en bouteilles.

Early Times • Marque commerciale et distillerie. Apparu sur le marché en 1860, l'Early Times devint, dans les années 1850, le bourbon le plus vendu aux États-Unis. Il est toujours populaire, dans la gamme des whiskies bon marché. La société productrice a été la première à préconiser l'utilisation du bourbon dans les cocktails, et l'Early Times est étroitement associé dans l'esprit du public au *pussycat*. Dans les années 70, la teneur en alcool de l'Early Times a été réduite (de 43 % à 40 %) pour répondre à la demande de spiritueux plus légers.

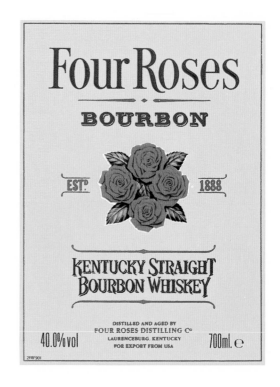

Son élaboration fait appel à la technique dite du « vieillissement accéléré », qui consiste à modifier artificiellement le cycle de changement de température et d'humidité. En contrôlant ces deux facteurs dans le chai de briques, le producteur crée son propre climat, multipliant à volonté les inversions des courbes de température et d'humidité, ce qui a pour effet d'accélérer le vieillissement. L'Early Times vieillit au moins trois ans. En 1987, la société a mis sur le marché un whiskey plus tendre et plus léger, assemblage de bourbon et d'eau-de-vie neutre. Il est vieilli dans des fûts ayant déjà servi, ce qui oblige à l'étiqueter whiskey du Kentucky et non bourbon.

En bas à droite : la distillerie Four Roses à Laurenceburg, dans le Kentucky. C'est là qu'on produit le célèbre bourbon du même nom.

Elijah Craig • Marque de la distillerie Heaven Hill✦, choisie en hommage à l'inventeur du bourbon, habitant du comté éponyme, qui fut à la fois pasteur et distillateur. Dans le Kentucky, 1789 est associé à la révolution... du bourbon. C'est cette année-là, en effet, qu'Elijah Craig, à ce que l'on raconte, logea du whiskey destiné à un client lointain dans un fût ayant contenu du poisson salé, après en avoir carbonisé l'intérieur pour éliminer l'odeur persistante. Transporté en chariot, le whiskey mettait deux mois pour atteindre le destinataire le plus éloigné ; or il suffit de trois mois, dans des conditions normales, pour que le fût transmette couleur et arômes au whiskey. Celui de Craig ayant été constamment agité par les cahots s'est probablement bonifié pendant le trajet. L'Elijah Craig de Heaven Hill est un whiskey « de super-luxe » de 12 ans d'âge, riche et très aromatique (94 *proof* – 47 % vol.).

Four Roses • Marque, et distillerie fondée en 1888 à Laurenceburg (Kentucky). Le Four Roses se classe au troisième rang des bourbons pour l'exportation ; il est premier en Europe, troisième au Japon. Le Four Roses standard (étiquette jaune) passe cinq ans en fût. Il offre de riches arômes de noisette, avec des nuances fruitées. La version étiquette noire (6 ans d'âge) est élaborée avec une levure particulière ; elle évoque les épices et la pomme. Le Single Barrel Reserve (8 ans d'âge), complexe et bien ferme, est issu d'une bouillie plus riche en maïs. Ses arômes épicés et floraux sont caractéristiques des vieux Four Roses.

I.W. Harper • Marque créée en 1872 par Isaac et Bernard Bernheim. Les deux frères n'avaient pas froid aux yeux : ils s'installèrent comme négociants en whiskey à Paducah (Kentucky), avec pour tout capital un unique fût de bourbon et leurs économies, soit 1 200 dollars. D'emblée, Isaac désira changer l'image du bourbon, celle d'un whiskey contenu dans du grès. « Le verre donne au whiskey un brillant jamais vu auparavant », écrivit-il en 1875. Tout aussi attentif au choix de la marque, Isaac ajouta « Harper » (« harpiste ») à ses initiales, simplement parce que ce nom sonnait bien.

Les frères déménagèrent en 1888 à Louisville, où ils acquirent leur propre distillerie deux ans plus tard. Leur whiskey, dont la réputation était déjà excellente, obtint au tournant du siècle plusieurs médailles d'or dans des concours internationaux. Bourbon « médicinal » pendant la Prohibition, le I.W. Harper connut un développement spectaculaire après l'abrogation de cette mesure. Aujourd'hui largement exporté, il se place au premier rang des bourbons vendus au Japon. Le millionième fût a été distillé en 1962. Vers la fin de sa vie, Isaac Bernheim créa pour Louisville des aménagements d'intérêt général, parmi lesquels une réserve forestière de 6 000 ha qui porte son nom.

Heaven Hill • Marque relativement récente créée en 1935 par la famille Shapira, en même temps que la distillerie. Whiskey et distillerie portent le même nom, celui de l'ancien propriétaire du site. Méfiants à l'égard des méthodes modernes, les Shapira procèdent toujours à la double distillation en alambic de cuivre et font vieillir leurs whiskies dans des entrepôts dont la

température et l'humidité ne sont pas contrôlées, si ce n'est en ouvrant et fermant les fenêtres plusieurs fois, selon la saison et le temps qu'il fait. La durée du vieillissement de la plupart de leurs whiskies est de 6 à 8 ans. Le Heaven Hill, qui représente environ 13 % du marché du bourbon, est disponible dans une gamme étendue d'âge et de teneur alcoolique. Le 6 ans d'âge (80° *proof* – 40 % vol.) est le plus populaire.

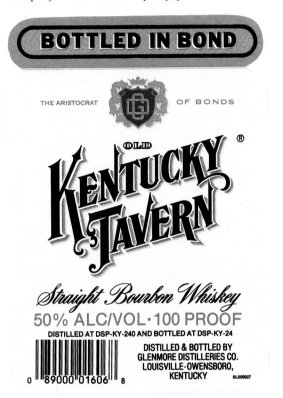

Kentucky Tavern • Marque créée en 1903 par James Thompson pour son bourbon haut de gamme, qui s'ajouta à un *blend* nommé Old Thompson. James Thompson, venu d'Irlande, arriva au Kentucky en 1871. Avec son cousin George Brown, il créa une entreprise qui prit plus tard le nom de Brown-Forman. Pendant la Grande Guerre, en 1916, la production du Kentucky Tavern fut interrompue pour que l'établissement soit en mesure de livrer à la France de l'alcool destiné à la fabrication de poudre à canon. Elle reprit en 1917 et continua pendant la Prohibition, la distillerie ayant bénéficié d'une autorisation fédérale lui permettant de produire du bourbon « médicinal » : le Kentucky Tavern avait été choisi pour satisfaire les besoins des hôpitaux et des foyers d'anciens combattants. Au moment de

En bas à gauche : le whiskey de Heaven Hill, où l'on préfère les méthodes traditionnelles, est logé dans de petits fûts de chêne.

l'abrogation de la Prohibition, en 1933, la distillerie avait accumulé un stock de 31 000 fûts de bourbon assez vieux pour être aussitôt mis sur le marché. À la fin de la Seconde Guerre mondiale, le Kentucky Tavern était l'un des whiskies les plus vendus aux États-Unis ; il se classe aujourd'hui dans les douze premiers.

Maker's Mark • Marque et distillerie proche de Loretto, dans le Kentucky, renommée pour sa production réduite, mais de qualité. Un beau jour de 1980, la vie de Bill Samuel fut transformée grâce à un article sur la distillerie familiale paru en première page du *Wall Street Journal* : tout le monde voulut goûter son bourbon. La production du Maker's Mark était limitée à trente-huit fûts par jour, alors que celle des grands du whiskey atteignait 1 300 unités, mais là résidait la supériorité du premier. L'idée d'une élaboration lente et limitée venait du père de Samuel, lequel voulait, en outre, remplacer le seigle par du blé : il avait raison, car on obtient ainsi un meilleur bourbon. Les ancêtres de Bill Samuel se rattachent à l'épopée américaine, avec un pionnier, Daniel Boone et des hors-la-loi, Frank et Jesse James – la famille a conservé le pistolet de Frank James. En outre, le distillateur Tom Lincoln qui, travaillant pour les Boone, avait la réputation de boire son salaire, n'est autre que le père d'Abraham, qui devint président des États-Unis. La distillerie, qui remonte à 1889, est classée monument historique.

Le Maker's Mark se distingue par son velouté, sa corpulence et son intensité aromatique, obtenus grâce à une distillation à teneur alcoolique basse – qui préserve la richesse aromatique – et à l'utilisation du blé, qui confère au bourbon des arômes plus subtils que le seigle. Il comprend 95 % environ de whiskey de sept ans d'âge et 5 % d'un whiskey délibérément trop vieilli, destiné à ajouter un peu de mordant. Le bouchon est recouvert de cire à cacheter pour renforcer l'impression de fidélité à la tradition… et accessoirement pour empêcher la fraude. La forme de la bouteille interdit que l'on remise celle-ci dans les « puits » dont sont équipés les bars américains, ce qui oblige à la poser sur une étagère, au regard de tous.

Ce bourbon, généralement servi aux banquets de la Maison-Blanche, est apparu récemment à la cour impériale du Japon lors d'un dîner officiel. Il est disponible en trois qualités : Red Cap, à 45 % vol. ; Gold Cap, à 50,5 % (dans les boutiques hors-taxes); Black Cap, à 47 % vol., *blend* plus robuste, destiné au Japon. Ce bourbon étiqueté whisky (et non whiskey), riche, rond et savoureux, offre des nuances boisées et épicées ; la fin de bouche est veloutée.

Old Charter • Autre marque produite à la distillerie Harper ♦. Les frères Chapeze commencèrent à distiller leur whiskey en 1867 dans une ferme de Long Lick Creek (Kentucky), et Old Charter était devenue une marque assez importante au tournant du siècle. Pendant la Prohibition, l'affaire subsista… grâce aux médecins. Lorsqu'ils prescrivaient à un « malade » du bourbon de douze ans d'âge, ils devaient avoir de la peine à garder leur sérieux ! C'est d'ailleurs à cette époque que le 12 ans d'âge apparut sur le marché. La marque est célèbre pour le long vieillissement de ses bourbons, riches et bien construits, généralement disponibles à 8, 10 et 12 ans d'âge.

En haut à droite : avec ses volets rouges, la distillerie Maker's Mark est l'une des plus pittoresques du Kentucky.

Ci-dessous : les bouchons du Maker's Mark sont recouverts de cire à cacheter qui rend les bouteilles inviolables.

Old Crow • Marque et distillerie. « Old » Crow était James Crow, médecin écossais qui participa à la création de la distillerie en 1835. Sa formation scientifique alliée à son intuition lui permirent d'inventer le saccharimètre et d'apporter nombre de perfectionnements aux méthodes d'élaboration du whiskey. Il n'est pas certain qu'il ait inventé, comme le proclame l'étiquette, le procédé du *sour mash*, généralement mis en œuvre pour les whiskies du Kentucky et du Tennessee *(voir p. 60)*. D'autres distilleries revendiquent la paternité de cette technique, sans apporter davantage de preuve. Ce bourbon est exubérant et très aromatique.

Old Fitzgerald • Marque créée en 1870 pour les sociétés concessionnaires de la restauration sur les bateaux à vapeur et les chemins de fer américains. La société productrice était devenue suffisamment solide au tournant du siècle pour exporter son whiskey vers les capitales européennes. Jusqu'à la Grande Guerre, la bouillie était encore brassée en fûts individuels et distillée dans des alambics à feu nu. Située à Frankfort, la distillerie ferma définitivement au moment de la Prohibition, mais la marque fut rachetée par les producteurs de l'Old Weller ♦ et fut adoptée pour un des bourbons « médicinaux » de l'époque. L'Old Fitzgerald, qui est maintenant distillé à Louisville, est un des bourbons haut de gamme. Son slogan : « le bourbon le plus cher du Kentucky ».

Old Forester • Marque du premier bourbon vendu en bouteilles, vers 1872. Compagnon du pionnier Daniel Boone, William Brown se fixa au Kentucky à l'époque où la production du bourbon prenait de l'importance. Son petit-fils, George Brown, commença à produire l'Old Forester, près de Louisville, en 1870. Le whisky était alors livré dans un fût accompagné d'une bouteille portant le nom du distillateur, que le détaillant remplissait et exposait dans sa vitrine. Brown poussa l'idée plus loin en mettant lui-même sa production en bouteilles, livrées pleines et scellées aux détaillants. Son affaire prospéra : Brown-Forman est aujourd'hui un géant des boissons. Pendant la Prohibition, alors que de nombreuses distilleries furent obligées de fermer leurs portes, souvent définitivement, l'entreprise fut au nombre des dix qui obtinrent l'autorisation de vendre du whisky « médicinal », ce qui la sauva. L'Old Forester est commercialisé après un vieillissement de 4 ans. La proportion de maïs est de 72 %, avec comme céréales de complément du seigle (18 %) et de l'orge maltée (10 %). Disponible en 86 et 100° *proof* (43 % et 50 % vol.)

James E. Pepper • Marque récemment relancée pour l'exportation par les producteurs de I. W. Harper ♦. La dynastie Pepper remonte peut-être à la naissance du whiskey américain, vers 1780, si Elijah Pepper a vraiment été le premier distillateur du Kentucky. Son petit-fils Oscar Pepper, qui possédait une distillerie à Versailles (dans le Kentucky), engagea le docteur James Crow. C'est en hommage au bon docteur, qui fut son distillateur, qu'il créa la marque Old Crow ♦.

À la fin du XIXᵉ siècle, James E. Pepper lutta contre la domination des grossistes qui, avant de vendre le whiskey en fût, procédaient à leurs propres assemblages. En 1890 Pepper, qui tenait à ce que son whiskey ne fût pas mélangé à d'autres, obtint une licence pour l'embouteiller lui-même. C'est ainsi qu'il fut, avec George Dickel ♦ du Tennessee, un des premiers distillateurs du pays à commercialiser sa propre marque. Il brassait ses

À gauche : le château d'eau de la distillerie de l'Old Forester à Louisville, dans le Kentucky.

Photographie ancienne prise dans un bar du Wyoming : le pistolet reste à portée de main du patron.

plus grande richesse gustative et aromatique. Les entrepôts de vieillissement ne sont pas équipés d'un système de contrôle de la température.

Southern Comfort • C'est peut-être le breuvage traditionnel du Sud, mais ce n'est pas un bourbon, ni même un whiskey (*voir liqueurs*).

Weller • Marque et distillerie située à l'origine à Louisville (Kentucky). Daniel Weller, qui arriva par bateau du Maryland en 1794, était peut-être un réfugié de la « rébellion du whiskey » contre le fisc (*voir p. 59*). Toute la famille vivait de la distillation, mais ce n'est qu'en 1849 que William L. Weller commença à vendre lui-même son whiskey. Bientôt, il assura la mise en bouteilles, et, dès les années 1880, il eut des clients dans tous les États-Unis.

Les Weller mirent au point le chai de vieillissement traditionnel, utilisé par toute l'industrie du bourbon jusqu'à l'adoption récente par la plupart des distilleries du contrôle de la température et de l'hygrométrie.

Les propriétaires de la marque, qui produisent aussi le Rebel Yell **♦**, utilisent comme céréale de complément du blé plutôt que du seigle ; cela donne un whiskey plus souple, sans l'amertume caractéristique du seigle. Le Weller a été commercialisé sans interruption depuis 1849. Deux qualités de 7 ans d'âge sont disponibles : le W.L. Weller (43 % vol.) et l'Old Weller (53,5 % vol.)

céréales par lots d'environ 25 litres et procédait à une double distillation dans des alambics à feu nu.

Au tournant du siècle, la marque s'était imposée : c'est avec ce bourbon que le boxeur Jack Johnson célébra sa victoire sur Jim Jeffries au Championnat du monde des poids lourds, en 1910. En 1919, l'entreprise expédia en Allemagne 4 000 fûts et 30 000 caisses de Pepper pour échapper à la confiscation au moment de la Prohibition. Celle-ci eut pourtant raison d'elle comme de tant d'autres.

Rebel Yell • Marque et distillerie de Louisville (Kentucky). La marque est liée à l'origine « sudiste » de ce bourbon. Le *rebel yell* était en effet le cri de guerre des armées soulevées contre l'Union pendant la guerre de Sécession. Bien que l'affaire fondée par William Weller remonte à 1849, le Rebel Yell n'avait encore qu'une notoriété locale en 1984 : il n'était même pas distribué au nord de la ligne Mason-Dixon (ancienne frontière entre les États esclavagistes et abolitionnistes). La distillerie fut l'une des dix autorisées à poursuivre la production de whiskey « médicinal » pendant la Prohibition (1919-1933). Le Rebel Yell est élaboré avec une proportion de blé supérieure à celle de la plupart des autres bourbons et distillé à une teneur en alcool plus basse, ce qui lui donne, à en croire ses producteurs, une

Wild Turkey • Whiskey de la distillerie de Laurenceburg (Kentucky). C'est le bourbon de grande qualité le plus vendu aux États-Unis. La famille Ripy fonda sa distillerie en 1885. La même année, Austin Nichols, qui en devint plus tard propriétaire, s'établissait comme négociant en gros. En raison de sa qualité, le whiskey des Ripy fut choisi parmi 400 concurrents pour représenter le Kentucky à l'Exposition universelle de Chicago, en 1893. La distillerie fut modernisée avant de rouvrir en 1933, après l'abrogation de la Prohibition. Le Wild Turkey fut créé seulement en 1940. Une chasse au dindon sauvage réunissant des hommes d'affaires en Caroline du Nord fut à l'origine de la marque : le bourbon de Laurenceburg livré pour l'occasion descendit si agréablement dans les gosiers que naquit alors l'idée de le vendre sous l'étiquette Wild Turkey.

La firme se procure le maïs et l'eau sur place ; l'orge vient du Montana, le seigle du Dakota et le chêne des monts Ozarks. La distillation s'effectue dans une colonne haute de douze mètres et dans un « doubleur ». La teneur en alcool est abaissée à l'eau distillée, puis le whiskey est logé dans des fûts neufs ayant subi un brûlage profond. Pendant le vieillissement, on pratique une rotation des fûts entre les étages élevés, où il fait chaud, et les étages inférieurs, où la température est plus modérée.

Le Wild Turkey existe en différentes versions. Celle de 8 ans d'âge titrant 101° *proof* (50,5 % vol.) est similaire au bourbon produit par les frères Ripy en 1893 et par leurs successeurs ; le 80° *proof* (40 % vol.) a été mis sur le marché en 1974 pour ceux qui n'aiment pas le bourbon trop puissant ; il vieillit au moins 4 ans ; les plus récents de la gamme sont le 12 ans d'âge et le Rare Breed, assemblage de whiskies de 6, 8 et 12 ans d'âge, produit en quantité limitée. Le Wild Turkey associe un doux boisé et de généreux arômes de vanille et de caramel.

En bas à gauche : le whisky Wild Turkey a été nommé ainsi en souvenir d'une partie de chasse au dindon sauvage.

En bas à droite : un entrepôt de vieillissement du Jack Daniel's, le whiskey du Tennessee le plus connu sur les marchés d'exportation.

Evan Williams • Marque de prestige de la distillerie Heaven Hill ✦. C'est le nom du premier distillateur du Kentucky, un immigrant du pays de Galles, né dans une famille vouée à cette industrie. Il fit ses débuts en 1783 dans le comté de Nelson. Vieilli de 7 à 8 ans et embouteillé à 90° *proof* (45 % vol.), l'Evan Williams se classe au deuxième rang des bourbons vendus aux États-Unis.

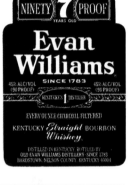

Whiskey du Tennessee

L'élaboration du whiskey du Tennessee ressemble à peu de choses près à celle du bourbon ; la différence remonte au début du XIXᵉ siècle : un filtrage au charbon de bois avant vieillissement fut alors introduit, qui lui donne une structure plus légère et plus souple, ainsi qu'un goût de fumée plus accusé. Le charbon de bois d'érable à sucre est tassé dans des cuves de 3 m de haut à travers lesquelles on fait passer le distillat. La loi exige maintenant que le whiskey du Tennessee vieillisse au moins quatre ans. S'il n'existe que deux distilleries, un grand nombre de marques proposent une gamme étendue de whiskies.

Les petites routes qui sillonnent la campagne du Tennessee furent autrefois parcourues par des camions transportant du whiskey de contrebande.

Jack Daniel's • Marque et distillerie de Lynchburg. Né en 1846, Jack Daniel acheta son premier alambic à 13 ans et fit enregistrer officiellement sa distillerie en 1866, âgé de 20 ans à peine. Le spectacle de ce petit homme – moins de 1,50 m – qui sortait toujours tiré à quatre épingles avec redingote, nœud papillon et chapeau à larges bords devait être étonnant. Ce personnage flamboyant aurait sans nul doute apprécié la statue qui fut dressée devant la distillerie, à côté de la source qu'il avait découverte.

Alors que les fanfares municipales se multipliaient, il acheta pour Lynchburg de nombreux instruments de musique, se mettant seulement après en quête de musiciens. En 1904, il présenta son whiskey à un concours de dégustation organisé dans le cadre de l'Exposition universelle de Saint-Louis (Missouri) et obtint la plus haute récompense. Il n'eut jamais d'enfant et la distillerie passa à son neveu, Lem Motlow, quand il

mourut de la gangrène dont il souffrait depuis qu'il avait donné des coups de pied dans la porte d'un coffre-fort qui refusait de s'ouvrir. Pendant la Prohibition, Motlow se reconvertit dans les ventes aux enchères des mulets. Après la Seconde Guerre mondiale, les distilleries n'étant autorisées à utiliser que des céréales de qualité inférieure, Motlow attendit la levée des restrictions, en 1947, avant de reprendre l'élaboration de son whiskey.

Les colonnes de distillation du Jack Daniel's mesurent plus de 10 m de haut et donnent un distillat titrant 70 % vol., qui est versé dans les cuves de filtrage au charbon de bois. La teneur en alcool est réduite à 55 % vol., puis le whisky est logé dans des fûts où il vieillit de 4 à 6 ans. Le N° 7 étiquette noire à 43 % vol., est le Jack Daniel's « standard ». C'est, aux États-Unis, le plus vendu des whiskies de haute qualité. Le N° 7 étiquette verte titre 43 % vol.

George Dickel • Marque et distillerie. George Dickel, immigrant allemand, devint marchand de whiskey à Nashville dans les années 1860, pendant la guerre de Sécession. Son affaire prospéra, et il obtint une licence de grossiste en 1870. Il construisit en 1879 sa distillerie à Cascade Hollow, site forestier proche de Tullahoma. Le whiskey était alors commercialisé sous le nom du producteur, mais Dickel, qui voulait attirer l'attention sur le site et son eau pure, l'appela Cascade Whisky (et non whiskey). Déposée en 1895, la marque fut une des premières de l'industrie du whiskey.

La distillerie fut fermée pendant la Prohibition, mais l'usage « médicinal » de son stock fut admis. Le Tennessee resta un État « sec » jusqu'en 1958, année où un maître distillateur nommé Ralph Dupps, qui avait toujours apprécié le George Dickel, construisit un nouvel établissement proche de celui d'origine.

Dickel avait remarqué qu'il faisait son meilleur whiskey en hiver ; il finit par ne distiller que pendant les mois les plus froids. Aujourd'hui, le distillat est porté à basse température avant son filtrage au charbon de bois. Dickel a raffiné ce procédé en plaçant un matelas de laine vierge en haut et en bas de la cuve. Cette technique permet une diffusion plus régulière, alors que sans l'interposition de laine vierge, le whiskey s'insinue dans le filtre en prenant toujours les mêmes chemins. Il faut dix jours pour que le whiskey versé en haut de la cuve de 3 m de haut ressorte en bas. Le George Dickel est souple, riche et sec, avec des notes boisées, fumées et épicées qui ne cessent de se déployer. Disponible à 45 % vol. (N° 12) et 43,4 vol. (N° 8).

Gentleman Jack • Marque de la distillerie Jack Daniel à Lynchburg. Mis sur le marché en 1988, ce fut le seul nouveau whiskey élaboré par l'entreprise en un siècle, sur la base d'expériences menées autrefois par le fondateur lui-même. Le whiskey est filtré au charbon de bois à deux reprises : une première fois aussitôt après sa distillation, une seconde fois après le vieillissement. Ce double filtrage donne au whiskey – déjà très aromatique – une souplesse plus grande que celle du Jack Daniel's. La production est limitée. Le dessin de la bouteille s'inspire du flacon adopté par Daniel pour célébrer la médaille d'or gagnée à l'Exposition universelle de Saint-Louis. En termes de qualité, le Gentleman Jack s'aligne sur les whiskies de malt. Disponible à 40 % vol.

À gauche : le bureau de poste de Dickel paraît sortir d'un western. Il sert aussi d'épicerie, et l'on peut y acheter du whiskey.

Canada

**Ci-dessus : le Canada possède tous les ingrédients pour faire du whisky.
Ci-dessous : le whisky canadien, comme le scotch, passe à travers un récipient transparent fermé à clé.**

Les eaux-de-vie favorites des pionniers des XVIIe et XVIIIe siècles furent le gin, qui servait de lest aux cargos arrivant d'Europe pour charger des grumes, et le rhum, importé des Antilles. On distilla d'abord sur place des eaux-de-vie de fruits, et ce ne fut qu'à la toute fin du XVIIIe siècle que l'on commença à faire du whisky à Kingston, au bord du lac Ontario. L'extension des cultures céréalières le long du Saint-Laurent et dans la région des lacs s'accompagna d'un développement parallèle de la distillation des grains. En 1875, le législateur imposa l'utilisation exclusive de céréales pour le whisky, la distillation continue et trois ans minimum de vieillissement en fût de chêne.

Adoptée très tôt, la vente en bouteilles cachetées rassura les consommateurs sur la franchise du whisky canadien et facilita sa diffusion aux États-Unis pendant la guerre de Sécession et la Prohibition. Pendant toute la durée de la prohibition au Canada même, les hôtels servirent du whisky dans des théières en argent. Winston Churchill, qui visita le pays à cette époque, réclama – et obtint – le même service.

Si dans la plupart des pays producteurs l'assemblage joue un rôle important dans l'industrie du whisky, c'est au Canada la règle d'or, au point qu'aucun de ses constituants n'est jamais vendu séparément.

Légèreté, souplesse, tendreté et douceur, équilibrées par la nervosité du seigle sont les traits communs à tous les whiskies canadiens.

Seigle, orge, blé et, comme de juste, maïs entrent dans leur composition. Les proportions relatives de ces céréales et le choix des levures, qui déterminent les caractéristiques gustatives et aromatiques du whisky, sont des secrets jalousement gardés par chacune des marques. Une forte proportion de blé apporte de la douceur, tandis que le seigle donne une saveur amère et épicée, séduisante si elle est bien maîtrisée. On utilise des appareils de distillation à colonne, et les caractéristiques du distillat varient avec leur hauteur ; dans certains cas, on fait appel à un « doubleur » comme aux États-Unis, ou l'on choisit le système Coffey.

Si la durée légale minimale de vieillissement (trois ans) reste inchangée, elle est presque toujours dépassée. Elle varie de trois ans pour un whisky de grain léger à six, douze ans, voire davantage pour un whisky de seigle plus complexe. Le type de fût constitue une autre variable déterminant le style des whiskies de chaque marque ; cela peut être d'anciens fûts de cognac, de bourbon ou de xérès, ou bien des fûts neufs ayant subi le brûlage. Les assembleurs utilisent une vingtaine de whiskies différents pour élaborer leurs *blends*. Le but recherché est l'alliance d'une bonne richesse aromatique et d'une saveur peu agressive.

L'orthographe « whisky », sans « e », est celle de tous les whiskies canadiens.

Black Velvet • Marque internationale vendant 2,5 millions de caisses par an. Ce whisky souple et soyeux, au nom évocateur de Black Velvet (« velours noir »), a été mis au point dans les années 50 par le maître distillateur de la société Gilbey Canada. Il est constitué de whisky de seigle, vieilli deux ans avant d'être assemblé à d'autres whiskies. Ce *blend* vieillit ensuite quatre ans avant la mise en bouteilles. Cette méthode, originale en ce que l'assemblage est effectué avant et non après le vieillissement, serait le secret de la souplesse et de la richesse aromatique du Black Velvet et de quelques autres whiskies canadiens. Le Black Velvet (40 % vol.) est l'un des trente-cinq whiskies les plus vendus dans le monde.

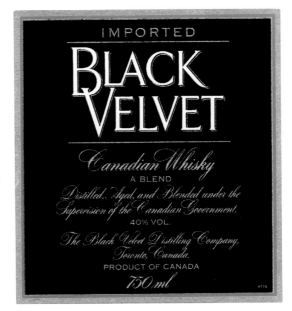

Canadian Club • Grande marque internationale créée en 1858 par Hiram Walker, ancien marchand de grains. Grâce à une distillation très lente, il obtint un whisky de base franc, souple et riche, qu'il assembla avec de l'eau-de-vie neutre. Le *blend* est aujourd'hui fait d'eau-de-vie neutre distillée trois fois et de deux whiskies aromatiques, issus l'un d'une simple et l'autre d'une double distillation. Si la plupart des whiskies canadiens sont assemblés avant leur mise en bouteilles, le Canadian Club l'est avant un vieillissement de six ans. Il n'est pas très corpulent, mais franc, velouté et légèrement fumé. La version « Classic » a 12 ans d'âge.

Avant l'automatisation complète des installations, le personnel travaillant sur les chaînes d'embouteillage était presque entièrement féminin (sur la photo : la distillerie Seagram).

Canadian Mist • C'est le whisky canadien le plus vendu au monde. Brown-Forman a pris le contrôle de la marque en 1971 et poussé les ventes annuelles de 850 000 à 3,5 millions de caisses au milieu des années 90. Distillé à Collingwood (Ontario), le Canadian Mist est fait de maïs et d'orge maltée. D'un prix abordable, il est léger et moelleux.

En bas à droite : une affiche éditée par le gouvernement canadien en 1914 pour inciter les Britanniques à émigrer.

Crown Royal • Marque haut de gamme de Seagram mise au point en 1939, à l'occasion d'une visite du roi George VI d'Angleterre et de la reine. Au cours de sa traversée du pays à bord d'un train spécial, le couple royal put apprécier ce que le Canada avait de meilleur : steak d'antilope, truite de mer, saumon de rivière et un whisky spécial « de luxe » créé par Seagram en l'honneur des souverains. Telle fut l'origine du Crown Royal, logé dans une bouteille en forme de couronne. On utilise pour ce whisky une bouillie spécifique à base de maïs, ensemencée d'une levure particulière. Conservé dans des fûts de chêne blanc ayant déjà servi et qui donnent peu de couleur, le distillat vieillit dix ans. On ajoute ensuite du whisky de seigle, qui donne de la couleur et renforce la saveur. Le Crown Royal (80° *proof* - 40 % vol.) est corpulent, moelleux et légèrement boisé.

Seagram's V.O. • À l'origine de la marque, un lot de quarante fûts de whisky fut mis de côté en 1904 pour un vieillissement prolongé. Joseph Seagram le goûta en 1909 et ordonna qu'on le fasse attendre encore trois ans. Quand ce lot fut finalement mis en bouteilles et commercialisé en 1912, il fut étiqueté V.O., ce qui devait signifier *Very Own* (« le mien propre »), encore que certains penchent pour *Very Old* (« très vieux »). Maïs, seigle et orge maltée sont les constituants principaux de ce whisky. La bouillie de céréales parvient à de grandes cuves de fermentation par des serpentins de refroidissement d'une longueur de 2 400 m. On utilise une levure sélectionnée particulière. Le V.O. est distillé, comme tous les whiskies canadiens, dans un appareil à alimentation continue, dont la colonne a la hauteur d'un immeuble de cinq étages.

Le *blend* vieillit maintenant 6 ans, dans des fûts de chêne plus petits que de coutume. L'assemblage est choisi pour donner un whisky léger, délicatement parfumé, mais pourtant riche en saveurs. Le V.O., qui est tendre, possède une bonne structure et une fin de bouche moelleuse. Il titre 40 % vol.

Japon

Au début du XXe siècle, les Japonais manifestaient un respect quasi religieux pour le whisky authentique, évocateur de flacons poussiéreux qu'il fallait dénicher dans l'Écosse lointaine. Ils n'en connaissaient généralement qu'une triste imitation, préparée au Japon avec de l'alcool neutre et un colorant. Quand, en 1918, le jeune Masataka Taketsuru se fit initier en Écosse aux secrets du vrai whisky, son exploit fut salué comme si le sens de la vie même lui avait été révélé.

Deux hommes sont tenus pour les « pères du whisky japonais » : Taketsuru – qui créa plus tard Nikka – et Shinjiro Torii, fondateur de Suntory, qui permit au premier de s'essayer à la distillation à son retour au Japon. Taketsuru était l'héritier d'une brasserie de saké, mais il s'intéressait davantage au whisky. Il étudia la chimie à l'université de Glasgow, puis travailla dans une distillerie de Rothes. Personne ne sait laquelle, car Taketsuru a mentionné « Glenlivet » ; or trois des cinq distilleries de Rothes ajoutaient alors « Glenlivet » à leur propre nom. Il travailla aussi à Campbeltown avant de rentrer au Japon en 1920, avec une épouse écossaise.

Victime de la crise économique dont souffrait alors le Japon, le président de la brasserie Settsu, Kihei Abe, qui avait financé le séjour de Taketsuru en Écosse, fut contraint à renoncer à ses ambitions dans le domaine du whisky. Shinjiro Torii, à l'époque producteur de vin prospère, offrit à Taketsuru un contrat de dix ans pour qu'il mette sur pied une unité de production de whisky. Cet établissement allait devenir la société Suntory. L'activité commença en 1924 à la nouvelle distillerie, Yamazaki, et le premier whisky fut mis sur le marché en 1929.

Suntory contribua largement à faire apprécier le whisky au Japon. Cet alcool remplaça en partie le shochu traditionnel *(voir annexes)*. Après la Seconde Guerre mondiale, la jeunesse, qui rêvait du genre de vie américain, l'adopta, au même titre que le base-ball, le

blue jeans, les sweaters informes et le chewing gum. Les Japonais n'ayant pas les moyens de s'offrir le scotch consommé aux États-Unis, Suntory ouvrit dans tout le pays les bars à whisky Tory, à l'ambiance pseudo-américaine, où ses whiskies – qui n'étaient pas grevés de droits de douane comme le scotch – coulaient à flots. Leur succès fut immense.

Une des caractéristiques des bars d'aujourd'hui est la « bouteille du client » : achetée par le consommateur, elle reste à sa disposition jusqu'à sa prochaine visite, posée sur une étagère et étiquetée.

L'orthographe adoptée au Japon est « whisky », et non « whiskey » comme aux États-Unis.

Le majestueux Fuji-Yama. Le Japon importe une grande quantité de scotch pour l'assembler avec de l'eau-de-vie de grain élaborée sur place.

Blender chargé de mettre au point les assemblages de whiskies de malt et d'eau-de-vie de grain.

All Malt • Whisky de malt de Nikka ♦, lancé en 1990. Assemblage de deux malts, l'un issu d'un alambic traditionnel, l'autre d'une colonne de distillation à alimentation continue (système Coffey). Ce whisky moelleux, d'un abord facile, possède une structure délicate et de riches arômes de malt.

Corn Base • Whisky dans le style du bourbon de Nikka ♦, à base d'eau-de-vie de maïs importée des États-Unis, vieillie au Japon en fûts brûlés et assemblée à des whiskies produits à cet effet par la société. Tous les constituants de l'assemblage ont au moins 8 ans d'âge. Extraverti et aromatique, il n'en est pas moins assez velouté.

From the Barrel • B*lend* de Nikka ♦ mis sur le marché en 1985. Embouteillé à la sortie du fût, il est aromatique et fort en alcool (51,4 % vol.)

Gold & Gold • *Blend* de whiskies d'alambic et de colonne de distillation Coffey produit par Nikka ♦.

Grand Age • *Blend* de très haut de gamme lancé en 1989 par Nikka ♦.

Hi • *Blend* très souple de Nikka ♦ destiné aux nouveaux consommateurs.

Hibiki • *Blend* haut de gamme de Suntory ♦. *Hibiki* signifie « harmonie ». Assemblage d'une trentaine de différents whiskies de malt produits par la distillerie Yamazaki (de 20 ans d'âge en moyenne) et de whiskies de grain. C'est un des cinq whiskies de prestige de Suntory, avec un prix en rapport. Assez corpulent, il offre de riches arômes de fruit et de fumée. Il est agréablement boisé, mais plus mordant que l'on pourrait s'y attendre.

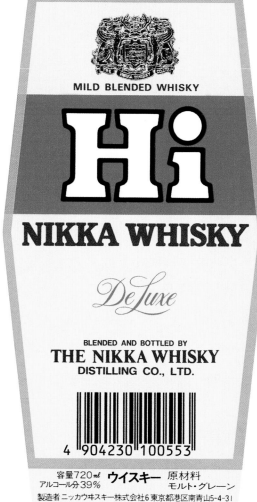

Hokkaido • Single malt de l'entreprise Nikka ♦ commercialisé depuis 1984.

Kakubin • *Blend* standard de Suntory ♦. Lancée avant-guerre (1937), cette marque représente le couronnement des recherches pionnières menées par la firme pour produire un whisky satisfaisant. Les débuts de l'industrie japonaise du whisky datent de 1923, année où fut entreprise la construction de la première distillerie. La commercialisation commença seulement en 1929. Amélioré en 1989 grâce à une proportion plus élevée de whisky de malt et un vieillissement plus long des constituants de l'assemblage, le Kakubin (« bouteille carrée ») est aujourd'hui en tête des ventes des whiskies produits par Suntory (3,5 millions de caisses).

Nikka • Marque et société fondées par un des « pères du whisky japonais », Masataka Taketsuru. Après une formation en Écosse, Taketsuru fut d'abord chargé de mettre sur pied la production du whisky pour Suntory ♦, puis, âgé de 40 ans, il vola de ses propres ailes. Il créa tout d'abord une petite fabrique de jus de fruits, Dai Nippon Kaju, pour entretenir sa famille, sans oublier son projet de faire du whisky. L'entreprise était située à

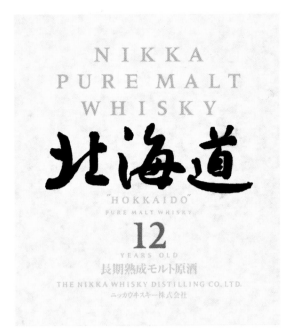

Yoichi, sur l'île la plus septentrionale de l'archipel, Hokkaido, là même où il aurait voulu édifier la distillerie Suntory dix ans plus tôt. Yoichi était un port de pêche au hareng et un centre de culture fruitière dont le climat frais et humide, l'eau pure et la tourbe lui paraissaient

À gauche : Masataka Taketsuru, un des pères du whisky japonais, et son épouse écossaise.

Ci-dessous : quoique d'architecture japonaise, la distillerie Suntory a bâti les cheminées des fours de séchage sur le même modèle que celles de la région de Speyside, en Écosse.

idéals pour l'élaboration et le vieillissement du whisky. Les pommes récoltées localement fournissaient la matière première du jus de fruits.

En 1935, Taketsuru put installer un alambic. D'habitude, les alambics vont par paire, pour faciliter une double distillation, mais les ressources de Taketsuru ne lui permirent d'en acquérir qu'un, ce qui exigeait plus de travail. En revanche, le produit gagnait en authenticité, Taketsuru ayant recours à la méthode purement artisanale utilisée jadis par les distillateurs des Highlands. Le producteur mit en vente son premier whisky en octobre 1940, vingt ans exactement après son retour au Japon et quatorze mois avant Pearl Harbour... Malgré le bouleversement de l'économie dû au conflit mondial, Taketsuru réussit à se maintenir à flot jusqu'au « boom » du whisky japonais qui suivit la guerre.

En 1952, il renomma sa société en utilisant la première syllabe de Nippon et de Kaju pour former Nikka. Sa femme mourut en 1961. Un an plus tard, il fit venir d'Écosse son premier appareil de distillation Coffey à alimentation continue, pour produire une eau-de-vie plus douce, mais pas absolument neutre, destinée aux assemblages. La société Nikka, soucieuse avant tout de qualité, commercialise ce qu'elle appelle des « hybrides », préparés avec des produits d'importation : aucun whisky japonais ne participe à l'assemblage, dont les proportions sont toutefois déterminées pour satisfaire les goûts

Les « pagodes écossaises » de Nikka, à Yoichi. Ces cheminées pyramidales qui coiffent les fours de séchage exactement comme dans les distilleries écossaises reflètent l'admiration du fondateur de l'entreprise pour les traditions du scotch.

spécifiques du marché national. Cette manière de faire contraste avec celle des autres producteurs, qui assemblent whiskies importés et japonais.

Outre Yoichi, sur l'île de Hokkaido, qui produit en alambic du malt « Highland », et Sendai, établissement construit en 1969 à Miyagikyo, où l'on élabore du malt « Lowland » (tous les alambics sont chauffés au charbon), Nikka possède la distillerie de grain Nishinomiya, à Hyogo, équipée de colonnes Coffey, et des installations de vieillissement à Tochigi. Taketsuru est mort en 1979, à 85 ans ; c'est son fils adoptif, Takeshi, qui l'a remplacé. Nikka compte pour un peu moins de 20 % du marché japonais.

SPECIAL   QUALITY

A Blend of The Choice Whiskies

SUNTORY OLD WHISKY

Product of Japan

From The House of Suntory Limited
The Oldest Distillers in Japan

Old • *Blend* bon marché de Suntory ✦ commercialisé en 1950. Le Suntory Old, avec 4 millions de caisses vendues par an, fut longtemps le principal whisky de l'entreprise, mais sa production a été réduite de moitié à cause de la récession et de l'amélioration d'autres marques de Suntory, Reserve ✦ et Kakubin ✦. Il occupe encore le troisième rang des ventes de l'entreprise. Il a été à l'origine d'une manière de boire maintenant très répandue, le *mizu-wari* (un tiers de whisky, deux tiers d'eau). L'assemblage comprend des whiskies de grain et de malt des trois distilleries de Suntory. L'Old est assez corpulent et fruité.

Pure Malt Black • Whisky pur malt de Nikka ✦. Premier whisky japonais 100 % malt, il fut lancé en 1984, en même temps que le Pure Malt Red ✦. La plupart de ses

composants viennent de la distillerie Yoichi, située sur l'île septentrionale d'Hokkaido, où sont élaborés des malts robustes dans le style des Highlands. Un journaliste enthousiaste a trouvé le Pure Malt Black (noir) « viril et fort ». Il aurait peut-être mieux dit « riche en arômes et intensément malté ».

*P*ure Malt Red • Whisky de malt de Nikka ✦ lancé en même temps que le Pure Malt Black ✦. Contrastant avec ce dernier, il est aimable et réservé. Le Red (rouge) vient de la distillerie Miyagikyo, à Sendai, où l'entreprise produit des malts dans le style de ceux des Lowlands. Nikka incite ceux qui achètent l'un et l'autre à préparer leurs propres assemblages pour obtenir un whisky « personnalisé ». Le Pure Malt Red est tendre, subtil et bien structuré.

*P*ure Malt White • Whisky de malt dans le style d'Islay produit par Nikka ✦. Élaboré par les assembleurs de Nikka exclusivement avec des whiskies de malt importés d'Écosse, il a une saveur et des arômes prononcés de fumée et de tourbe.

*R*eserve • *Blend* standard de Suntory ✦ à forte proportion de malt. Lancé en 1969 pour commémorer le soixante-dixième anniversaire de l'entreprise, il occupe le deuxième rang de ses ventes, avec 2,5 millions de caisses par an. Il se montre riche, avec des nuances de xérès et de fruit, et offre une fin de bouche franche et maltée.

*R*oyal • *Blend* de qualité à prix standard de Suntory ✦, créé par Shinjiro Torii, fondateur de l'entreprise. Lancé dans les années 60, il est devenu le whisky favori des Japonais qui achètent dans les bars la « bouteille du client », laissée à leur disposition sur une étagère jusqu'à leur prochaine visite. Le Royal compte plus de vingt malts dans l'assemblage au cœur duquel se trouvent des whiskies de 10, 12 et 15 ans d'âge (âge moyen : 12 ans). Il se distingue par un beau boisé, né de fûts de chêne blanc américain, et par des arômes de vanille et de malt.

En bas : Sendai, une autre distillerie de la société Nikka.

Rye Base • *Blend* de style canadien produit par Nikka ♦. Cet assemblage, dominé par du whisky de seigle, bénéficie d'un vieillissement de six ans. Il est tendre et souple, avec un côté amer dû au seigle.

Suntory • Marque et société, laquelle contrôle près de 70 % du marché japonais. Son fondateur, Shinjiro Torii produisait depuis le début du siècle un vin doux rappelant le porto appelé Akadama. Pressentant qu'il y avait une place pour le whisky sur le marché japonais, il confia en 1921 à un jeune chimiste de retour d'Écosse la mise en œuvre d'un projet de distillation *(voir p. 73)*. Torii parcourut tout le Japon pour trouver un

whisky une partie des consommateurs de shochu *(voir annexes)* grâce à sa chaîne de bars à whisky Tory.

Aujourd'hui, Suntory commercialise plus de vingt whiskies différents. Avec une production annuelle de 55 millions de litres, l'usine de Hakushu, construite en 1973, est devenue la plus grande distillerie de whisky de malt du monde. Une troisième distillerie a été construite en 1981 sur le même site.

Suntory White • *Blend* qui fut le tout premier whisky japonais moderne. Lancé en 1929 sous le nom de Shirofuda, il fut vite surnommé White Label, et ce nom lui est resté.

Ci-contre : Shinjiro Torii, un des pères du whisky japonais. Il fonda la première distillerie de malt du Japon en 1923, à Yamazaki. C'est dans les alambics rutilants de cet établissement (à droite) qu'est distillé le *single malt* le plus connu de l'archipel.

environnement aussi « écossais » que possible. Il recueillait des échantillons d'eau pour en comparer les qualités à la lumière de son expérience du cérémonial, si important au Japon, de la préparation du thé. Trois rivières se mêlent à Yamazaki ; les différences entre leurs températures respectives créent une atmosphère humide favorable à un vieillissement heureux du whisky. Une distillerie y fut construite, et le premier whisky mis sur le marché en 1927. Ce ne fut toutefois qu'en 1937 qu'un whisky d'une qualité satisfaisante, le Kakubin ♦, fut obtenu. Dans les années d'après-guerre, Torii convertit au

Super Nikka • *Blend* de Nikka ♦ le plus connu des whiskies de cette entreprise. Il fut lancé par son fondateur en mémoire de sa femme écossaise, morte en 1961, qu'il avait rencontrée lors de son voyage d'études au pays du scotch.

Super Session • *Blend* de Nikka ♦ destiné à la consommation familiale. Ce whisky fut lancé par l'entreprise en 1989.

The Blend • *Blend* de Nikka ♦ lancé en 1986 qui met l'accent dans l'assemblage sur les arômes maltés. Le whisky de malt est d'ailleurs majoritaire dans ce *blend*. The Blend Selection, version « de luxe », est commercialisée depuis 1989 dans un flacon spécial. Elle offre une structure soyeuse, une saveur et un bouquet intenses.

Tsuru • *Blend* de très grande qualité, figure de proue de Nikka ♦. Le nom dérive de celui du fondateur, Masataka Taketsuru ; *tsuru* signifie « grue » en japonais, ce qui explique la présence de l'oiseau fétiche du Japon sur l'emballage.

Vendu dans une cruche de porcelaine, le Tsuru est logé dans un flacon de verre pour la distribution dans les boutiques hors taxes. C'est un whisky élégant, avec une fin de bouche veloutée.

Yamazaki • *Single malt* et distillerie. Yamazaki, construite en 1923 par Shinjiro Torii, fondateur de la société Suntory ♦, au pied du mont Tennozan près de Kyoto, au nord-est d'Osaka, fut la première distillerie de malt du Japon. Sa création – à l'origine une diversification des activités de Torii, spécialisé jusqu'alors dans la production vinicole – marqua le début de l'industrie japonaise du whisky. Le maltage fut d'abord effectué à la distillerie, mais aujourd'hui – comme c'est généralement le cas en Écosse – on fait venir le malt d'ailleurs. Suntory importe une large gamme d'orge maltée plus ou moins fumée à la tourbe.

La double distillation dans des alambics en cuivre y est la règle. Il y a deux lignes de distillation utilisant des levures différentes, trois sortes de bouillies et trois sortes d'alambics munis de cols de cygne de forme distincte. On chauffe les alambics soit à la flamme nue, soit à la vapeur. L'immense variété des distillats est voisine de celle qui est obtenue en Irlande à la distillerie de Midleton ♦, mais ici tous les whiskies sont de malt. Le *single malt* Yamazaki est seul commercialisé, tous les autres produits de la maison étant destinés aux assemblages de divers *blends*.

La richesse des moyens mis en œuvre s'étend aux fûts, de taille et d'origine différentes (xérès, bourbon, chêne neuf brûlé). Elle permet à Suntory de disposer en permanence de 1,6 millions de fûts contenant 100 types de whisky de malt ; ils vieillissent dans quatre sites distincts. L'entreprise possède en outre deux autres distilleries de malt à Hakushu, une région montagneuse boisée située à l'ouest du Fuji-Yama.

Le *single malt* Yamazaki vieillit en fûts de chêne blanc brûlés, mais des fûts de xérès ont aussi été utilisés. Il est élégant, moyennement concentré avec des notes de tourbe, de fumée et d'épices. Disponible en 12 ans d'âge.

Comme d'autres distilleries japonaises, celle de Yamazaki a été construite près de collines boisées, dans un site pouvant rappeler ceux des distilleries écossaises.

Whisky
d'autres régions du monde

Plaine de Canterbury, dans l'île du Sud de la Nouvelle-Zélande. De nombreux Écossais émigrèrent dans cette partie du monde. La distillation légale vit le jour plus au sud, à Dunedin.

Whisky, whiskey, chwisgi, viski, viskisi – il est élaboré dans le monde entier, produit de multiples combinaisons de whisky importé en vrac, d'eau-de-vie locale et d'alcool neutre. Ce qui distingue le plus modeste whisky des vodkas, schnaps et autres araks est qu'il possède en propre – ou devrait posséder – équilibre, saveurs, arômes et pouvoir de séduction sans avoir besoin d'additifs. Les producteurs de whisky aspirent donc à une certaine excellence, qu'ils obtiennent grâce à la qualité des matières premières achetées sur place ou à un choix judicieux des composants disponibles sur le marché international.

Ce chapitre donnera une idée des différences entre les manières de faire de quelques producteurs dans le reste du monde.

Brésil

Natu Nobilis • *Blend* du géant international Seagram. Son style écossais tient aux malts qui proviennent des distilleries des Highlands appartenant à Seagram. Ils sont assemblés à des eaux-de-vie de grain distillées au Brésil.

République tchèque Inde

King Barley • *Single malt*. La distillerie Tesetice, en Moravie, élabore des whiskies depuis vingt ans. Le King Barley, issu de malts fumés avec de la tourbe importée d'Écosse, est le seul whisky tchèque obtenu par double distillation en alambic et vieilli en fût de chêne pendant six ans au moins (43 % vol.). Le résultat : beaucoup de goût, un nez fumé, des nuances sucrées.

Bagpiper • Marque se plaçant en tête de la catégorie des whiskies standard, avec plus de trois millions de caisses vendues par an, principalement sur le marché national. Bagpiper fait sa publicité en maintenant des liens étroits avec l'industrie indienne du cinéma : les vedettes masculines, comme Ashok Kumar, Pran, Jackie Shroff et d'autres encore, apportent leur concours pour donner de ce whisky une image séduisante. Bagpiper organise régulièrement des concours nationaux d'acteurs amateurs, dont les meilleurs gagnent des bouts d'essai cinématographiques, et diffuse chaque semaine sur un satellite de télévision le « Bagpiper Show », émission évoquant la vie des stars masculines du cinéma indien. Le Bagpiper titre 42,8 % vol.

Pour leurs campagnes publicitaires, les producteurs du Bagpiper font appel aux plus grandes vedettes du cinéma indien.

Maqintosh • *Blend* de la distillerie Amrut à Bangalore. L'assemblage comprend du whisky de malt distillé en Inde, du scotch de 5 ans d'âge (vraisemblablement un *blend* de whiskies de malt et de grain) et de l'eau-de-vie neutre indienne.

McDowell's • Gamme de whiskies dont les ventes annuelles se montent à plusieurs millions de caisses sur le marché national. Elle comprend : le N°1, whisky standard de la marque (près de 1,7 million de caisses), le Diplomat, à prix modique (1,4 million de caisses), un *single malt* distillé en alambic et vieilli en fût de bourbon brûlé et deux whiskies haut de gamme. Leurs arômes sont robustes et leur structure riche.

Men's Club • *Blend* à prix modique lancé sur le marché indien en 1974. Il est populaire dans le sud et l'ouest du subcontinent (environ 250 000 caisses vendues par an).

White House • *Blend* à bon marché lancé sur le marché national en 1983, fait de whisky de malt indien et de scotch importé, lui-même un *blend*. Il est désormais également vendu à l'exportation, notamment en Europe de l'Est (Lettonie et Russie).

Paysage de l'île de Man. On y fait depuis quelque temps un original « whisky blanc ».

Nouvelle-Zélande

*L*ammerlaw • *Single malt* élaboré par Wilson Distillers ♦ à Dunedin, dans l'île du Sud, lancé en 1984 et distribué dans le Pacifique et au Royaume-Uni par le réseau commercial de la société propriétaire, Seagram. L'eau nécessaire à la production descend des monts Lammerlaw à travers des marécages riches en mousse et en tourbe ; l'orge est cultivée sur un terrain alluvial fertile. La distillation a un sympathique caractère artisanal : on utilise un alambic unique pour les deux phases de la double distillation. Le whisky vieillit au moins dix ans en fût de chêne américain, dans des entrepôts situés dans la plaine de Taieri, non loin de Dunedin.

Il se distingue par des arômes de tourbe et de chêne, un palais ample, avec une touche sucrée et une bonne fin de bouche. Disponible à 10 ans d'âge et 43 % vol.

*W*ilson's • *Blend*, et distillerie située à Dunedin (île du Sud). Les premiers pionniers écossais, arrivés en 1848, donnèrent le nom de Dunedin (Édimbourg en gaélique) à

Ile de Man

*G*len Kella • Whisky « blanc » élaboré sur l'île de Man, petite dépendance de la Couronne britannique, située dans la mer d'Irlande, qui a son propre parlement et sa propre monnaie. Des whiskies de grain et de malt de Speyside déjà vieillis sont redistillés sur l'île – ce qui équivaut à une triple distillation. Cela donne un whisky non coloré, mais savoureux et aromatique. Des essais ont été menés avec du whisky canadien, mais celui-ci avait tendance à « disparaître » après redistillation.

La première distillation en vue de la commercialisation a été réalisée en 1980, le premier whisky a été mis sur le marché en 1984, et le premier malt en 1990. Avant la mise en bouteilles, la teneur en alcool est ramenée à 40 % vol. avec de l'eau locale. La gamme comprend des *blends* de 3 et 5 ans d'âge (avec 40 % de malt) et des *pure malt* de 8 et 12 ans d'âge.

SINGLE MALT

Lammerlaw

WHISKY

A ten year old malt whisky distilled in the time honoured traditions of the ancient whisky craft and carefully matured in fine oak casks. The distinctive flavour is born in the snow capped Lammerlaw Mountains deep in the south of New Zealand and the sweet pure mountain water found there used to create this unique malt whisky.

AGED 10 YEARS

DISTILLED & BOTTLED   *Finest Pure* SINGLE MALT *Whisky*   IN NEW ZEALAND

43% VOL   WILSON DISTILLERS, DUNEDIN, NEW ZEALAND   70 cl

Slovénie

Jack & Jill • *Blend* de l'entreprise Dana à Mirna. Installée dans les vignobles de Dolenjska, Dana fut d'abord une petite distillerie spécialisée dans le brandy. L'établissement produit maintenant toute une gamme de spiritueux, dont le Jack & Jill, *blend* de « Skotch » de malt importé et d'eau-de-vie de grain distillée sur place. C'est un whisky corpulent et moyennement aromatique.

République d'Afrique du Sud

Teal's • *Blend* standard mis sur le marché en 1990. Assemblage de whisky de malt écossais et de whiskies de grain sud-africains. Disponible en 3 ans d'âge.

Three Ships • *Blend* standard lancé en 1977, assemblage de whisky de malt importé et de whiskies sud-africains, vieilli trois ans. C'est l'un des whiskies les plus vendus dans le pays. Un 5 ans d'âge, unique en Afrique du Sud, l'a suivi en 1992. Doté d'une proportion de malt élevée, il a obtenu nombre de médailles dans des concours internationaux.

leur point de débarquement. Comme de juste, ils amenèrent dans leurs bagages l'art de la distillation. Deux hommes, Howden et Robertson, s'associèrent pour construire la distillerie de Cumberland Street et élaborer du whisky de malt dans le style de celui des Highlands. En 1875, le gouvernement mit fin à une activité devenue florissante en imposant de lourdes taxes. Les Néo-Zélandais durent se rabattre pendant un siècle sur du whisky de contrebande – dont le fameux Hokonui élaboré dans le sud sauvage et magnifique – ou importé. Wilson, une entreprise de fabrication d'extrait de malt, ouvrit en 1968 une distillerie dans l'ancienne brasserie Willowbank à Dunedin. Son premier whisky fut mis en vente en 1974 après vieillissement. C'est aujourd'hui le *blend* le plus vendu en Nouvelle-Zélande.

Le Wilson's contient une forte proportion de whisky de malt (assemblage d'eaux-de-vie plus ou moins fumées à la tourbe). L'âge minimum du whisky de malt est de six ans, celui du whisky de grain de trois ans. Il se caractérise par des arômes francs de malt et une certaine chaleur.

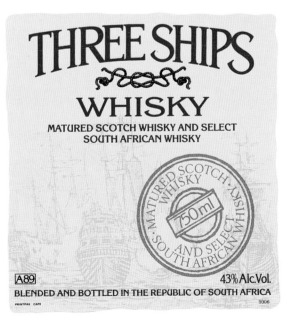

À droite : la faculté d'agriculture de l'université d'Ankara a conduit des recherches pour élaborer un whisky turc.

Espagne

DYC · Le plus vendu des *blends* espagnols, produit à Ségovie. DYC est le sigle de l'entreprise Destilerías y Crianzas del Whisky SA, qui possède en Écosse la distillerie Lochside. La distillation a commencé en 1959 à Palazuelos de Eresma (Ségovie), et la marque a été lancée en 1963.

S'inspirant des méthodes d'élaboration écossaises, cette production artisanale fait appel à de l'orge maltée séchée à la tourbe et à des alambics traditionnels. Le vieillissement en fûts de chêne américain est effectué dans des entrepôts de brique au sol de terre battue. 40 % vol.

Turquie

Ankara · Whisky produit par le trust d'État Tekel. Le « Turk Viskisi » est le fruit d'expérimentations conduites à la brasserie d'Ankara par des chercheurs de la faculté d'agriculture de l'université d'Ankara à partir de 1956. Consultés par Tekel pour juger des premiers résultats aboutis en 1961, des experts estimèrent que l'Ankara était « de meilleure qualité que nombre de whiskies étrangers ».

Paysage du pays de Galles. Cette terre gaélique produisait jadis du whisky, et quelques passionnés s'attachent à faire revivre cette activité.

Pays de Galles

Prince of Wales • Whisky de malt mis en bouteilles au pays de Galles. En réalité, aucun whisky gallois (sur place, *chymreig chwisgi*) n'a jusqu'à présent été commercialisé : la Welsh Whisky Company fait venir à Brecon du scotch en vrac à forte teneur en alcool, le filtre à travers des herbes locales et le ramène à 40 % vol. en le coupant avec de l'excellente eau des monts Brecon-Beacons. En revanche, un couple énergique, Dafydd Gittins, ancien pilote de Lufthansa, et sa femme Gillian, s'est attaché à faire renaître le whisky gallois. Ils commencèrent en 1974 à assembler des whiskies dans une petite cave et finirent par en distiller eux-mêmes en 1994. Étant donné le temps de vieillissement, leur whisky ne sera pas mis sur le marché avant 1997 ou 1998.

L'origine du whisky gallois est très ancienne : au IVe siècle, des moines installés sur l'île de Bardsey, au large de la presqu'île de Lleyn, produisaient déjà une sorte de whisky. La première distillerie commerciale fut créée au début du XVIIIe siècle par la famille d'un nommé Evan Williams, du Pembrokeshire. Un parent de Jack Daniel, de Cardigan, l'imita un peu plus tard. Ces patronymes sont ceux-là même des émigrants qui créèrent les deux plus grandes marques de whiskey américain. De fait, Williams fut aussi le premier distillateur à plein temps du Kentucky. Après l'ère des Williams et des Daniel, une petite industrie galloise de whisky se maintint en activité jusqu'à ce qu'une ligue anti-alcoolique la fît disparaître en 1906.

Le whisky le plus vendu aujourd'hui est le Swn y Mor, un *blend* de 3 ans d'âge. Le Prince of Wales Special Reserve, un malt de 4 ans d'âge, serait en passe de le rattraper. Le Prince of Wales de 10 ans d'âge est un whisky de malt produit par une distillerie écossaise – dont le nom n'est pas précisé –, logé en fût à Brecon avec des herbes aromatiques. Il est exporté dans plusieurs pays d'Europe et d'Extrême-Orient.

Brandy

COGNAC, ARMAGNAC, CALVADOS, BRANDY, GRAPPA, APPLEJACK

La plupart des pays ont adopté le terme anglais de « brandy » – qui dérive du mot hollandais *brandewijn*, « vin brûlé », c'est-à-dire distillé – pour désigner diverses eaux-de-vie de vin, de marc, de baies et d'autres fruits, mais plus particulièrement les premières, dont les représentants les plus illustres sont le cognac et l'armagnac. (Il faut toutefois signaler que les brandies allemands portent souvent le nom de *Weinbrand*.)

Pris dans ce premier sens, le brandy est de l'eau-de-vie obtenue par la distillation du vin. Elle est en général vieillie en fût de chêne, ce qui l'assouplit, la colore, et lui donne un supplément de saveur et d'arôme. Toute eau-de-vie de bonne qualité s'améliore proportionnellement à la durée de son séjour en fût. Néanmoins, à la suite d'un vieillissement excessivement long, elle devient trop boisée, puis décline. La durée optimale du vieillissement – qui varie selon la nature de l'eau-de-vie et les conditions de stockage des fûts – ne dépasse guère une soixantaine d'années, l'alcool étant ensuite logé dans de grandes bonbonnes en verre.

Généralement, l'âge porté sur l'étiquette donne une idée de la qualité : 2 ans signifie une boisson très jeune, 10-12 ans est l'indice d'un bon brandy. Cet âge indique uniquement le nombre d'années passées en fût puisque le brandy, contrairement au vin, ne se bonifie pas en bouteille. Certains pays ont adopté un code – par exemple, en France : ***, VSOP, XO... –, qui est normalement soumis à une réglementation très stricte pour éviter les abus.

L'eau-de-vie de marc s'obtient par distillation du résidu fermenté des fruits, notamment du raisin, que l'on a pressés pour en extraire le jus. Elle a le mérite de conserver les arômes frais du fruit dont elle est issue. C'est la raison pour laquelle on ne la loge pas dans le bois : on la met en bouteilles et on la boit souvent très jeune. Les eaux-de-vie de marc les plus connues sont le marc français et la grappa italienne. Sur les étiquettes françaises, le mot « marc » est en général suivi du nom de la région vinicole d'où provient l'eau-de-vie.

Les eaux-de-vie de pomme, dont la meilleure est le calvados de Normandie, sont élaborées par distillation du cidre suivie d'un vieillissement en fût. Aux États-Unis et au Canada, elles portent le nom d'applejack.

Certaines eaux-de-vie de fruits franchissent les frontières, comme la framboise de la Forêt-Noire, la williamine suisse (à base de poires) ou la slivovitz (à base de prunes) de Bosnie et de Serbie. Les nombreuses eaux-de-vie de fruits françaises, dont Alsace s'est fait une spécialité – à base de cerises (kirsch), mirabelles, poires, prunes, prunelles, framboises, mûres, myrtilles, sureau, houx, sorbier –, sont connues collectivement sous le nom d'« alcool blanc ». Le kirsch et la mirabelle sont les plus populaires.

Page précédente : l'ugni blanc (saint-émilion) est un des trois cépages autorisés dans l'appellation cognac. De bon rendement, résistant au froid, il donne un vin faible en alcool ayant une forte acidité.

Ci-contre : imperturbable, le producteur met ses livres à jour au milieu des fûts de vieillissement.

France

Ci-dessus : aujourd'hui, les rangs de vigne sont assez écartés. Grâce aux machines à vendanger, on réduit les coûts d'exploitation.

Cognac

On buvait du cognac dans le monde entier bien avant que le whisky ne franchisse les frontières de l'Écosse et de l'Irlande. Sa notoriété internationale est telle que son nom désigne toutes sortes d'eaux-de-vie de vin : par exemple, *coñac* en Espagne, *conhac* au Portugal, *coniac* en Roumanie, *konyak* dans certains pays d'Europe centrale. Au XVIᵉ siècle, les bateaux hollandais venaient chercher du sel et du vin sur la côte ouest de la France. Au début, le vin était distillé aux Pays-Bas, puis les négociants hollandais estimèrent préférable de le faire distiller en France afin d'économiser de la place sur leurs bateaux. C'est ainsi qu'ils introduisirent l'alambic dans les Charentes, où l'on commença à faire de l'eau-de-vie vers 1530.

Comme les vins de France, le cognac est soumis à des règles d'appellation d'origine contrôlée (AOC). Ainsi, le raisin dont il est issu doit provenir de six aires délimitées des Charentes, situées autour de la ville de Cognac : Grande Champagne, Petite Champagne, Borderies, Fins Bois, Bons Bois, Bois Ordinaires ; les seuls cépages autorisés sont l'ugni blanc (appelé ici saint-émilion) – largement majoritaire aujourd'hui –, la folle blanche et le colombard ; l'eau-de-vie doit être distillée deux fois dans des alambics traditionnels. Ces dispositions visent à unifier les caractéristiques du cognac, mais elles ne garantissent aucunement la qualité du produit.

Le cognac que l'on trouve dans le commerce est presque toujours un assemblage de productions de diverses origines et de plusieurs années. Son âge exact n'est pas précisé, et des mentions comme VSOP (Very Superior Old Pale), XO, etc. ne font que désigner *grosso modo* des catégories universelles de qualité. Ainsi, le plus jeune cognac dans un « trois étoiles » peut avoir de trois à cinq ans ; dans un VSOP, de cinq à quinze ans. Le vieillissement se fait toujours en fûts de chêne du Limousin ou du Tronçais, neufs ou ayant déjà servi. Il existe de très nombreuses marques de cognac, plus ou moins prestigieuses. Nous en avons retenu vingt-deux.

Bisquit • Alexandre Bisquit avait tout juste 20 ans quand il fonda sa maison à Jarnac en 1819. Originaire de Limoges, il connaissait les qualités particulières du chêne du Limousin pour l'élevage du cognac, et il en acheta en quantité pour fabriquer sa futaille. Peu après, tous ses concurrents utilisèrent le même bois, qui est aujourd'hui très recherché pour élever les vins et les eaux-de-vie. La maison Bisquit possède des vignobles et élabore son cognac dans une grande distillerie moderne au château de Lignères, au nord de Cognac. Autrefois entreposés au bord de la Charente, à Cognac, les fûts sont maintenant logés à Lignières, dans des chais équipés de systèmes de régulation de la température et de l'humidité qui simulent les conditions climatiques du bord de la rivière. Le Bisquit sort de l'alambic avec une teneur en alcool inférieure à celle de la plupart des cognacs, ce qui lui permet de conserver une plus grande richesse aromatique. La maison commercialise une gamme courante de qualités, à laquelle s'ajoutent parfois quelques bouteilles de 50 et 100 ans d'âge, ainsi que le Château de Lignières, issu d'un seul vignoble.

Bouju • Daniel Bouju est passionnément attaché aux méthodes artisanales : il n'utilise que son propre raisin de Grande Champagne (vendange manuelle) et ne distille que par petites quantités dans un minuscule alambic. Celui-ci est le troisième dont on se sert depuis que sa famille a commencé à faire du cognac, en 1805. Un petit alambic exige un surcroît de travail mais permet

un contrôle précis de la distillation. L'alambic étant chauffé au bois, on doit entretenir le feu pendant la nuit et surveiller le bon déroulement de la distillation. Le choix de l'assemblage est facile, car le stock de cognac représente dix-sept fois la quantité vendue dans l'année.

Ni caramel ni sucre ne sont ajoutés à ce cognac qui est corpulent, long en bouche, patricien, avec une finale sèche. Il existe un « quatre étoiles » (selon une vieille tradition, chaque étoile indique une année de vieillissement), des assemblages d'âge moyen divers et toute une gamme de richesses alcooliques au sortir du fût.

Camus • Maison spécialisée dans le cognac haut de gamme, en grande partie élaboré dans sa propre distillerie. Le cognac Napoléon compte pour 60 % de sa production, et un cinquième de tous les cognacs étiquetés Napoléon sont des Camus.

La société fondée en 1863 regroupait des producteurs qui désiraient faire front aux gros

Page précédente, en bas : quatre paires de mains ne sont pas de trop pour déplacer un des 150 000 fûts dans lesquels vieillit le cognac Martell.

Ci-dessous à gauche : la famille Camus habite le majestueux château du Plessis, dans les Borderies.

négociants. Jean-Baptiste Camus, qui voulait rester maître de son cognac jusqu'à l'étape finale de production, misa d'emblée sur la qualité et visa le marché de l'exportation.

Aujourd'hui, 85 % des ventes de Camus se font à l'étranger. La maison possède quatre grands vignobles, chacun avec son château et sa distillerie, mais achète aussi des cognacs vieux d'au moins vingt ans. L'assemblage d'eaux-de-vie de Grande Champagne et des Borderies – celles-ci sont plus corsées et plus parfumées – donne au cognac Camus son opulence et son élégance caractéristiques. Ces dernières années, la maison a participé à plusieurs éditions du Concours international des vins et spiritueux de Londres et a remporté chaque fois une médaille d'or. Les cognacs ainsi distingués étaient le Vieille Réserve, l'Extra et le XO. Les deux derniers sont commercialisés en carafe.

Château-Paulet • Maison familiale créée en 1848 et appartenant aux petits-fils du fondateur. Son XO a remporté la palme du « meilleur cognac » deux fois en trois ans au Concours international des vins et spiritueux de Londres. Le XO est une élégante Fine Champagne (mélange de Grande et de Petite Champagne). La maison commercialise aussi des assemblages très aromatiques issus de vignobles des Borderies et de vieux cognacs de ses propres stocks, dont certains ont plus d'un siècle.

Courvoisier • Maison dont l'histoire est étroitement liée à celle de Napoléon Ier. Emmanuel Courvoisier, marchand de vins et spiritueux à Paris depuis la fin du XVIIIe siècle, devint fournisseur de la cour impériale. L'Empereur aurait emmené du Courvoisier sur le chemin de l'exil. La maison fut par la suite fournisseur de la cour de Napoléon III.

Après 1900, la maison Courvoisier connut des fortunes diverses : d'abord propriété d'une famille anglaise, elle fut confisquée par les Allemands pendant la Deuxième Guerre mondiale, pour se hisser ensuite, sous l'impulsion de la famille norvégienne Braastad, au premier rang des ventes de cognac en France. Aujourd'hui, Ivar Braastad travaille chez Courvoisier tandis qu'Alain Braastad est président de Delamain •.

La maison possède deux distilleries mais fait également produire de l'eau-de-vie conforme à ses spécifications par 400 distillateurs indépendants. Le

raisin dont est issu le Courvoisier, un cognac corpulent et bien aromatique, provient des quatre meilleurs secteurs viticoles. Vu l'importance de la qualité des fûts où mûrit le cognac, la maison choisit elle-même les arbres et fait vieillir les merrains pendant trois ans en plein air.

Le Courvoisier de prestige est vendu dans des carafes dessinées par un des maîtres de l'Art déco, le Russe Roman de Tirtoff, alias Erté. Le château Courvoisier, qui se dresse à Cognac, au bord de la Charente, abrite un remarquable musée du Cognac.

En haut à gauche : rien ne remplace le nez pour s'assurer que l'assemblage correspond bien au style de cognac désiré.

En bas à droite : le siège de la maison Courvoisier à Jarnac domine la rive de la Charente, en amont de Cognac.

Davidoff • Depuis une trentaine d'années, un magasin de cigares de Genève est un lieu de pèlerinage pour les amateurs de havanes du monde entier. Il fut créé par Zino Davidoff qui, au fil du temps, s'était forgé une opinion sur le style de cognac se mariant le plus heureusement à ses meilleurs cigares. Le cognac qui porte son nom incarne ses préférences, qui vont à l'encontre de la tendance actuelle, favorable aux cognacs plus légers et plus subtils : il est corpulent, de haut goût, un peu âpre et long en bouche.

Delamain • Cette maison est spécialisée dans les vieux cognacs issus exclusivement de la région qui produit les meilleurs, la Grande Champagne. Delamain, qui ne possède pas de vignoble, achète des cognacs d'au moins quinze ans et les élève encore dix à quarante ans en vieux fûts avant de les assembler progressivement. C'est une opération délicate, qui doit laisser aux différents cognacs le temps de se marier intimement. Les Delamain ont longtemps cherché fortune à l'étranger : au XVIIe siècle, un membre de la famille faisait partie de la cour de Charles Ier d'Angleterre, un autre fonda une fabrique de porcelaine en Irlande. Ils ont des liens familiaux avec Courvoisier ♦.

Délicatesse et élégance, qualités propres aux distillations de Grande Champagne, caractérisent les cognacs Delamain. Les trois « nez » qui ont la responsabilité d'approuver les assemblages doivent se prononcer à l'unanimité ; une décision majoritaire équivaut à un rejet. Le cognac de Grande Champagne peut exiger soixante ans de vieillissement en fût pour déployer toutes ses qualités. Nombre de cognacs entreposés dans les chais de Delamain sont si vieux qu'on les a retirés des fûts pour les loger dans des dames-jeannes afin de mettre un terme à leur évolution.

Le parfum et l'équilibre des cognacs Delamain s'approchent de la perfection. Le plus « jeune », Pale and Dry (âgé d'au moins vingt-cinq ans !), a une certaine légèreté, une structure élégante et une grande finesse en bouche. Le produit haut de gamme vient d'un seul fût :

son équilibre intrinsèque est tel que tout assemblage devient superflu.

Delon • Cognac portant le nom d'Alain Delon. C'est un XO Réserve Spéciale, qui résulte de l'assemblage de Grande Champagne, de Petite Champagne et de Fins Bois d'un âge moyen de trente ans. Le célèbre acteur assure parfois lui-même la promotion de ce cognac, très apprécié sur le marché des produits de luxe. Il est notamment disponible dans les boutiques hors taxes.

Dor • Petite maison qui, en plus de bons cognacs courants, en possède qui remonteraient à la victoire de Napoléon sur les Russes et les Autrichiens en 1805 à Austerlitz. Plusieurs cognacs d'avant le phylloxéra, dont la teneur en alcool est descendue naturellement à 31-37 % vol., bénéficient d'une autorisation de mise en vente en bouteilles millésimées.

Frapin • Maison prestigieuse qui distille elle-même ses vins de Grande Champagne. François Rabelais était apparenté à la famille Frapin. Pierre Frapin, apothicaire de Louis XIV, fut anobli par le roi, et ses armes figurent sur l'étiquette du cognac. Les Frapin,

En haut : la dégustation comparative des échantillons est un travail sérieux, qui a aussi des côtés agréables.

En bas à gauche : chaque maison s'efforce de trouver l'assemblage idéal, d'harmoniser sa gamme, de créer son style.

établis en Charente depuis 1210, possèdent aujourd'hui le plus vaste vignoble de Grande Champagne. Ils nouèrent des liens par mariage avec le propriétaire de Rémy Martin ♦, auquel ils vendaient du cognac, mais un conflit familial mit fin, dans les années 70, à cette relation commerciale.

La maison Frapin a maintenant sa place dans le marché haut de gamme. À l'exception du « trois étoiles », tous ses cognacs sont issus d'eaux-de-vie de Grande Champagne. Tendres, légèrement boisés et minéraux, avec une touche de rancio, ils ont une fin de bouche succulente.

Godet • Maison familiale encore dirigée par les Godet, dont les ancêtres hollandais s'installèrent à La Rochelle pour enseigner aux vignerons de la région à distiller le *brandewijn*, l'eau-de-vie exportée aux Pays-Bas. Henri IV, qui leur achetait du cognac, leur conféra le droit alors exceptionnel de porter l'épée. Pour une petite maison, Godet jouit d'une réputation enviable aux États-Unis et dans les boutiques hors taxes. On trouve dans sa gamme une bouteille de section carrée, longue et mince, conçue pour se loger facilement dans l'attaché-case des hommes d'affaires.

Hardy • Six ans seulement après sa première distribution en bouteilles, le cognac Hardy s'était hissé, dans les années 50, au troisième rang des ventes en France. Anthony Hardy, un marchand de vin londonien, s'installa à Cognac en 1863. Ayant fermé son bureau de Londres à la suite de l'augmentation des taxes en Grande-Bretagne, il se consacra dès lors à la vente en vrac dans l'est de l'Europe. Aujourd'hui, la marque distribue essentiellement aux États-Unis et en Extrême-Orient. Les sœurs Bénédicte et Sophie Hardy – la cinquième génération – s'occupent de la commercialisation des cognacs. La famille a des liens avec les Hardy d'Australie, propriétaires de la société qui produit du vin et du brandy *(voir Black Bottle, p. 136)*.

Les cognacs Hardy de prestige sont magnifiques, comme le sont d'ailleurs leurs flacons. La maison propose aussi une petite gamme de pineau des charentes. Hardy possède également une marque de cigares Corona, El Sublimado, qui sont roulés à la main en République dominicaine et imprégnés de cognac.

Hennessy • Le révolutionnaire mexicain Pancho Villa disait que le seul mot étranger qu'il aimait était « Hennessy ». C'est aujourd'hui le cognac le plus vendu dans le monde : près de trois millions de caisses par an.

Avec 2 600 viticulteurs sous contrat et vingt-sept distilleries travaillant exclusivement pour elle, la maison Hennessy a en permanence plus d'un quart de million de fûts de vieillissement dans ses chais. Pourtant, elle a été contrainte de suspendre temporairement la livraison de certains cognacs sur le marché hors taxes en raison d'une baisse importante de ses stocks. Hennessy possède une forêt dans le Limousin qui fournit le bois nécessaire à la fabrication de sa futaille.

Le capitaine Richard Hennessy, gentilhomme irlandais de Cork, avait servi dans l'armée française et été en garnison près de Cognac. Ayant aimé la région, il décida de s'y installer. En 1765, il commença à expédier du cognac aux aristocrates irlandais et anglais, et son affaire devint vite prospère. La France n'apprécia jamais vraiment le Hennessy, dont les 98 % sont exportés. Pourtant, deux Français célèbres s'étaient épris de ce cognac : Talleyrand et Alexandre Dumas.

En bas : le verre tulipe traditionnel, idéal pour juger de la qualité d'un cognac.

Hennessy est à l'origine des catégories qui figurent aujourd'hui sur les étiquettes de cognac. En 1817, le prince-régent d'Angleterre commença à commander à cette maison du « *very superior old pale* ». Cette mention, abrégée par la suite en VSOP, était apposée sur les cargaisons de cognac à destination du Royaume-Uni. Hennessy fut aussi le premier à faire imprimer *** et XO sur les étiquettes pour indiquer les qualités des différents cognacs.

L'opulence et la richesse aromatique caractérisent les cognacs Hennessy, dans lesquels un pourcentage élevé de cognac des Borderies s'ajoute à ceux de Grande et Petite Champagne. L'assemblage du XO comprend plus de cent cognacs différents, dont le plus vieux aurait près d'un siècle.

Hine • Cognac haut de gamme d'une maison dont on trouve encore des bouteilles millésimées portant l'indication « British Bonded ». Ces flacons sont issus de fûts entreposés à Londres sous un contrôle très strict permettant de garantir l'âge de leur contenu.

Thomas Hine arriva en France à la fin du XVIIIe siècle, venant du Dorset, comté du sud de l'Angleterre. Contraint d'y rester à la suite de la Révolution, il entra dans la maison de cognac Ranson & Delamain •. Hine épousa la fille du propriétaire et hérita de l'entreprise à laquelle il donna, en 1817, son nom et l'image d'une biche comme emblème. Plus tard, la biche fut remplacée par le cerf qui orne encore les bouteilles de la marque. Aujourd'hui, les cousins Jacques et Thomas Hine achètent pour leurs assemblages des cognacs de divers âges provenant des Grande et Petite Champagne ainsi

que des Fins Bois, qu'ils élèvent pendant huit mois en petits fûts neufs, puis en fûts ayant servi. Les cognacs Hine sont légers, élégants et soyeux. Le plus abordable, Signature, ne porte pas la mention *** car il atteint au moins le niveau des VSOP des autres maisons. Viennent ensuite la Fine Champagne (assemblage des deux Champagne), puis la qualité supérieure, issue exclusivement de Grande Champagne. Le Napoléon Old Réserve est revenu récemment sur le marché.

Landy • Cognac commercialisé dans des carafes sphériques contenant des sculptures en verre filé. Il existe deux séries de douze sculptures représentant des navires célèbres et les animaux du zodiaque chinois. Les prix assez élevés de ces carafes (environ 2 500 francs) ne semblent pas décourager les amateurs, qui les achètent surtout dans les boutiques hors taxes.

Martell • Avec deux millions de caisses vendues par an, les cognacs Martell occupent la deuxième place sur le marché mondial après les Hennessy •. Contrairement à ces derniers, ils sont très appréciés en France, où ils se classent au premier rang. C'est du Martell qui fut servi après la signature de l'armistice, en 1918. Quelque 2 500 vignerons, dont certains sont les

héritiers de ceux qui ravitaillaient la marque il y a deux siècles, réussissent à peine à livrer la moitié du vin nécessaire à la distillation. L'autre moitié, sous forme d'eau-de-vie jeune, vient de distillateurs indépendants. Les quatre aires les plus cotées sont mises à contribution. Cependant, la corpulence et les arômes de noix qui caractérisent le Martell viennent de l'accent mis dans les assemblages sur les Borderies. La maison achète en fait 60 % de la production des Borderies. Elle préfère élever ses cognacs dans du chêne du Tronçais, au grain très serré, qui ne communique pas trop de tanins à l'eau-de-vie. La « part des anges », c'est-à-dire l'évaporation, fait baisser de 3 % chaque année le volume de cognac logé en fût – l'équivalent pour Martell de deux millions et demi de bouteilles !

« La Coquille », modeste maison du centre de Cognac dans laquelle Jean Martell créa son entreprise en 1715, est maintenant encerclée par les bâtiments de l'exploitation.

Jean Martell quitta Jersey, son île natale, en 1715 pour s'installer à Cognac. Cinq ans plus tard, il exportait déjà 40 000 fûts par an à Hambourg, Liverpool et Londres. Le terme d'« extra » désigna d'abord un cognac de meilleure qualité destiné à être livré à Londres. Vers la fin du XVIIIe siècle, Martell commença à utiliser le système des étoiles pour indiquer les différentes qualités de ses cognacs.

Aujourd'hui, le Martell est vendu dans de nombreux pays, mais la maison continue à chercher de nouveaux débouchés. Elle élabore des cognacs « de luxe » destinés à l'Extrême-Orient et au commerce hors taxes, et s'efforce, comme tant d'autres fabricants de boissons, à développer le marché chinois, où le cognac jouit d'un immense prestige. Pour la production de brandy, Martell construit également des distilleries hors de France, notamment en Afrique du Sud et au Mexique.

Meukow • Cette maison fut fondée par le marchand de vins du tsar qui se rendait chaque année à Cognac pour y acheter du vin destiné à la distillation en Russie. Il finit par s'installer dans les Charentes et créa en 1862 sa propre entreprise. La marque fut très bien accueillie en Extrême-Orient, qui reste encore aujourd'hui son principal marché. Le cognac y est livré en bouteilles ornées d'un félin qui évoque Jin Bao, le léopard doré, symbole de la réussite pour les Chinois.

Pendant l'Occupation, le commandant allemand à Cognac était un membre du clan qui avait vendu Meukow vingt ans auparavant à la famille Shepherd. Il incita les Cognaçais à fournir à ses troupes du « brandy »... fait avec des légumes et des fruits autres que le raisin.

Otard • La plus petite des grandes marques ou la plus grande des petites marques – c'est ainsi que cette maison se qualifie elle-même. Parmi les ancêtres des Otard, on trouve un noble viking et un soldat normand de l'armée de Guillaume le Conquérant qui envahit l'Angleterre en 1066. Les Otard firent partie des jacobites écossais qui se réfugièrent en France après l'échec du soulèvement en faveur des Stuart. Jean Otard fut condamné à mort pendant la Révolution, mais il réussit à s'échapper et s'associa en 1799 à un vigneron de Cognac, où il avait des terres. La maison Otard, qui ne possède ni vignoble ni distillerie, achète des eaux-de-vie jeunes, qu'elle fait vieillir et qu'elle assemble. Son siège est le château de Cognac – l'hôtel de ville est d'ailleurs l'ancienne demeure de la famille. La forme originale de la bouteille du cognac Otard a été inspirée par les « jambes » que cet alcool fin laisse sur le verre.

Le VSOP est une Fine Champagne (assemblage de Grande et de Petite Champagne) élevée jusqu'à huit ans. Des cognacs d'autres secteurs viennent arrondir les goûts et les arômes des qualités supérieures. Le Napoléon séjourne jusqu'à quinze ans dans le bois, et l'Extra haut de gamme contient un peu de cognac de cinquante ans.

Polignac • Marque prestigieuse de la plus grande coopérative de Cognac. Cette société compte quelque 3 600 vignerons, dont la plupart exploitent des vignobles dans les Fins Bois et les Bons Bois, qui donnent un cognac léger et souple. Les eaux-de-vie proviennent de plus de cent alambics installés dans près de trente distilleries. La

LA VOUTE-POLIGNAC

famille de Polignac, une des plus vieilles et des plus nobles de France, a permis que le cognac porte son nom et ses armoiries. Créée à la fin des années 50, la marque a connu beaucoup de succès, notamment aux États-Unis. Le Japon, la Grande-Bretagne et les boutiques hors taxes représentent aussi des marchés importants, pour lesquels la marque prépare des coffrets spéciaux et des éditions « de luxe ».

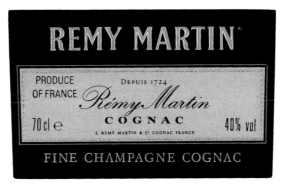

Rémy Martin • Fondée en 1724, la maison Rémy Martin est spécialisée dans des assemblages issus exclusivement des meilleures zones viticoles du cognac, la Grande et la Petite Champagne. Tout assemblage dont au moins la moitié de l'eau-de-vie provient de la Grande Champagne porte le nom de Fine Champagne. Cette appellation figure sur l'étiquette de la plupart des cognacs Rémy Martin. La spécialisation de la maison date des années 20. Le propriétaire de la marque, André Renaud, eut alors accès, grâce à un mariage, aux vignobles des deux Champagne ainsi qu'au stock de vieux cognacs détenus par la maison Frapin ◆. Ces acquis permirent à la maison Rémy Martin d'étonner les amateurs avec la légèreté et l'élégance de ses cognacs.

Après la guerre, Rémy Martin misa aussi sur le VSOP pour séduire les habitués du cognac ***. Son VSOP est désormais en tête des ventes de cette catégorie dans le monde : un flacon sur trois de VSOP ou de cognac de qualité supérieure est un Rémy Martin. Les vins sont distillés sur lie dans de petits alambics pour donner davantage de fruit et d'arôme. Le cognac s'assouplit dans de petits fûts en chêne du Limousin.

À la gamme courante s'ajoutent des éditions et des carafes spéciales. L'âge moyen du cognac Louis XIII est de 50 ans. Sa carafe est une réplique d'un flacon découvert sur le site de la bataille de Jarnac (1569).

Ce cognac classique porte le nom de Polignac, une des plus vieilles familles de France.

Renault • Marque très bien représentée en Scandinavie et sur le marché hors taxes. Jean Renault, qui créa sa maison en 1835, fut un des premiers à exporter le cognac en bouteilles. Dans les années 70, la maison utilisa la marque Castillon pour s'imposer sur certains marchés d'exportation, mais l'appellation Renault est maintenant bien implantée. La maison Renault se concentre sur un seul cognac de grande qualité, le Carte Noire Extra ; l'âge moyen de l'assemblage est de vingt ans. Ce cognac rond, tendre et agréablement boisé est très apprécié.

Robin • La maison Robin fut la première à vendre le cognac en bouteilles et à déposer son étiquette. Comme les clients avaient du mal à se faire au principe de l'embouteillage, Robin les obligea à acheter six caisses de cognac avec chaque fût. L'étiquette apparut comme un moyen efficace de s'opposer aux contrefaçons lorsque la bouteille fut adoptée par l'industrie du cognac. Un membre de la famille, Hubert Germain-Robin, produit aux États-Unis un brandy renommé, étiqueté Germain-Robin ♦. La maison Robin fait maintenant partie de Martell et se spécialise en cognac de très grande qualité comme l'Extra, qui est tendre et gracieux.

En haut : Gabarret est la première localité que l'on rencontre en arrivant dans le Bas-Armagnac, le meilleur des trois secteurs de l'appellation.

Ci-contre : alambic armagnaçais traditionnel de la distillerie Lafontan, située non loin d'Eauze. Il diffère de l'alambic cognaçais par sa forme et sa capacité.

Armagnac

C'est la fameuse eau-de-vie de Gascogne, pays de d'Artagnan ! L'armagnac, produit dans une grande partie du Gers, ainsi que dans quelques cantons du Lot-et-Garonne et des Landes, a précédé le cognac. L'art de la distillation, pratiqué par les Arabes en Espagne, a franchi les Pyrénées au XIIᵉ siècle. Certains documents attestent que l'on faisait de l'eau-de-vie en Gascogne dès 1411. L'appellation d'origine contrôlée comprend trois régions viticoles en cours de délimitation ; par ordre d'importance : Bas-Armagnac, Ténarèze et Haut-Armagnac. L'armagnac est fait avec du vin blanc issu de plusieurs cépages : le picpoul (folle blanche), le saint-émilion (ugni blanc), le colombard, le jurançon et le baco (seul hybride autorisé en France, mais que la réglementation européenne condamnera probablement à terme). L'alambic traditionnel de l'armagnac est différent de celui que l'on emploie pour le cognac : c'est un appareil de distillation continue qui donne une eau-de-vie titrant moins que le cognac (55-60 % vol., contre 70 % vol.), mais plus riche en saveurs et en arômes. À présent, on peut également utiliser l'alambic cognaçais et diversifier ainsi la palette des assemblages, mais les meilleurs armagnacs sont toujours distillés avec l'alambic traditionnel.

L'armagnac est en général le résultat de divers assemblages, mais on peut trouver des produits millésimés – certains datent du siècle dernier – ou provenant d'un seul vignoble.

On utilise des catégories similaires à celles du cognac (***, VSOP, etc.), avec la différence que les assemblages d'armagnac sont souvent plus vieux, plus tendres ainsi que d'un meilleur rapport qualité-prix. L'élevage se fait traditionnellement dans du chêne du pays, le chêne « noir » de Monlezun. Cependant, celui-ci se fait rare, et l'on doit recourir au chêne du Limousin ou du Tronçais.

Armagnac
Baron de Sigognac
Appellation Armagnac Contrôlée
1893
Domaine de Coulom
Barbotan Les Thermes - 32150 Cazaubon
40% vol.   70 cl
PRODUCT OF FRANCE

Baron de Sigognac • Joseph Vaghi, un Italien, racheta le château de Lamothe en 1924, et son fils Bruno y planta un vignoble. Cette maison fermement attachée à la tradition dispose d'un stock prodigieux de vieux armagnacs : tous les millésimes de 1920 (environ 1 500 francs la bouteille) à 1984, ainsi que dix autres millésimes remontant jusqu'à 1866 (environ 5 000 francs). Le Vaghi 1975, originaire du Bas-Armagnac, est un merveilleux armagnac qui remplit la bouche. Il a été distillé selon l'ancienne norme de 55 % vol. Élevé dans du chêne « noir » de Monlezun, il fut embouteillé avec sa couleur naturelle et à sa richesse alcoolique au sortir du

fût (49 % vol.). Cette distillation à basse teneur alcoolique lui confère une complexité étonnante, qui allie un goût de terroir à des nuances piquantes et fruitées.

Fête folklorique dans les Landes.

Chabot • Grande marque, très prisée dans les boutiques hors taxes et les magasins d'alcools haut de gamme. Elle est liée au cognac Camus ♦, comme le Marquis de Puységur ♦. Les deux marques distillent du vin du Bas-Armagnac dans des alambics traditionnels.

Château Garreau • Distillerie familiale qui a remporté de nombreux prix. La maison, qui garde bien le secret de ses assemblages, perpétue scrupuleusement la tradition : M. Garreau élabore lui-même le vin, le distille dans trois vieux alambics classiques (encore que son fils ait pu mettre au point, grâce à une subvention de l'État, un appareil de distillation chauffé à l'électricité) et élève son eau-de-vie dans du chêne provenant de son domaine. La gamme du Château Garreau comprend, outre un « trois étoiles », des armagnacs âgés de 5 à 20 ans.

Château de Laubade • Spécialiste des armagnacs du domaine et des vieux millésimes. La famille Lesgourgues cultive notamment la folle blanche dans ses vignobles du Bas-Armagnac. Les différents cépages sont distillés séparément sur lie dans un alambic traditionnel, ce qui exalte les arômes.

XO SUPERIOR
Chabot
ARMAGNAC
PRODUCE OF FRANCE

Château du Tariquet • Cet élégant armagnac classique est élaboré par une petite maison qui s'est tournée vers l'exportation. Yves Grassa produit son armagnac « du raisin à la bouteille » dans son vignoble du Bas-Armagnac, en utilisant un alambic traditionnel chauffé au bois. Il fait aussi une somptueuse eau-de-vie de folle blanche très parfumée (45 % vol.).

Clés des Ducs • Marque qui s'est imposée lorsque l'armagnac fit son entrée dans le commerce comme un concurrent meilleur marché du cognac. Le Clés des Ducs a beaucoup de succès en France et dans les boutiques hors taxes ; ses propriétaires (Rémy Cointreau) s'efforcent de le faire monter sur l'échelle de la qualité. La plupart des vins distillés pour cet armagnac viennent des deux

La folle blanche est l'unique cépage cultivé dans les vignes du Château de Laubade, en Bas-Armagnac.

Les eaux-de-vie séjournent trois ans dans du chêne neuf pour être ensuite logées dans du chêne « noir » de Monlezun. La gamme des Lesgourgues commence au VSOP car elle ne compte pas d'armagnac jeune. Le Château de Laubade est un armagnac du domaine, mis en bouteilles à la propriété ; les millésimes remontent à 1886. Il existe aussi une eau-de-vie claire de folle blanche aux arômes de raisin.

Château de Malliac • La famille Bertholon fait appel à un distillateur pour obtenir une eau-de-vie élaborée selon sa formule traditionnelle. Elle la loge jusqu'à deux ans dans du chêne neuf, puis l'élevage se poursuit dans de vieux fûts. Ceux-ci sont entreposés dans les caves du splendide château édifié au XIIe siècle par Jehan de Malliac, un chevalier qui participa aux croisades. Le Château de Malliac, servi au palais de l'Élysée et à bord du Concorde, est un armagnac exquis, parfumé et exubérant. Les Bertholon font aussi une eau-de-vie de folle blanche. Ce cépage traditionnel de l'armagnac perd sa résistance face aux maladies et devient rare dans la région.

La maison possède une vaste gamme d'armagnacs millésimés ; son Ultimate est un assemblage des meilleures années du siècle.

meilleures zones viticoles, mais le gros de la production est élaboré à partir de jeunes eaux-de-vie.

Dupeyron • Spécialiste de l'armagnac millésimé. La maison fait des assemblages à la demande et des bouteilles personnalisées. Elle achète des vins de folle blanche dans les deux meilleures zones, les fait distiller à façon et élève l'eau-de-vie dans du chêne de Monlezun. Le Dupeyron voyage loin grâce à un club de collectionneurs, à la vente par correspondance et aux boutiques hors taxes. Les millésimes remontent à 1850, mais c'est à partir du 1904 qu'ils sont embouteillés séparément.

Janneau • Excellente marque d'une famille qui a beaucoup œuvré pour le prestige de l'armagnac. La maison Janneau, fondée en 1851, possède des armagnacs distillés dans la famille au cours de cinq générations. La perte due à l'évaporation – la « part des anges » – est compensée avec de l'eau-de-vie du même millésime. Janneau est aujourd'hui la marque d'armagnac la plus connue et la plus vendue. Elle utilise des alambics traditionnels et cognaçais ; ces derniers servent à produire l'eau-de-vie majoritaire dans le gros volume d'armagnac « trois étoiles ». Toutes les eaux-de-vie utilisées pour le VSOP et les qualités supérieures sont issues de l'alambic traditionnel. Ces armagnacs haut de gamme constituent 60 % des ventes de la marque. Le Domaine de Mouchac est un armagnac millésimé issu du vignoble familial. D'autres armagnacs millésimés ainsi que des coffrets de luxe comprenant carafe ou flacons de porcelaine complètent la gamme jusqu'aux XO et Extra.

Larressingle • Cette entreprise familiale fondée en 1837 fut la première à vendre de l'armagnac en bouteilles. Les Papelorey acquièrent des eaux-de-vie de moins de vingt ans, issues des deux types

d'alambics, et les font mûrir dans des caves qui appartenaient autrefois à un couvent de la ville de Condom. Elles sont assemblées avec des armagnacs plus vieux, entreposés au château de Larressingle. Celui-ci fait partie d'une belle bastide – sorte de village fortifié comme il en existe beaucoup en Gascogne –, construite par les évêques de Condom vers 1250 ; les Papelorey ont acquis cet édifice en 1896. La gamme, petite mais de bonne tenue, comprend aussi un Comte de Laffite XO, vendu sur le marché hors taxes et au Japon.

Marquis de Caussade • La première bouteille d'armagnac entrée aux États-Unis portait ce nom et avait été emmenée par le marquis lui-même – qui voulait faire goûter aux Américains « la boisson de d'Artagnan » – lors de la traversée inaugurale du *Normandie*, en 1934. De nombreux ascendants du marquis avaient servi comme mousquetaires des rois de France. La marque se classe aujourd'hui au cinquième rang des ventes dans le monde. Elle possède d'importantes réserves de vieux armagnacs. Outre la gamme courante, Marquis de Caussade propose des armagnacs millésimés et des bouteilles qui portent une mention d'âge – selon la réglementation, celui du plus jeune armagnac entrant dans l'assemblage –, parmi lesquelles on trouve des 21 et 30 ans d'âge.

Marquis de Montesquiou • Marque de la maison du même nom, fondée en 1936 par Pierre, marquis de Montesquiou, pour vendre l'armagnac distillé sur ses terres. Le marquis est un descendant de Charles de Batz de Castelmore, capitaine de la Compagnie française des mousquetaires sous Louis XIV, qui servit de modèle à Alexandre Dumas pour d'Artagnan. Marquis de Montesquiou se classe parmi les six premières marques mondiales. Largement exporté, il est en tête des ventes au Japon. L'entreprise possède des vignobles dans le Bas-Armagnac, où l'on cultive notamment la folle blanche, mais achète aussi du vin des deux meilleures zones viticoles. Les alambics traditionnels donnent une eau-de-vie à l'ancienne titrant 55 % vol. Logée d'abord pendant quelques mois dans du chêne neuf, elle achève son long vieillissement dans de vieux fûts. Le résultat est un armagnac riche, très aromatique. À une gamme courante s'ajoutent quelques armagnacs millésimés remontant aux années 30.

Les réserves de l'armagnac Larressingle, propriété de la famille Papelorey, sont à l'abri dans cette bastide gasconne qui date du XIIIe siècle.

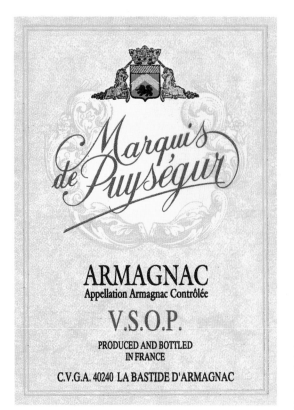

Marquis de Puységur • Marque liée à la maison Camus ♦, comme l'armagnac Chabot ♦. Marquis de Puységur est champion des ventes sur le marché hors taxes. Selon la légende, on élaborait déjà de l'armagnac au château des Puységur au début du XVIe siècle, et un membre de la famille fit goûter cette eau-de-vie à Louis XIII. Les Puységur comptent cinq chevaliers de Malte dans la famille. Le groupe, qui possède des vignes dans le Bas-Armagnac, distille dans des alambics traditionnels. Outre le Vieille Plus (20 ans d'âge au minimum), d'une grande richesse aromatique, la marque propose une large gamme d'armagnacs millésimés.

de Montal • Petite maison relativement récente mais qui a déjà la réputation de faire de bons armagnacs. Les cousins Montal se procurent des eaux-de-vie à la coopérative locale et les font vieillir dans leur château de Rieutort à Eauze. Leurs assemblages, de très bonne qualité, sont largement exportés. L'âge moyen de ces armagnacs est plus élevé que de coutume : le VSOP, par exemple, a 8 ou 9 ans. Les Montal proposent aussi des armagnacs millésimés provenant de différentes propriétés situées dans les trois régions de l'AOC.

Samalens • La maison, fondée en 1882, possède dans ses fabuleuses réserves des armagnacs de cette époque. Les frères Samalens, Jean et Georges, sont très attachés aux méthodes traditionnelles mais pratiquent sans complexe les techniques modernes de marketing. Ils cultivent le contact avec la presse spécialisée et choisissent leurs marchés avec soin. Leur livre sur l'armagnac n'a cessé d'être réédité depuis sa parution en 1975.

Les quatre alambics armagnaçais ont plus d'un siècle. La maison distille également dans des alambics cognaçais de l'eau-de-vie destinée exclusivement au VSOP, dans lequel elle compte pour 30 %. Pour l'élevage de leurs armagnacs, les frères Samalens utilisent encore le chêne « noir » de Monlezun.

L'armagnac Samalens, très apprécié sur le marché hors taxes, est disponible dans une gamme étendue : elle va du savoureux VSOP à un armagnac centenaire qui a séjourné soixante-dix ans dans le chêne, en passant par le noble 15 ans d'âge. La maison propose aussi un bon choix de millésimes qui remontent au siècle dernier.

Sempé • Héros de la Résistance, Henri-Abel Sempé fut décoré par le gouvernement britannique pour ses actions courageuses. Son armagnac eut aussi droit à une décoration : le millésime 1965 a reçu le grand prix du président de la République. La famille Sempé possède des vignes en Ténarèze et une paire de petits alambics, mais elle achète la plupart de ses vins et les fait distiller à façon dans un alambic traditionnel. L'eau-de-vie est ensuite élevée dans du chêne « noir » de Monlezun. À la gamme courante s'ajoutent quelques armagnacs dans une présentation de luxe et un certain nombre de millésimes.

Calvados

L e calvados est une eau-de-vie de cidre. Il doit son nom au département de la région de Basse-Normandie dont la partie orientale est riche en vergers de pommiers. L'appellation d'origine contrôlée Calvados spécifie que la meilleure eau-de-vie, celle du pays d'Auge, est obtenue par double distillation en alambic charentais (qui sert à l'élaboration du cognac), alors que les autres, souples mais légères, peuvent être produites par distillation continue. Le calvados est élevé dans le chêne, et son âge peut figurer sur l'étiquette. Les mentions « produit fermier » ou « production fermière » indiquent un calvados du domaine. Le *** a environ 2 ans d'âge, le VSOP 4 ; les qualités supérieures peuvent atteindre 6 ans.

Pour la distillation du calvados, on emploie plus de quarante-huit variétés de pommes allant des plus douces aux plus astringentes, ainsi que des petites poires acides de Normandie. Faire le « trou normand », c'est boire un petit verre de « calva » pour rafraîchir le palais et « creuser » l'estomac entre deux plats.

Boulard • Calvados du pays d'Auge obtenu par double distillation en alambic à chauffe directe et élevé en fût de chêne. Pierre Boulard fonda sa maison en 1825. Sa marque – il s'agit d'une petite gamme qui va du « trois étoiles » au XO – est aujourd'hui l'une des plus vendues en France et dans le monde. Le calvados de la distillerie de Coquanvilliers, exporté depuis quarante ans, réalise actuellement près de la moitié du chiffre d'affaires de la maison. Boulard utilise aussi un alambic d'armagnac pour la distillation en continu du calvados d'une marque dérivée, Dumanoir. Des poires sont mélangées aux pommes (jusqu'à 10 % du volume) afin de renforcer l'acidité du cidre. La maison s'est récemment liée à Martini & Rossi pour améliorer sa distribution, mais la famille Boulard garde le contrôle de l'affaire.

Busnel • Marque la plus vendue au monde, qui possède une grande réserve de vieux calvados. La maison, fondée en 1820, fait partie des nombreuses distilleries normandes héritières d'un « savoir-faire ancestral » qui ont été rachetées par le groupe Pernod-Ricard, désireux de diffuser du calvados à l'échelle internationale. Toutes les bouteilles sont étiquetées Busnel, et toutes les eaux-de-vie sont distillées en alambic à chauffe directe dans la région la plus cotée, le pays d'Auge.

Le climat humide de Normandie est propice au pommier. Quarante-huit variétés conviennent à l'élaboration du calvados.

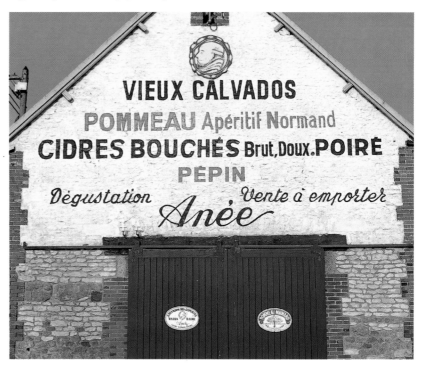

Le Vieille Réserve est un VSOP chaleureux de 5 ans d'âge, au bouquet musqué. Le Hors d'Âge a au moins 6 ans d'âge, les plus vieux calvados de l'assemblage atteignant vingt ans. Moyennement corpulent, il est fin et plus tendre que le premier.

Le château du Breuil, entouré d'arbres et de vergers de pommiers, est un manoir normand du XVIᵉ siècle.

Château du Breuil • Petite marque d'un calvados soigneusement élaboré en pays d'Auge. Elle a été récemment vendue par les Bizouard à une famille suisse de distillateurs, les Affentranger. Le château du Breuil est un charmant manoir normand du XVIᵉ siècle. Le calvados est issu des pommes du terroir cueillies à la main.

À la suite d'une distillation très lente, on obtient une eau-de-vie d'une finesse et d'une subtilité remarquables. Le Hors d'Âge (délicieux avec du chocolat !) a de 14 à 18 ans d'âge. Le Royal est un vieux calvados spécial. La marque commercialise aussi une vieille eau-de-vie de grande qualité, présentée dans une bouteille en verre soufflé contenant une pomme en verre filé.

Cœur de Lion • Calvados de grande qualité produit par une petite distillerie artisanale située près de Honfleur. Christian Drouin père a élaboré, vieilli et stocké son eau-de-vie pendant vingt ans avant de décider, en 1979, de commencer sa commercialisation. Son fils Christian a repris les rênes de l'affaire peu après. L'eau-de-vie, distillée deux fois en alambic chauffé au bois, est ensuite élevée en fûts de xérès et de porto. L'alambic vieux de cinquante ans, autrefois propriété d'un bouilleur de cru itinérant, est maintenant installé sur cales dans la cour. Les calvados millésimés de Drouin – actuellement 1968 et 1969 –, issus de cidre élaboré un an ou deux avant sa distillation, ont été élevés en fûts de chêne pendant environ dix-huit ans. Le VSOP assemble des calvados de 6 à 14 ans d'âge.

Père François • Marque en expansion appartenant actuellement au groupe Berger. Le Père François était un bouilleur de cru itinérant qui avait acheté son premier alambic avec la dot de sa femme. La gamme de la marque comprend trois qualités : VS, VSOP et Hors d'Âge. Ce dernier a remporté une médaille d'or au Concours international des vins et spiritueux à Londres en 1993.

Père Magloire • Calvados très apprécié en France et exporté dans plus de soixante-cinq pays. La maison, fondée en 1821, vendait la plupart de sa production dans la région jusqu'au début de notre siècle. Le pressoir à cidre et la distillerie se trouvent à Sainte-Foy-de-Montgoméry, à 23 km de Lisieux. L'eau-de-vie est ensuite transportée dans les caves de Pont-l'Évêque, où elle mûrit dans des fûts en chêne du Limousin. Comme la nouvelle eau-de-vie est toujours logée dans des fûts neufs, le dixième des fûts doit être remplacé chaque année. Fûts et barriques contiennent l'équivalent de quinze millions de bouteilles. Ce stock considérable permet au maître de chai d'élaborer des calvados presque identiques d'une année sur l'autre. Les Français de l'escadrille de chasse Normandie-Niemen pilotant des Yakovlev Yak-9 sur le front russe de 1942 à 1945 furent surnommés « les Pères Magloire ».

La maison présente une gamme qui va du *** au XO et au 20 ans d'âge.

Brandy français

Le brandy français est fait avec des eaux-de-vie de vin rectifiées issues de vignobles n'ayant pas droit aux appellations d'origine contrôlée cognac ou armagnac. Grâce au vieillissement

en fûts de chêne, elles acquièrent des saveurs et des arômes agréables. Additionnées de cognac, d'autres eaux-de-vie et d'essences de chêne, elles donnent un honorable brandy moelleux et souple, mais qui manque un peu de caractère.

Il n'y pas de réglementation spécifique au brandy français. Chaque producteur utilise sa propre formule pour élaborer ce type de spiritueux essentiellement destiné à l'exportation et que l'on commence seulement à trouver en France, surtout dans la grande distribution. En moyenne, un brandy coûte moitié moins qu'un cognac VSOP.

Toutes les grandes maisons de cognac et nombre des petites produisent des brandies, dont voici une sélection des plus largement distribués. Leur description ne peut être que limitée, car ce sont des produits industriels.

Bardinet • Marque qui se situe dans le peloton de tête des producteurs de brandy français. Avec son XO et son Napoléon, elle vise le secteur haut de gamme. Rival du Raynal/Three Barrels ♦ pour la première place, Bardinet est largement distribué dans les boutiques hors taxes à travers le monde. La maison Bardinet, installée à Bordeaux, produit aussi du rhum et des liqueurs de qualité.

Beehive • Marque du groupe bordelais de vins et spiritueux Adet Seward. Très active sur les marchés d'exportation et dans les boutiques hors taxes, elle propose une gamme de brandies très tendres et légers allant du « trois étoiles » à l'Extra.

Cortel • Marque de plus en plus appréciée sur le marché mondial, notamment dans les boutiques hors taxes. Les brandies de Cortel bénéficient d'une belle présentation. Cependant, la mention « Napoléon/VSOP »

En haut à gauche : le brandy français mûrit pendant quelques années dans des fûts en chêne.

sur l'étiquette ne correspond à aucune catégorie officielle. Un brandy, quel qu'il soit, ne peut se réclamer que de l'une ou l'autre « classe ». Le producteur affirme que l'appellation « Napoléon » vise à préciser l'origine française du produit.

Le Cortel est léger, sans saveurs ni arômes marqués, mais d'un style constant. Le XO, vendu en carafe, tire peut-être profit d'un séjour plus long en fût.

Domet • Marque de la maison Godet ♦, une des plus anciennes entreprises familiales de cognac.

Dorville • Marque spécialisée dans les carafes et cruches en porcelaine présentées en coffrets de luxe.

Grand Empereur • Marque de brandy appartenant au groupe Rémy Cointreau, propriétaire du cognac Rémy Martin ♦. Ce brandy détient une place de choix dans les boutiques hors taxes.

Kléber • Brandy très coté en Europe orientale, ainsi que sur les marchés militaires et hors taxes.

Raynal/Three Barrels • Marque leader du brandy français. Fondée en 1974, elle appartient maintenant à Moët-Hennessy. L'expérience et les réseaux de distribution du groupe ont beaucoup contribué au succès de la marque – et du brandy français en général – sur le marché hors taxes, aux États-Unis, en Extrême-Orient et au Royaume-Uni (où il est étiqueté Three Barrels). Sa réussite montre qu'il existe un marché pour un produit français moins cher que le cognac.

Ronsard • Marque en progrès, notamment sur le marché hors taxes. La gamme comprend un brandy de 5 ans d'âge et deux versions étiquetées « Napoléon ».

La Ruche • Brandy dont l'étiquette précise qu'il a au moins 5 ans d'âge. C'est une durée de vieillissement supérieure à la moyenne pour le brandy français, dont la souplesse est due plutôt à la rectification de l'eau-de-vie qu'à son séjour en fût. Par ailleurs, une des raisons pour lesquelles on n'indique pas d'âge sur les bouteilles de cognac est que c'est l'âge moyen de l'assemblage qui compte le plus pour son équilibre. La Ruche appartient au groupe bordelais de vins et spiritueux Adet Seward, dont le principal brandy est le Beehive ♦ (« ruche » en anglais).

de Valcourt • Marque de la société Seagram, propriétaire de la maison de cognac Martell.

Allemagne

Au Moyen Âge, les moines et les chirurgiens-barbiers distillaient déjà des potions à base d'herbes. La corporation allemande des distillateurs de vin vit d'ailleurs le jour en 1588. La production viticole nationale étant surtout destinée à la fabrication des vins, les distillateurs durent très tôt recourir à l'importation. Aujourd'hui, ils font venir des vins vinés de France et d'Italie. Le brandy produit en Allemagne, appelé *Weinbrand* (*voir Asbach*), doit séjourner au moins six mois dans le chêne. Les mentions *uralt* ou *alter* signifient que le *Weinbrand* y a passé au moins une année. Tous les lots d'eau-de-vie sont numérotés, et l'on conserve des échantillons de distillats pour faire face aux éventuelles contestations.

On distingue deux styles de brandy : l'allemand et le français. Le premier concerne les *Weinbrände* corpulents, plus ou moins sucrés ; le second caractérise les eaux-de-vie souvent issues de vins d'ugni blanc importés des Charentes et obtenues, comme le cognac, par distillation en alambic à chauffe directe.

Le château de Burg Stahleck, au bord du Rhin, domine un vaste vignoble. Malgré une production vinicole abondante, la tradition veut que le brandy allemand soit fait avec du vin importé.

Ci-dessous : la société fondée par Peter Eckes en 1857 est devenue le plus gros producteur de brandy allemand.

Chantré • Brandy doux et moelleux, qui se trouve en tête des ventes en Allemagne. Son style ressemble à celui du Mariacron ♦, produit par la même firme, mais il est plus léger et moins cher. Son artisan, Ludwig Eckes (Chantré était le nom de jeune fille de sa femme), avait compris qu'il existait un marché prometteur pour un brandy souple, à un prix raisonnable. Il en vend près de vingt-deux millions de caisses par an.

Dujardin Fine • Brandy de style français, à base de vins issus de la zone des Fins Bois (région de Cognac). Élaboré en Allemagne par double distillation dans des alambics charentais, il séjourne pendant huit ans – plus longtemps qu'un cognac *** et que quelques VSOP – en petits fûts de chêne du Limousin. La marque appartient à l'entreprise Racke, fondée par des immigrants français nommés Raquet, qui s'installèrent comme négociants en vins et spiritueux dans le Rheingau à l'aube du XVIIᵉ siècle. La famille cognaçaise Dujardin leur fournissait le vin nécessaire pour la distillation. Le brandy Dujardin Imperial est logé dans le chêne au moins un an.

Asbach Uralt • Brandy de qualité produit par la firme qui est à l'origine du terme allemand pour « brandy ». En 1907, Hugo Asbach désigna sa production par le terme de *Weinbrand* (en allemand, *Branntwein* s'applique à toutes les eaux-de-vie), qui fut officiellement adopté en 1971 pour l'eau-de-vie de vin. Les citernes de vin viné de France et d'Italie arrivent par chemin de fer à Rüdesheim. Le vin est pompé dans une conduite passant sous la route qui sépare la gare de la distillerie. Celle-ci a été construite en 1892 par Hugo Asbach, qui préparait des alcools pour satisfaire des palais anglo-saxons. La firme a la réputation de fabriquer le meilleur brandy d'Allemagne. Pendant la Deuxième Guerre mondiale, du brandy de contrefaçon logé dans de vieilles bouteilles d'Asbach était vendu au marché noir. La maison signala régulièrement dans les journaux qu'il s'agissait d'un faux et que le produit authentique n'était pas disponible.

L'Asbach est un mélange d'eaux-de-vie issues d'alambics et de colonnes de distillation. Logé pendant deux ans dans de petits fûts de chêne neuf, il achève son vieillissement en grandes barriques. Du jus de prune et d'autres additifs viennent renforcer le goût et le parfum de ce brandy (38 % vol., environ 7 ans d'âge). De style allemand, il est riche, rond, vif, avec des nuances boisées.

Eckes Privat • Un des rares brandies à base de vins allemands. La mention *alter Weinbrand* sur l'étiquette indique qu'il passe au moins un an en fût de chêne. Rare dans le commerce de détail, il est plutôt réservé aux bars et restaurants (*voir Mariacron*).

Jacobi 1880 • Célèbre marque commerciale de brandies à base de vins importés des Charentes et d'Armagnac. L'eau-de-vie, obtenue par double distillation, vieillit dans de petits fûts en chêne du Limousin. Le VSOP, qui y passe au moins deux ans, est doux et conserve l'arôme du fruit. Le 1972 Selection (20 ans d'âge) est moelleux. L'année 1880 indique la date à laquelle Jacob Jacobi de Weinstadt (« ville du vin »), en Souabe, fit savoir à la cour royale de Stuttgart qu'il distillait de l'eau-de-vie.

Mariacron • Le numéro deux des brandies allemands, produit dans la distillerie d'un ancien monastère cistercien. Sa souplesse et sa légèreté sont dues à une rectification poussée et à une teneur en alcool relativement faible. Il passe moins d'un an dans le chêne. Le Mariacron était leader sur le marché allemand avant le lancement d'un brandy produit par la même entreprise, le Chantré ♦, qui est encore plus doux et un peu moins corpulent. Ses ventes atteignent actuellement presque deux millions de caisses par an.

La distillerie du monastère Mariacron à Oppenheim-am-Rhein, qui produit du brandy depuis 1894, a été rachetée en 1962 par la firme Eckes, le plus gros producteur de spiritueux en Allemagne. Une bouteille de brandy sur deux vendues dans les épiceries et les supermarchés d'Allemagne a été produite par Eckes. Tous ses brandies titrent 36 % vol. La gamme comprend, entre autres, le Mariacron Premium, un *alter Weinbrand*, et l'Attaché. La firme Eckes, fondée dans les années 1850, fabrique aussi une série de boissons diététiques.

Melcher's Rat • Brandy souple et doux de la firme Racke. Henricus Melcher, dont le nom figure sur l'étiquette de ce brandy, commença à distiller au XVIIIe siècle, à Urdingen, du vin de la région de Cognac fourni par la famille Dujardin ♦. La maison Racke a appelé son principal brandy Dujardin.

Zinn 40 • Schnaps incolore produit par la firme Eckes ♦. Distillé à forte teneur alcoolique, il a une saveur et des arômes ténus. Embouteillé à 40 % vol.

Italie

La distillerie Camel d'Udine, située entre le golfe de Venise et les Alpes, a été créée en 1951 par un maître distillateur nommé Giuseppe Tosolini.

Comme *branda* signifie eau-de-vie en vieux piémontais, les Italiens voudraient bien passer pour les inventeurs du terme « brandy ». Au début du XVIᵉ siècle, les ducs de Savoie avaient installé des distilleries sur leurs terres, et les Jésuites, qui soignaient les pauvres à l'eau-de-vie, étaient surnommés « pères brandy ». Nombre d'importantes distilleries italiennes datent du siècle dernier, quand le brandy devint très populaire. Paganini l'aimait au point qu'il envisagea de faire construire une distillerie sur son domaine de Gaione.

Le brandy italien, fait dans les règles de l'art, peut être à la fois original et de grande qualité. La réglementation est exigeante, et l'Institut italien du brandy veille de près à son application. À la différence du cognac, le brandy ne donne pas une image claire de son origine : il n'y a pas d'appellation contrôlée ni de vignobles délimités pour les vins qui servent à sa fabrication. Mais ce « détail » n'empêche pas un certain nombre de marques d'élaborer des brandies réussis, très élégants, qui sont de plus en plus appréciés sur les marchés d'exportation.

L'eau-de-vie, d'un style léger et d'un abord facile, est en général distillée en colonnes à alimentation continue, mais la production artisanale s'est maintenue, qui compte encore beaucoup d'alambics à chauffe directe. Selon la loi, le séjour dans le chêne doit durer un an ou deux, mais le vieillissement prolongé est assorti d'un allègement fiscal. Pourtant, vu la domination des brandies légers, un séjour de six ou sept ans dans le chêne est estimé amplement suffisant. Un mûrissement plus long indique en général des techniques de production particulières : une distillation en alambic ou un assemblage de brandies produits par les deux méthodes. Les mentions *vecchio* (vieux) ou *stravecchio* (très vieux) sur l'étiquette n'ont pas de signification précise. La loi autorise l'utilisation d'infusions de chêne pour aromatiser le brandy.

Branca • Brandy des producteurs du célèbre amer Fernet Branca ♦. Les Branca di Romanico, une famille noble, fondèrent en 1845 à Milan une distillerie dont on apprécia assez vite les amers. Le lancement en 1892 d'un « Vieux Cognac Croix Rouge » fut également une réussite. Le brandy Branca Stravecchio, aromatisé au moyen d'un procédé gardé secret, reste le principal produit de la firme. L'eau-de-vie est élevée quatre ans dans des fûts de chêne, d'où elle ressort avec un palais très rond et une structure souple et moelleuse.

Carpenè Malvolti • Petite gamme de brandies proposée par un célèbre producteur de mousseux. Antonio Carpenè fonda en 1868 la firme à laquelle Angelo Malvolti s'associa par la suite. Carpenè fit des recherches œnologiques, notamment sur les vins effervescents, et entretint une correspondance avec Pasteur et Koch. Bien que la firme fit du brandy dès le départ, elle est surtout réputée, en Italie et à l'étranger, pour ses vins.

Délicats et harmonieux, les brandies Carpenè Malvolti d'aujourd'hui sont souvent sous-estimés.

Fogolâr • Brandies traditionnels du nord-est de l'Italie, produits par la firme Camel (*voir grappa Vite d'Oro*). La gamme comprend un 6 ans et un 12 ans d'âge ; ce dernier est moelleux, savoureux et agréablement boisé. Le Vecchio 800 est un brandy prestigieux, dont il existe une version à forte teneur en alcool.

Inga XO • Brandy millésimé de 12 ans d'âge, vieilli au Piémont dans de minuscules fûts en chêne de Slavonie. Il est tendre, chaleureux et moelleux.

Oro Pilla • Vaste gamme de brandies produits par une firme installée aujourd'hui à Bologne mais créée en Vénétie en 1919. Elle comprend Le Scudo Bianco (un brandy jeune), le Scudo Nero (6 ans d'âge), le Scudo Oro, agréablement épicé (8 ans au moins). Le Speciale Selezione, qui a 20 ans d'âge, est rond, avec beaucoup de bouquet.

Stock • Importante marque italienne, en pleine ascension sur les marchés d'exportation. Stock produit une petite gamme de brandies séduisants, d'un abord facile, et dont le style est parfois adouci pour répondre aux attentes des consommateurs modernes. Certains brandies destinés aux marchés éloignés sont élaborés sur place selon les spécifications de Stock : par exemple, en Australie, Penfold's distille pour son compte des vins locaux. Cette démarche s'inscrit dans la politique commerciale de la firme qui construisait autrefois des distilleries à l'étranger.

Lionello Stock a créé l'entreprise en 1884 à Trieste, qui appartenait alors à l'Empire austro-hongrois. À l'époque, on expédiait des vins locaux à Cognac pour remplacer ceux des Charentes qui se faisaient rares après les ravages du phylloxéra. Lionello Stock en conclut que l'on pouvait aussi « faire du cognac à Trieste ». La firme, qui fut parmi les premières à faire de la publicité à la radio et à la télévision, reste dynamique et novatrice.

La gamme comprend le VSOP 1984 (3 ans d'âge), le Gran Riserva (6 ans) et le XO, qui passe neuf ans dans de grandes barriques. La « cathédrale du brandy » de Stock à Portogruaro contient une impressionnante réserve de brandies ayant jusqu'à vingt ans d'âge.

La grande maison Stock soigne l'image du brandy, qui vieillit des années dans ses caves avant d'être commercialisé.

109

Vecchia Romagna • Gamme prestigieuse, bien représentée sur le marché international. Elle est produite par une entreprise fondée à Bologne en 1820 par le Charentais Jean Bouton, qui s'associa à un Bolonais et italianisa son nom en Giovanni Buton. La firme Buton fait ses eaux-de-vie en colonnes de distillation continue ainsi que par double distillation en alambic. On trouve dans son établissement quelques splendides vieux alambics à col de cygne. Buton emploie des vins issus de trebbiano (ugni blanc) et fait vieillir l'eau-de-vie dans de petits fûts en chêne.

Dans les années 50, Buton entreprit de constituer un stock de brandies de réserve, qui sont actuellement au cœur de ses vieux brandies de prestige. Les produits issus d'alambic affichent une grande distinction, avec des arômes complexes et persistants.

L'Etichetta Nera (étiquette noire) est un assemblage de brandies de distillation continue et d'alambic (3 à 5 ans d'âge). Les qualités supérieures de Vecchia Romagna sont issues d'alambic : Oro (étiquette or) a 7 ans d'âge, Riserva Rara au moins 15 ans. Quelques très vieux brandies (25 et 35 ans d'âge) sont disponibles dans le commerce de luxe.

Villa Zarri • Petite production de brandy millésimé dans le style du cognac. L'*acquavite di vino*, comme on l'appelle, était le brandy de prestige d'Oro Pilla ♦, propriété du feu Leonida Zarri, un gros producteur.

Divers vins de trebbiano (ugni blanc) venant de vignobles cultivés dans les collines près de Chianti sont soumis à une double distillation en alambic. On fait ensuite vieillir l'eau-de-vie jusqu'à trois ans en fûts de chêne français, neufs et ayant déjà servi. Pendant le vieillissement, sa teneur en alcool est réduite graduellement de 70 % vol. à 43 % vol. Lancé en 1986, ce brandy a déjà suscité beaucoup d'intérêt. Le « château », une villa moutarde et crème du XVIᵉ siècle, avec sa petite chapelle et son parc, se trouve au milieu des chais de vieillissement d'Oro Pilla à Castelmaggiore.

Le Villa Zarri est un brandy bien structuré, un peu austère, mais avec un bel arôme et une légère saveur de fruits secs.

En haut à droite : vignobles en terrasses dans le Frioul. À l'automne, quiconque possède un alambic fait de la grappa.

Grappa

La grappa fut à l'origine le brandy des pauvres : on la faisait avec la rafle, les peaux et les pépins des raisins que l'on avait pressés. Au XIXᵉ siècle, en Italie du Nord, des bouilleurs de cru passaient de village en village pour distiller le marc des vignerons. Ils recevaient en échange la *mondure*, c'est-à-dire une partie de l'eau-de-vie distillée, qu'ils pouvaient revendre. Cette grappa, rêche et ardente, prenait à la gorge mais permettait de supporter le rude hiver alpin. À la version rustique, qui a survécu avec panache, s'ajoutent aujourd'hui des grappas élégantes et subtiles, véritables produits de luxe logés en flacons et bouteilles soufflés.

Pour faire de la grappa, on coupe à l'eau la *vinaccia* (marc de raisin), qui fermente ensuite avant d'être distillée. La production artisanale reste le fait de quelques inconditionnels obstinés, car il ne faut pas moins de 12 kg de *vinaccia* pour obtenir un litre de grappa ! Quelques petits distillateurs utilisent un alambic à double enveloppe chauffé à la vapeur, ce qui implique, comme pour l'alambic charentais, une double distillation.

On peut faire vieillir la grappa dans le chêne ou l'embouteiller jeune, encore transparente. Cette jeune grappa est plus exubérante, avec des arômes de raisin plus marqués que celle logée dans le bois. Les grandes firmes vendent leur grappa sous une marque commerciale : par exemple, Julia pour Stock. L'étiquette d'un produit artisanal précise le nom du cépage unique dont il est issu : par exemple, grappa di moscato, di chardonnay, di nebbiolo. *Acquavite di vinaccia* (eau-de-vie de marc de raisin) est un autre nom de la grappa ; *invecchiata* signifie « vieillie ». Les grappas – produites généralement en petites quantités – sont pour la plupart des eaux-de-vie artisanales. Peu de marques en produisent, et la diffusion de la majorité de ces eaux-de-vie se limite le plus souvent au réseau local. Notre sélection comprend les marques nationales et quelques exemples de bonne grappa artisanale.

CERETTO
Distilleria in Brunate di La Morra.
GRAPPA
Da vinacce di Nebbiolo
da Barolo.

Zonchera

Distillata a bagnomaria ed imbottigliata dalla distilleria Ceretto in località Brunate di La Morra.

1993

L. 0494 NON DISPERDERE NELL'AMBIENTE

Lic. U.T.I.F. N. 690/TO – gradi 45-Anidri cc. 315 – cl. 70e

Ceretto • Petite gamme issue de trois vignobles à cépage unique. Ces grappas sont distillées par un célèbre producteur de barolo et de barbaresco, Bruno Ceretto, qui fut le premier dans la région de Langhe à offrir, dès 1974, de la grappa dont le cépage était précisé. Dans les vignobles les plus connus, Brunate et Zonchera, on cultive le nebbiolo, dont on tire une grappa millésimée (indication portée sur l'étiquette) ; Rossana est un vignoble complanté en dolcetto. Il faut compter deux heures pour effectuer une double distillation.

Con Senso • Marque de la distillerie Bonollo à Formigine. Elle produit une grappa avec du marc de chianti. Légère, vive et épicée, elle est vendue sans avoir été logée en fût. Un des brandies de Bonollo, qui séjourne vingt ans en fût, est fermement structuré et a un nez de caramel. Cette distillerie gère aussi un centre d'information sur la grappa.

Gratacul • Grappa artisanale tirée des fruits de l'églantier, le gratte-cul dont nos arrière-grands-mères faisaient des confitures. Les fruits sont cueillis dans les Alpes, à 1 600 m d'altitude, dans la région de Sestrières. La distillerie Chaberton, située dans la vallée de Suse, récolte fruits, racines, baies et diverses plantes, cultivées ou sauvages, des prairies et des pentes qui montent jusqu'aux glaciers, pour en tirer des eaux-de-vie et des amers. Ses propriétaires possèdent 15 000 recettes anciennes de boissons et de potions, dont bon nombre seraient interdites par la loi aujourd'hui.

Le parfum, délicat et persistant, et l'agréable saveur du Gratacul compensent son acidité et sa douceur.

Inga • Gamme d'excellentes grappas issues d'un cépage unique. La plupart des marcs viennent du Piémont, où se trouve la distillerie, et de l'Oltrepò Pavese, en Lombardie. Les différentes grappas résultent de la distillation, dans de petits alambics chauffés à la vapeur, du marc des raisins qui ont donné les barolo, gavi, asti spumante et autres vins de qualité du Piémont. Les plus prestigieuses, vendues en bouteilles soufflées, sont tirées des marcs de brachetto et de nebbiolo. Aucune de ces grappas ne résulte d'un assemblage.

Acier inoxydable et cuivre voisinent dans la distillerie Ceretto, producteur d'excellentes variétés de grappa.

CONSENSO
grappa riserva
elevata in legni
di acacia,
frassino, rovere
e ciliegio
1991

La firme fut fondée en 1832 sous le nom de Gambarotta, puis rebaptisée Inga en 1938. Elle lança en 1966 la grappa Libarna♦ qui passa à Giovanni Buton en 1982.

Julia • Marque de la compagnie Stock, réputée pour son brandy. La grappa issue de marc frais, donc distillée sur place, est toujours supérieure au produit industriel. Stock résout ce problème en faisant appel à de petits distillateurs locaux qui élaborent l'eau-de-vie pour son compte ; la maison se charge de la faire vieillir, si nécessaire, et de l'embouteiller. La grappa Julia passe deux ans dans le chêne, mais Stock vend aussi de jeunes grappas fraîches et fruitées.

Romano Levi • Un des grands « maîtres » de la grappa, qui s'est fait connaître dans les années 70, lors du premier engouement pour cette eau-de-vie. Romano Levi est un artiste de la distillation, qui prend en charge tout le processus de l'élaboration. Au fond de la campagne piémontaise, plongé dans un fouillis de bouquins, de bouteilles et de chats, il distille, met en bouteilles, écrit et décore lui-même des étiquettes charmantes, qui semblent tirées d'un vieux livre pour enfants. Ses élégantes eaux-de-vie varient d'une distillation à l'autre, selon la *vinaccia* (marc) dont il se sert. Gracieuses et raffinées, elles constituent toutes de superbes exemples de ce que l'on peut obtenir par une distillation lente et soignée.

Libarna • Marque de deux grappas élaborées par distillation continue par les propriétaires du brandy Vecchia Romagna. La Libarna Cristallo est une jeune grappa qui ne fait pas de bois, à base de marcs de barbera, dolcetto et cortese probablement d'origine piémontaise. L'origine des marcs pour la Libarna Invecchiata n'est pas spécifiée mais, si l'on en juge par son arôme musqué, il doit y avoir, entre autres, de la *vinaccia* de muscat, le cépage de l'asti spumante. C'est une grappa franche, assez tendre, avec une fin de bouche moelleuse.

Lungarotti • Petite gamme d'excellentes grappas élaborées par un des meilleurs producteurs de vin d'Italie, Giorgio Lungarotti. Au terme d'une longue bataille, il a réussi à s'affranchir du système italien des appellations, notamment avec le Rubesco rouge et le Torre di Giano blanc produits dans la région de Pérouse, en Ombrie. Le Rubesco Riserva est actuellement un des meilleurs vins rouges italiens. Les grappas Lungarotti sont faites avec du marc des cépages sangiovese, canaiolo et chardonnay cultivés dans des vignobles proches de la distillerie, ce qui explique leur fraîcheur. Elles sont toutes distillées en alambic à chauffe directe.

La grappa di chardonnay, à base de marc du vin monocépage Vigna i Palazzi, ne fait pas de chêne ; elle a de riches parfums de fleurs et de fruits, et une saveur franche. La grappa di Rubesco, eau-de-vie de marc des cépages sangiovese et canaiolo, a des arômes de raisin et une saveur tendre. La petite production de grappa Riserva « L », à base du marc de Rubesco Riserva (mêmes cépages), passe un peu de temps en fût avant d'être logée dans des carafes soufflées ; c'est une grappa douce, élégante et longue en bouche.

Marolo • Production artisanale à base de marc de vignobles réputés, dont La Scolca (cépage gavi), Lisini (brunello) et Montez-Emolo (barolo). Dans leur petite distillerie de Santa-Teresa, les frères Marolo font une vingtaine d'eaux-de-vie, dont la rare Arneis. Elles sont toutes issues d'alambics à double enveloppe, traditionnels dans le Piémont. La production des frères Marolo (31 000 bouteilles par an) est très recherchée : une bouteille de grappa di barolo distillée en 1987, à l'occasion du dixième anniversaire de leur entreprise, a été récemment adjugée plus de 9 000 francs. Toutes leurs eaux-de-vie, vieillies dans des fûts en chêne et en acacia, ont des arômes intenses, notamment celles qui sont à base de muscat et de barolo ; cette dernière est un peu austère.

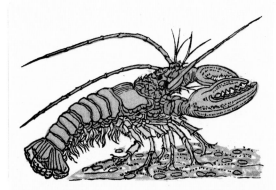

GRAPPA di VERMENTINO

Nardini • Grappas réputées d'une entreprise de Vénétie qui a été fondée il y a plus de deux cents ans. Pendant longtemps, Nardini a dominé un marché saturé de grappas rustiques et sans prétention avec ses incomparables eaux-de-vie jeunes, ou vieillies trois ans en fût. Sa position est maintenant menacée par des producteurs spécialisés dans les grappas de qualité.

Nonino • Gamme prestigieuse de grappas d'une entreprise familiale. Les Nonino d'aujourd'hui, qui ont commencé à distiller en 1973, sont les descendants d'un bouilleur de cru qui parcourait le Frioul dans les années 1880. Ils eurent l'idée d'utiliser des raisins entiers au lieu de marc et encouragèrent les vignerons à cultiver des cépages locaux en voie de disparition. La batterie de petits alambics est sortie de la vieille forge où le beau-père de Benito Nonino fabriquait des charrues. Vuisinar est peut-être la plus répandue des grappas Nonino, mais la plus renommée est la grappa de picolit, cépage rare d'un vin de dessert du Frioul. Le prix des spécialités, embouteillées dans de magnifiques carafes soufflées de Murano, atteint des sommets.

Vite d'Oro • Vaste gamme de grappas commerciales de qualité produites par la firme Camel à Udine, au nord-est de l'Italie. Ces eaux-de-vie à base de *vinacce* du Frioul sont de style *classico* (grappa transparente comme de l'eau pure, n'ayant pas fait de bois) ou de style *stravecchio* (grappa logée trois ans en fûts de frêne, un bois qui adoucit l'eau-de-vie, mais ne lui apporte ni arôme ni couleur).

À noter la Riserva et la Teresa Raiz (50 % vol.).

La distillerie a été fondée en 1944 par Giuseppe Tosolini, à la mémoire duquel Camel produit la prestigieuse série Mosto (« moût »), des eaux-de-vie issues d'un seul cépage et embouteillées jeunes, sans avoir fait de fût, en carafes soufflées. Comme le brandy, elles sont à base de moût et non de marc. Les grappas di refosco (mondeuse) et di picolit sont les plus connues parmi les variétés du Frioul.

En 1779, Bartolo Nardini fonda sa maison non loin du pont de Bassano sur le Pô.

Espagne

De coquets moulins à vent
dominent les vastes vignobles
de la Manche.

La péninsule Ibérique connaissait la distillation au VIIIe siècle (*voir p. 12*). Avec l'Irlande, elle est donc le berceau européen de cet art. Aujourd'hui, l'Espagne possède deux appellations officielles de brandy, l'une vaste et l'autre encore restreinte.

Le brandy de Jerez est élaboré exclusivement par les maisons de xérès installées dans la région de Jerez, au sud de l'Espagne. Le brandy du Penedès est fait par deux entreprises de Catalogne, au nord-est du pays, d'où sont issus d'excellents vins effervescents produits par la méthode traditionnelle.

Brandy de Jerez

Le brandy de Jerez, un des plus grands spiritueux du monde tant par le volume que par la qualité, bénéficie de conditions de production strictement réglementées, comme le cognac et l'armagnac. Sa richesse aromatique et sa générosité peuvent surprendre les inconditionnels du cognac. Il est élevé dans des fûts ayant contenu du xérès, comme les meilleurs whiskies de malt. Ce vieillissement renforce sa structure, enrichit ses arômes, parfait sa finesse et son harmonie.

Comme le xérès, le brandy de Jerez est élevé dans le système de la solera, ce qui accélère son évolution : trois ou quatre ans de ce « vieillissement dynamique » équivalent à sept ou huit ans de « vieillissement statique », c'est-à-dire passif, tel qu'il est pratiqué à Cognac et ailleurs. Le procédé consiste à aligner des barriques contenant des eaux-de-vie d'âges croissants. Après avoir soutiré du brandy de la plus vieille barrique pour le mettre en bouteilles, on y transfère un volume égal d'eau-de-vie de la barrique voisine, et ainsi de suite jusqu'au bout de la série où l'on verse le distillat. On ne soutire jamais plus du tiers du contenu d'une barrique, car l'expérience montre que l'eau-de-vie plus jeune qui vient compléter le niveau acquiert ainsi plus vite le caractère et la maturité de l'eau-de-vie la plus ancienne. On peut pratiquer jusqu'à trente soutirages successifs dans le système de la solera.

Le « Brandy de Jerez Solera » vieillit six mois, le « Reserva » une année, le « Gran Reserva » trois ans au moins. Les grands brandies mûrissent beaucoup plus longtemps, en général de douze à quinze ans. Plus le vieillissement a été long, plus le brandy est doux, riche et soyeux. Autrefois, on faisait du brandy avec les cépages qui servent maintenant exclusivement à la production de xérès. On utilise à présent surtout l'airén, cultivé dans la Manche et l'Estrémadure. L'assemblage est composé de quatre eaux-de-vie : *alquitara*, la meilleure, issue d'alambic à chauffe directe et qui comporte deux qualités selon qu'elle est obtenue par distillation simple ou double ; *holandas*, à teneur alcoolique moyenne, ainsi nommée parce qu'on la faisait à l'origine pour les marchands hollandais ; *destilados*, plus forte en alcool (*holandas* et *destilados* sont obtenues par distillation continue). On additionne souvent les eaux-de-vie d'arômes de fruits et de boisé (essence de chêne), procédé autorisé par la loi. Les ventes du brandy de Jerez dépassent maintenant celles de l'armagnac.

Bobadilla 103 • Le Bobadilla Etiqueta Blanca figure parmi les quatre marques de brandy de solera les plus vendues. De style léger, les plus jeunes brandies de la maison Bobadilla sont les héritiers d'un célèbre brandy créé dans les années 30, qui était meilleur et plus sec que les autres productions espagnoles de l'époque. Spécialisée dans le brandy, l'entreprise Bobadilla exploite sa propre distillerie à Tomelloso, dans la Manche.

L'Etiqueta Negra est le Reserva de la marque, et le Gran Capitan le Gran Reserva.

En haut à gauche : entreposés dans une cave caractéristique de Jerez, les brandies Cardenal Mendoza mûrissent plusieurs années dans des fûts de xérès en chêne américain avant de passer par la solera.

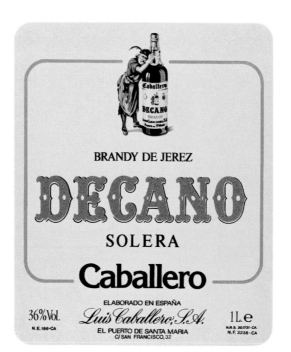

vieillissement statique de plusieurs années dans des fûts de xérès en chêne américain, puis les meilleurs servent aux assemblages – qui comptent jusqu'à dix-sept eaux-de-vie –, lesquels sont ensuite soumis à la solera. Le brandy qui en résulte a plus de corps et de richesse aromatique que ses pairs, avec une note sucrée, un certain mordant et un léger *rancio*. Dans les chais, on trouve 15 000 fûts en vieillissement statique ou en solera. Il y a un peu plus d'un siècle, Cardenal Mendoza n'était qu'une réserve familiale. On peut d'ailleurs admirer à Sanchez Romate ◆ les quatre fûts où l'on fit les premiers assemblages de brandy. Le cardinal Mendoza est une grande figure historique : il aida Christophe Colomb à obtenir l'appui des souverains d'Espagne pour son premier voyage vers l'Amérique.

Carlos I • Gran Reserva haut de gamme de Domecq ◆. Il comprend 80 % d'eau-de-vie d'alambic, dont une petite partie issue du célèbre cépage palomino. Riche et boisé, le Carlos I Imperial est un brandy entièrement distillé en alambic. Son âge moyen est de 12 ans, mais il comporte aussi un peu d'eau-de-vie de 17 ans. Riche en arômes, corpulent, il possède un agréable goût de *rancio* et une fin de bouche sèche.

Luis Caballero • Les *bodegas* (« chais ») de cette marque datent du début du XVIIe siècle, et la solera Milenario existe depuis 1795, mais la firme elle-même ne fut fondée qu'en 1830. À l'origine, la famille galicienne Caballero fournissait du bois de futaille aux producteurs de brandy de Jerez, puis elle s'installa dans le Sud et se lança dans la distillation. En 1925, le premier Luis Caballero, décidé à conquérir de nouveaux marchés, s'embarqua pour l'Argentine avec 3 000 caisses de son brandy.

La gamme de Caballero comprend le Decano Solera (dont il se vend 100 000 caisses par an), le Gran Señor (qualité Reserva), et le Milenario (un Gran Reserva). Propriétaire de vignobles, la firme possède aussi le splendide château mauresque de San Marco à Puerto de Santa Maria. La marque Caballero, qu'utilise González Byass pour son xérès amontillado, a été achetée il y a longtemps à la maison Luis Caballero.

Carlos III • Reserva de Domecq ◆, qui occupe la deuxième place sur le marché espagnol. Issu à moitié d'eau-de-vie d'alambic, ce brandy a un soupçon de sécheresse.

Conde de Osborne • Au sommet de la gamme d'Osborne ◆, le Gran Reserva (vieillissement équivalent à dix-huit ans). Sa bouteille originale a été dessinée par Dali.

Cardenal Mendoza • Marque qui a récemment remplacé Lepanto ◆ en tête des ventes de brandy de Jerez haut de gamme. C'est un 100 % *holandas* Gran Reserva âgé en moyenne de douze ans, mais dont certaines versions ont bien plus de quinze ans. L'élevage, original, exige beaucoup de travail : les distillats subissent un

Domecq • Gamme élaborée par le plus gros producteur mondial de xérès. Domecq possède une immense entreprise de brandy au Mexique – qui produit le Presidente ✦, la marque la plus vendue au monde – et la plus importante réserve de brandy de la planète, à Jerez. La firme, qui exploite trois distilleries en Espagne, fut fondée en 1730 par une famille originaire de Gascogne. Domecq créa en 1874 le premier brandy espagnol, Fundador ✦, qui est aujourd'hui encore le brandy de Jerez le plus répandu. Le caractère du brandy dépend de la solera dans laquelle l'eau-de-vie a été élevée. La gamme Domecq comprend le Tres Capas (Solera), le Fundador ✦ et le Carlos III ✦ (tous deux Reserva), le Carlos I et le Carlos I Imperial (tous deux Gran Reserva).

Duff Gordon • Brandies Solera et Reserva d'une célèbre maison qui appartient maintenant à Osborne ✦. Sir James Duff, un Écossais nommé consul britannique à Cadix, s'associa en 1768 à son neveu, sir William Gordon, pour créer une entreprise de xérès et de brandy. Parmi leurs clients figuraient la reine Victoria, le tsar et nombre de têtes couronnées. L'écrivain américain Washington Irving, auteur de la célèbre nouvelle *Rip Van Winkle*, apprécia aussi les alcools Duff Gordon pendant son séjour en Espagne, dans la première moitié du XIXe siècle. Les brandies sont élevés dans les *bodegas* de Puerto de Santa Maria.

Espléndido • Marque classée cinquième sur le marché espagnol dans la catégorie jeune Solera. Elle appartient à Garvey, une des premières *bodegas* de Jerez, créée en 1780 par un émigré irlandais. Pionnier de l'exportation, Garvey commença par envoyer, en 1858, un fût de brandy au Royaume-Uni. La firme fournit aujourd'hui la famille royale d'Espagne. L'Espléndido est corpulent, avec un goût de caramel. Un nouveau Gran Reserva, Conde de Garvey, a été récemment mis sur le marché.

Fundador • Tout premier brandy espagnol, lancé en 1874 par Domecq ✦. À l'origine, c'était un Brandy de Solera riche et rond, avec 25 % de distillat d'alambic. Grâce à un vieillissement plus long, il a été récemment promu dans la catégorie Reserva.

González Byass • Prestigieuse maison de xérès, propriétaire du Lepanto ✦ Gran Reserva, un des deux meilleurs brandies de Jerez. Manuel Maria González choisit en 1835 une ancienne *bodega* située non loin du vieil Alcázar de Jerez pour y loger une affaire de xérès et de brandy. Pour la distribution, il fit appel à Robert Byass, un marchand de vins anglais. González Byass fut la première firme à installer un laboratoire viticole à Jerez et à pratiquer un contrôle de qualité sur des bases scientifiques.

Le brandy et le xérès vieillissent dans des *bodegas* qui se ressemblent.

Ci-dessus : La Concha (« le coquillage »), conçue en 1862 par Eiffel pour González Byass, commémorait la visite de la reine Isabelle. Les 168 fûts de cette *bodega* portent les emblèmes des pays vers lesquels la maison exporte son brandy.

À droite : cette vieille cave abrite des fûts de brandy Lepanto.

brandy fut baptisé en 1949. Les producteurs avaient demandé au duc d'Albe, alors ambassadeur d'Espagne à Londres, l'autorisation de lui donner son nom. L'ayant goûté, le duc déclara que cette boisson méritait mieux qu'un duché et qu'il serait donc préférable de lui donner le nom de son illustre ancêtre, le grand-duc – d'où Gran Duque d'Alba.

La recherche de l'excellence caractérise tous les secteurs de la production, y compris le transport de la vendange : pour éviter un début de fermentation, on place le raisin dans des boîtes en plastique spécialement conçues par la firme. González Byass, qui reste une affaire familiale, possède 1 800 ha de vignes.

Gustave Eiffel remodela, à la demande de la firme, les *bodegas* où murissent les brandies, situées à proximité de l'Alcázar, créant une structure circulaire spectaculaire qui évoque une arène de corrida.

Le Soberano, de qualité Solera, est le brandy de Jerez le plus vendu ; le Reserva atteint un niveau de qualité étonnant ; le Gran Reserva Lepanto ♦, magnifique et opulent, couronne la production de González Byass. Son Tio Pepe est le xérès fino le plus vendu au monde. La firme produit aussi un cognac XO, issu de vignes qu'elle possède dans les Charentes depuis 1929.

Gran Duque d'Alba • Brandy de prestige, ce Gran Reserva est l'unique produit de la marque. Celle-ci a été récemment rachetée par Williams & Humbert (Bols), peu intéressé auparavant par le commerce du brandy. Toute la *bodega* Bertemati à Jerez est consacrée au Gran Duque d'Alba. Elle contient plus de 4 000 fûts qui forment une solera à cinq étages, créée au milieu du XIXᵉ siècle. Ce

Lepanto • Gran Reserva de très grande qualité de González Byass ♦, issu en grande partie de vin de palomino, le cépage du xérès. Le Lepanto est une pure eau-de-vie *holandas*. Commercialisé à 15 ans d'âge moyen, il est logé dans des carafes décorées à la main. Autrefois champion dans la catégorie « de luxe », il est très riche et velouté, épicé, boisé et minéral.

Osborne • La plus grande maison de brandy de Jerez qui produit, entre autres, les deux brandies en tête des ventes : le Veterano, un jeune Solera fruité, avec un goût de noix, et le Magno, un Reserva doux et plein. L'Independencia, le Carabela Santa Maria et le Conde de Osborne ♦ – des Gran Reserva qui affirment chacun leur style – complètent la gamme. Tous ces brandies sont additionnés d'arômes de fruits et de noix avant de passer dans la solera. Osborne (prononcer « Osborné ») est un nom bien connu des touristes, car l'emblème de la marque, une silhouette de taureau, se dresse le long des routes d'Espagne.

Thomas Osborne, originaire d'Exeter, à l'ouest de l'Angleterre, créa en 1772 la firme qui produit aujourd'hui plus de trois millions de caisses de brandy de Jerez pour l'ensemble de ses cinq qualités. Osborne possède à Jerez un complexe de quatre *bodegas* contenant 40 000 fûts dans leurs soleras et une distillerie à Tomelloso, dans la Manche. Les dynasties de Jerez sont fières de leurs origines croisées, comme en témoigne le nom complet du président d'Osborne : Enrique Osborne MacPherson.

Sanchez Romate • Maison qui détient le Gran Reserva Cardenal Mendoza ♦, la marque en tête des ventes de brandy haut de gamme. Par ailleurs, Sanchez Romate possède plusieurs vignobles dans la région et commercialise aussi deux autres brandies, Abolengo et Monseñor. Cette affaire familiale remonte à 1781. Elle fournissait, en son temps, la famille royale et comptait parmi ses clients de marque un pape ainsi que la Chambre des lords du Parlement britannique.

Valdespino • La plus ancienne distillerie et *bodega* de xérès de la ville de Jerez. Certains documents attestent que Valdespino était déjà en activité en 1516. La firme, réputée pour son xérès traditionnel, ne fait que peu de brandy, mais celui-ci est de grande qualité. La principale marque est actuellement Alfonso el Sabio, mais on attend un brandy exceptionnel, fait avec la

Les célèbres taureaux d'Osborne font désormais partie du patrimoine culturel espagnol. Ils ont inspiré l'image de la marque diffusée par d'innombrables panneaux publicitaires.

Ci-contre : à la distillerie Valdespino, on peut admirer le plus vieil alambic de la région de Jerez.

À droite : le vignoble Las Murallas de Torres, qui enserre le monastère Poblet dans le Haut-Penedès, à 500 m d'altitude, donne de merveilleux vins de cépage rouges et blancs.

seconde presse du domaine Macharnudo, qui fournit la matière première du Fino Inocente, le seul xérès issu d'un unique vignoble.

Valdespino est une des rares firmes qui distillent encore du palomino, le noble cépage du xérès. Le Sello Azul 1850 a été produit pour commémorer la vente d'une belle cave de brandies par Daniel Wilson, un immigré anglais qui voulait retourner au pays. On peut admirer dans la *bodega* une vieille colonne de distillation de 9 m de haut qui a servi pour la dernière fois au début du siècle. À l'époque, Valdespino appelait son brandy Ranac pour le différencier du *coñac* que vendaient les autres firmes espagnoles.

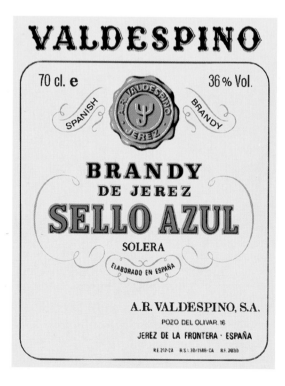

La seconde appellation espagnole compte pour l'instant deux producteurs, Torres et Mascaró. À la différence des eaux-de-vie de Jerez, celles du Penedès visent à s'approcher des conditions d'élaboration du cognac. Les brandies de cette appellation sont riches et fruités, mais moins opulents que ceux de Jerez.

Mascaró • Gamme de trois brandies d'alambic à chauffe directe, élaborés à la manière du cognac. La famille Mascaró distille du brandy depuis 1945, mais elle s'est orientée depuis quelques années vers une production de grande qualité. Antonio Mascaró obtient des eaux-de-vie très harmonieuses, où l'on retrouve la finesse du cognac, associée à un style plus succulent et moins austère. Elles sont issues des cépages régionaux tempranillo et parellada, le second ayant une forte acidité, comparable à celle de l'ugni blanc du cognac. Les eaux-de-vie vieillissent dans des fûts de chêne du Limousin, sans solera.

L'Estilo Fine Marivaux (3 ans d'âge) et le Narciso Etiqueta Azul (5 ans d'âge) ont du mordant et de la rondeur, avec toutefois des boisés différents. Le Don Narciso n'a que 8 ans d'âge, mais sa vivacité et sa richesse font un duo admirable.

Torres • Producteur de brandies de grande qualité issus du parellada, un cépage régional, et de l'ugni blanc, le principal cépage du cognac, qui donnent tous deux des vins à forte acidité. Féru d'innovation, Torres utilise séparément et en diverses combinaisons de l'eau-de-vie classique *holandas*, issue de distillation continue, et de l'eau-de-vie d'alambic, obtenue par double distillation, ainsi que les deux types d'élevage (dynamique, en solera, et statique, comme pour le cognac).

Les Torres possédaient déjà des vignobles autour de Villafranca, dans le Penedès, au début du XVIIe siècle. Cependant, l'entreprise actuelle n'a été fondée qu'en 1870 par un membre de la famille qui, de retour de Cuba, voulait produire du vin destiné aux colonies espagnoles d'Amérique. La célébrité de Torres date des

années 70 : son vin Black Label Gran Coronas 1970, issu de cabernet-sauvignon, se classa alors premier dans une dégustation internationale. En 1928, Miguel Torres I commença à distiller, avec un vieil alambic cognaçais, un brandy plus léger que le brandy espagnol typique, car il ne le faisait pas vieillir dans des fûts de xérès.

Avec les multiples possibilités de distillation, d'assemblage et de vieillissement dont dispose Torres, la gamme de ses brandies est très étendue et pleine d'intérêt. Les Torres 5 et 10, à base d'eau-de-vie *holandas*, élevés en solera à trois phases, ont respectivement 3 et 5 ans d'âge. Le Torres 10 est riche et boisé. Le Miguel Torres Imperial, un brandy d'alambic ayant vieilli sept ans dans des fûts en chêne français, est ferme, élégant, avec des arômes discrets de raisin. L'élevage du Miguel I, qui dure dix ans, commence dans du chêne neuf ayant été soumis à un brûlage intense et se poursuit dans de vieux fûts ; ce brandy est profond, chaud, mûr, et offre des nuances boisées ainsi que des notes de caramel. L'Honorable, issu de l'ugni blanc, passe dix-huit ans dans du chêne du Limousin. Opulent, crémeux, boisé et épicé, il se classe souvent en tête dans des dégustations à l'aveugle. Le Miguel I et l'Honorable sont distillés en alambic.

Miguel A. Torres devant une de ses caves de vieillissement creusées à proximité de Pacs del Penedès.

États-Unis

En ballon au-dessus des vignobles de la Sonoma Valley, dans le nord de la Californie.

En 1839, John Augustus Sutter, un pionnier d'origine suisse, établit la colonie de New Helvetia sur le site où son fils fonda en 1848 Sacramento, l'actuelle capitale de la Californie. Sutter distillait du brandy à partir de raisin sauvage qu'il trouvait non loin du camp retranché. À l'époque de la ruée vers l'or, nombre de ceux qui revinrent bredouilles profitèrent des exemptions fiscales sur la création de vignobles, et l'on fit bientôt du vin et du brandy dans toute la Californie. Si le phylloxéra qui ravagea le vignoble européen à partir de 1865 avait été accidentellement importé des États-Unis, ce sont deux Américains, Munson et Jaeger, qui sauvèrent la viticulture européenne en proposant des porte-greffe résistant au puceron meurtrier. La France, reconnaissante, les décora de la Légion d'honneur.

Le sultana, une variété de raisin sans pépins, devint le principal cépage des brandies californiens, dont certains furent exportés vers l'Europe à la fin du siècle dernier. Leland Stanford, le plus gros distillateur mondial de brandy, légua son entreprise à l'université de Stanford. Le phylloxéra, qui n'avait pas épargné la Californie, puis la Prohibition freinèrent le développement de la consommation de brandy aux États-Unis, mais les recherches menées entre-temps permirent aux producteurs de prendre un nouveau départ après la

Deuxième Guerre mondiale. En 1938, en raison de la surproduction, le gouvernement demanda aux viticulteurs de distiller la moitié de leur récolte et de la stocker. Pendant la guerre, des experts américains et européens furent appelés à se prononcer sur ces eaux-de-vie et « définirent » un style pour le brandy californien : plus léger que le cognac, il avait aussi des caractéristiques gustatives et aromatiques propres, qui le distinguaient nettement des produits du Vieux Monde.

Le brandy californien d'aujourd'hui, issu principalement de sultana, d'emperor et de flame tokay, reste proche de ce modèle. Toutefois, quelques petites distilleries commencent à utiliser de l'ugni blanc, de la folle blanche et du colombard pour faire du « cognac » californien. La majorité des brandies proviennent de colonnes de distillation continue, ce qui explique leur caractère léger et souple, mais certains producteurs à la recherche de notes originales intègrent dans leurs assemblages de l'eau-de-vie d'alambic à chauffe directe. En général, le brandy séjourne entre deux et douze ans dans des fûts de bourbon ou de brandy, et affiche une teneur en alcool d'au moins 40 % vol. Les brandies les plus aromatiques sont bus pour eux-mêmes, mais les plus populaires, moins typés, servent à la confection des cocktails.

Certains distillateurs, comme Korbel ♦, font passer leur eau-de-vie dans un système de solera semblable à celui que l'on emploie en Espagne pour le xérès et le brandy *(voir p. 115)*. Ce « vieillissement dynamique » (par opposition au « vieillissement statique » utilisé pour le cognac et la plupart des autres brandies) augmente sa profondeur aromatique et sa corpulence mais surtout accélère sa maturation : quatre ans de solera assouplissent le brandy autant que huit ans en fûts traditionnels.

Christian Brothers • Autrefois en tête des ventes aux États-Unis, cette marque, qui produit encore un million et demi de caisses par an, appartient maintenant au groupe britannique Grand Metropolitan. Quatre eaux-de-vie, issues de colonnes de distillation et d'alambics, servent aux assemblages. Ceux-ci passent en général deux ans en fûts de chêne blanc américain, qui confèrent au brandy des arômes pleins et fruités. Quoiqu'utilisé pour les cocktails, le Christian Brothers courant est assez riche et complexe pour être bu pour lui-même. Le XO Rare Reserve, qui contient une majorité de brandy

d'alambic et vieillit six ans, est chaleureux et tendre, avec un parfum de raisin, une bonne corpulence et une bouche persistante.

Crown Regency • Brandy moyennement puissant, produit par une coopérative de Lodi. Celle-ci commercialise aussi d'autres marques, dont Royal Host et Mission Host, contenant des additifs. Ce n'est pas le cas du Crown Regency, qui est une eau-de-vie pure, provenant d'une colonne de distillation continue des années 30. Il s'est bien comporté dans des dégustations à l'aveugle face à plusieurs cognacs prestigieux. Le XOS est un assemblage de brandies âgés de 8 à 20 ans.

E & J • Selon la légende, les frères Gallo auraient appris les rudiments de la vinification en lisant une brochure de vulgarisation à la bibliothèque municipale quand ils étaient étudiants, pendant la Prohibition. Toujours est-il que leur vin vient en tête des ventes outre-Manche et que leur brandy est leader sur le marché américain (deux millions de caisses vendues par an). Conçu pour les cocktails et élaboré à l'échelle industrielle, le E & J est pourtant un produit soigné. Issu de colonnes de distillation – qui donnent plus de souplesse et de légèreté que de richesse aromatique –, il passe trois ans en fût ; on en fait aussi vieillir une petite quantité jusqu'à douze ans dans du chêne blanc brûlé. Ni édulcoré ni aromatisé, le brandy est ensuite filtré au charbon de bois, ce qui allège encore sa structure et augmente sa souplesse.

Ci-dessus : l'entreprise vinicole Christian Brothers de la Napa Valley, fondée par des religieux français, appartient actuellement au groupe britannique Grand Metropolitan.

Germain-Robin • Hubert Germain-Robin et Ansley Coale commencèrent à distiller du « cognac californien » de façon artisanale à Mendocino, au début des années 80, grâce à un vieil alambic qu'ils avaient fait venir de Cognac. Très apprécié dès sa mise sur le marché, le Germain-Robin Reserve fut servi à la Maison-Blanche lors de la dernière visite des Gorbatchev. Les deux associés, qui ont baptisé leur entreprise Alambic, font leur brandy selon une vieille méthode cognaçaise abandonnée en France, car trop lente et onéreuse. Germain-Robin, rejeton de la famille Robin qui fait du cognac en France depuis 1782, a sans doute hérité de quelques secrets de fabrication.

La combinaison de colombard, de pinot noir et de gamay, cépages cultivés à Mendocino, donne au Germain-Robin une complexité rare, de la finesse et des arômes de raisin. Le logement dans le chêne du Limousin et la grande qualité des vins de base permet de raccourcir le vieillissement. Le VSOP a environ 6 ans d'âge ; le Rare s'est classé devant des cognacs illustres dans des dégustations à l'aveugle.

Méthode Traditionelle

JEPSON
RARE
BRANDY

A California Alambic Pot Still Brandy

DISTILLED BY JEPSON VINEYARDS, UKIAH, CA
ALCOHOL 40% BY VOLUME. (80 PROOF)

80 PROOF · 750 ML

Jepson • Rick Jones, diplômé de la faculté de viticulture de l'université Davis, et Robert Jepson, un industriel de Chicago, se sont associés pour produire ce « cognac californien » à l'aide d'un authentique appareil de distillation continue cognaçais. Le Jepson est issu exclusivement d'un vignoble planté de colombard (un des cépages du cognac), vieux de cinquante ans,

La petite société Germain-Robin produit des eaux-de-vie artisanales de très grande qualité, vieillies dans des fûts en chêne du Limousin.

Type: GRAPPA
Grape Source: RICETTI BENCH
Varietal: ZF
Year distilled: 1992
Quantity: 750 ml
ALC. VOL.: 43.7%
Date bottled: 5/18/93
GERMAIN-ROBIN
DSP CA 162
BOTTLE NO. 376

appartenant au domaine de Russian River, à Ukiah, où se trouve aussi la distillerie. L'eau-de-vie vieillit dans du chêne du Limousin, et l'assemblage comporte des brandies de six à huit ans d'âge. Jones, qui avait été fasciné par la distillerie-pilote de l'université Davis, fit un voyage d'études à Cognac avant de s'associer à Jepson. Leur société produit environ 500 caisses de brandy par an et conduit des distillations expérimentales de vins d'autres cépages, dont le chenin blanc et le chardonnay.

Le Jepson (40 % vol.) est moelleux, mûr, avec un intense parfum de raisin assorti de notes fumées et vanillées. Il a été servi au dîner d'anniversaire du Président George Bush en 1991.

***K**orbel* • Brandy à base de colombard, de chenin blanc et de flame tokay, vieilli en solera comme les xérès et brandies de Jerez *(voir p. 115)*. La solera renforce la structure et la richesse aromatique du Korbel, qui est obtenu par une colonne de distillation continue. Elle ne comporte pas moins de quinze étapes : l'eau-de-vie est transférée d'un fût à l'autre jusqu'à six fois par an. Le brandy Korbel se révèle plus riche qu'un vieillissement limité à quatre ans le laisserait supposer. Il peut être bu pour lui-même ou utilisé pour les cocktails. Les Korbel, des immigrants tchèques, produisirent leur premier brandy en 1892. L'entreprise appartient maintenant à la famille Heck, originaire d'Alsace.

***P**aul Masson* • Brandy souple et savoureux, obtenu essentiellement par distillation continue (15 % d'eau-de-vie d'alambic à chauffe directe). Issu du colombard et logé trois ans dans de petits fûts en chêne américain, il est aimable et d'abord facile. On maintient une forte humidité dans les caves de vieillissement pour faire baisser la teneur en alcool de façon naturelle, et l'on ajoute au brandy une petite quantité de sirop de sucre afin de le rendre encore plus tendre.

La famille Masson émigra aux États-Unis en 1878, quand son vignoble de Bourgogne fut dévasté par le phylloxéra. Elle y produisit du « champagne » qui remporta des prix internationaux et fut qualifié de « vin médicinal » pendant la Prohibition. Son magnifique vignoble de montagne, situé à proximité de Saratoga, est classé monument historique.

***R**MS* • Brandy d'alambic produit par la célèbre maison de cognac Rémy Martin. La distillerie, située à Calistoga (Napa Valley), fut exploitée à l'origine avec la famille Davis de Schramsberg Vineyards, qui produit un mousseux réputé. Rémy Martin en a seul le contrôle depuis 1986 et y poursuit un programme d'essais avec différents cépages. Colombard, muscat, pinot noir, chenin blanc et palomino sont distillés et logés en fûts séparément avant d'être assemblés. Le brandy vieillit encore trois ou quatre ans dans du chêne du Limousin. Le RMS est riche, aromatique et moyennement charpenté.

Grappa

La grappa, l'eau-de-vie de marc de vin qui évoque l'Italie, a beaucoup d'amateurs aux États-Unis, et pas seulement parmi les Italo-Américains. Le propriétaire du célèbre restaurant Bella Voce de San Francisco a même fait graver 1-GRAPPA sur sa plaque d'immatriculation ! À la mode sur le continent européen, la grappa a conquis l'Amérique depuis une dizaine d'années. Raffinée ou rustique, elle est produite aux États-Unis par des distilleries artisanales installées notamment en Californie et dans l'Oregon.

La distillerie Jörg Rupf utilise ces alambics allemands qui préservent les arômes de fruits pour faire de la grappa de zinfandel et du marc de gewurztraminer.

Le vignoble de Bonny Doon, abrité du vent par une forêt de conifères, se trouve près de la zone sismique des monts Santa Cruz.

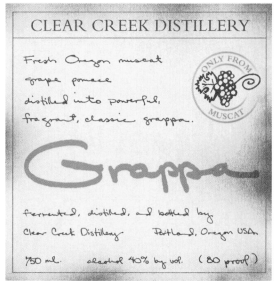

Bonny Doon • Gamme de grappas produites par Randall Grahm. Il utilise un authentique alambic italien à double enveloppe (appelé *bagnia-maria*, « bain-marie ») qui ne peut contenir que 250 l, mais qui convient admirablement à une production artisanale. Ses grappas, issues de raisin entier, ne sont pas vieillies (procédé appelé *ue* dans les dialectes d'Italie du Nord). Un séjour en fût aurait sans doute pour conséquence de les émousser.

La grappa di moscato est souple, élégante et très aromatique (le muscat donne toujours des eaux-de-vie charmantes). La Ca' del Solo Grappa di Malvasia est, elle aussi, intensément parfumée.

Clear Creek • Petite distillerie de Portland, en Oregon, qui distille du marc de vin provenant des vignobles voisins. Stephen McCarthy et ses frères se servent de petits alambics allemands à chauffe directe pour produire des grappas et des eaux-de-vie de fruits selon les méthodes pratiquées en Suisse et dans la Forêt-Noire.

Le marc provient du vignoble réputé de David Lett, l'Eryie. On l'ensemence avec un peu de levure pour obtenir une fermentation à température élevée et des arômes intenses de raisin. Ainsi, les McCarthy réalisent de véritables exploits en distillation : la saveur et le parfum du muscat ottonel, un cépage naturellement riche et épicé, se retrouvent intacts au sortir de l'alambic.

Creekside • Distillerie de la Gordon Valley, dans le comté de Solano, dirigée par Don Johnson. On y produit une grappa de cabernet-sauvignon.

St George Spirits • Jörg Rupf, né en Alsace, travaillait comme juriste au ministère de la Culture de Bavière avant d'émigrer en Californie. Il y créa une petite distillerie artisanale pour produire des eaux-de-vie dans la tradition que sa famille avait perpétuée durant des générations dans la Forêt-Noire.

126

Le raisin, récolté à maturité, est pressé, ensemencé avec des levures sélectionnées, et fermente sur lies. Les petits alambics allemands en cuivre préservent l'intensité aromatique du fruit. Le marc de gewurztraminer, hommage de Rupf à l'Alsace, est élevé dans le chêne. Il est toutefois fait de raisin entier et non de marc de vin. Comme son compagnon, le marc de traminer, il est tendre et floral. Le cépage zinfandel (peut-être d'origine italienne) est considéré par les œnophiles comme la plus importante contribution des États-Unis à l'univers du vin – et la grappa di zinfandel de Rupf est sans doute la plus belle grappa américaine ! Souple, fruitée et épicée, elle est faite avec le marc encore humide provenant des vignobles des vallées de Sonoma et Napa.

Applejack

L'applejack est une eau-de-vie de cidre. Autrefois, on exposait au froid glacial de l'hiver un récipient contenant du jus de pomme fermenté : dès que l'eau gelait, on pouvait récupérer l'alcool parfumé. Malheureusement, il contenait les principes nocifs que l'on élimine par la distillation. Confectionné par les pionniers du New Jersey et de Virginie, surnommé « foudre de Jersey », il était responsable d'une maladie dite « paralysie de la pomme ». Aujourd'hui, l'applejack est obtenu par double distillation en alambic et doit séjourner au moins deux ans en fût. Il est populaire dans le nord des États-Unis ainsi qu'en Floride, qui accueille des retraités du Nord.

Bonny Doon • Eau-de-vie de Golden Delicious, produite artisanalement par Randal Grahm, qui distille aussi la grappa Bonny Doon •. Son eau-de-vie est très parfumée, avec une saveur franche et une fin de bouche musquée.

Clear Creek • Eau-de-vie de pomme (40 % vol.) produite par la distillerie artisanale de Stephen McCarthy *(voir grappa Clear Creek)* dans l'Oregon. Son style se trouve à mi-chemin entre le calvados et l'*Apfelbrand* très fruité, distillé en Suisse et en Allemagne. Un séjour de deux ans dans le chêne du Limousin atténue quelque peu son âpreté.

CLEAR CREEK

Eau de Vie de Pomme

APPLE BRANDY BARREL-AGED
IN LIMOUSIN OAK

DISTILLED AND BOTTLED BY
CLEAR CREEK DISTILLERY PORTLAND, OREGON
ALCOHOL 40% BY VOL. (80 PROOF) 750 ML

PRODUCT OF U.S.A.

Laird • La compagnie Laird gère la plus ancienne distillerie de brandy des États-Unis, créée en 1780 par des descendants d'immigrants écossais arrivés dans le pays en 1698. Son applejack est à base de pommes entières bien mûres, récoltées dans les vergers de la Delaware Valley.

La fermentation spontanée dure un mois et a lieu dans des cuves en chêne d'une contenance d'environ 75 000 l. Le cidre est ensuite distillé deux fois dans des alambics à chauffe directe. L'eau-de-vie, dont la teneur en alcool est ramenée à 65 % vol., vieillit de quatre à huit ans dans des barriques de chêne brûlé.

Le Laird Bonded 100 % Proof (50 % vol.), qui passe jusqu'à dix ans en fût, est l'applejack haut de gamme. La compagnie produit aussi un applejack plus léger, auquel on a ajouté de l'eau-de-vie neutre.

À gauche : les pommes destinées à la distillation de l'applejack sont lavées sur tapis roulant.

Ci-dessous : la compagnie Laird tire fierté de son âge – plus de deux cents ans.

Applejack (texte vertical, marge droite)

127

BRANDY

Afrique du Sud

Un paysage spectaculaire de la province du Cap.

Les premières eaux-de-vie d'Afrique du Sud furent distillées en 1672, vingt ans après la fondation de la colonie du Cap. À base de rafle et autres résidus de pressoir, ces boissons étaient abominables – une véritable « terreur gastrique », selon le romancier sud-africain André Brink –, mais chaque char à bœufs qui se dirigeait vers l'intérieur des terres en emportait un tonneau. Comme on s'en servait pour soigner les morsures de serpent et désinfecter les plaies, leur goût passait parfois au second plan. Des noms familiers comme *witblits* (« foudre blanche » en afrikaans) et *Cape Smoke* (« fumée du Cap ») montrent bien qu'il s'agissait d'un alcool ardent ; l'expression *Kaapse smaak* ne laisse aucun doute quant à l'effrayante « saveur du Cap » ; *dop* (« brandy ») dérive d'une terme local qui désigne la rafle ou le marc de vin.

La qualité des eaux-de-vie s'améliora progressivement au XIXᵉ siècle. Vers 1890, le Français René Santhagen s'installa à Oude Molen, près de Stellenbosch, et commença à distiller du brandy dans les deux alambics cognaçais qu'il avait apportés. Ses eaux-de-vie étaient de loin meilleures que la production locale, et la législation de 1909 se fonda sur ses méthodes. Elle stipulait l'utilisation de vins sains, la distillation en alambics à chauffe directe et le vieillissement.

Le brandy est aujourd'hui la boisson nationale de l'Afrique du Sud et compte pour la moitié de la consommation globale de spiritueux. À l'ugni blanc et au colombard (cépages du cognac) s'ajoutent le chenin blanc, le cinsault et le palomino. Les principaux vignobles se trouvent à Little Karoo, Worcester, Robertson, Olifants River, Orange River, ainsi qu'autour de Paarl et de Stellenbosch. Le gouvernement a encouragé une production de qualité en accordant des avantages fiscaux aux viticulteurs qui font du vin destiné à la distillation et aux producteurs qui font vieillir leur eau-de-vie au moins trois ans en fût de chêne. On utilise aussi bien les colonnes de distillation que les alambics à chauffe directe, mais le brandy d'assemblage doit contenir au moins 30 % d'eau-de-vie ayant fait du bois et tout au plus 70 % d'eau-de-vie de distillation continue à forte teneur en alcool. La plupart de la production, destinée à la confection des cocktails, est peu aromatique. En 1991, la teneur alcoolique maximale légalement admise pour le brandy en Afrique du Sud a été ramenée de 43 % à 38 % vol., ce qui a conduit à la création de variétés plus souples.

Outre la production en gros volume des grandes marques, on voit apparaître un nombre croissant d'eaux-de-vie artisanales, dont certaines sont élaborées dans la tradition du cognac.

***B**acksberg* • Au début des années 90, ce célèbre domaine vinicole de Paarl a importé de France un alambic à chauffe directe. On a laissé vieillir l'eau-de-vie distillée par cette méthode afin de pouvoir commercialiser dès 1994 le premier « cognac » du Cap. On faisait déjà du brandy sur le domaine il y a 150 ans : le contrat d'approvisionnement en eau spécifiait que celle que l'on employait à la condensation du distillat devait être reversée dans la rivière. Le propriétaire actuel, Gerrit Lotz, se souvient que son père distillait de l'eau-de-vie

dont il tirait du brandy et qui servait aussi à l'élaboration de vins vinés.

Les vins, issus du chenin blanc, sont distillés sur lie, mais ne subissent pas de traitement à l'anhydride sulfureux. L'eau de refroidissement est glacée afin que les éléments les plus volatils soient recueillis. La séparation du cœur de la distillation, contrôlée par un ordinateur, ne présente pas de variation. L'eau-de-vie passe trois ans dans du chêne du Limousin. Lotz estime que le producteur devrait être seul maître de l'élaboration du brandy. Le créateur du premier « cognac » du domaine sud-africain aimerait que la loi autorise de nombreux autres producteurs à choisir leurs propres règles, « du débourrement à la mise en bouteilles », car c'est le seul moyen, selon lui, de « protéger à la fois le producteur et le consommateur ».

***B**arrydale Cooperative* • Coopérative du Klein Karoo spécialisée dans la fabrication de brandy : 60 % de son raisin est destiné à l'alambic. Créée en 1940, elle est aussi la seule coopérative d'Afrique du Sud qui produit aujourd'hui du mousseux selon la méthode champenoise, appelée à présent traditionnelle. L'eau-de-vie d'alambic à chauffe directe est vendue en vrac à la Distillers Corporation. Les vignobles de la Tradouw Valley bénéficient d'un microclimat favorable : les étés sont plus doux et les hivers plus froids que dans le reste de la région.

Les *voortrekkers* d'Afrique du Sud en route vers l'arrière-pays emportaient toujours du brandy. Cette boisson, un héritage transmis par leurs ancêtres hollandais, voyageait bien mieux que le vin.

La taille manuelle est une opération longue et délicate, mais elle améliore la qualité du raisin. Le colombard et l'ugni blanc sont les cépages traditionnels du brandy.

Olof Bergh • Marque lancée en 1988. Le brandy vieillit dans un système de solera semblable à celui qui est utilisé pour le brandy de Jerez, en Espagne. Il est obtenu par assemblage d'eaux-de-vie d'alambic et de colonne de distillation en continu.

Boplaas • Brandy d'alambic à chauffe directe, produit à Boplaas, dans le Klein Karoo. Il est le premier de son genre en Afrique du Sud. Carel Nel a racheté un vieil alambic Santhagen (du style cognaçais) que Gilbey's possédait à Stellenbosch et a bénéficié des conseils d'experts, notamment Buks Venter de KWV ♦ et Robert Léauté de Rémy Martin. Il n'utilise que du colombard non traité à l'anhydride sulfureux, et le vin fait sa fermentation malolactique. La distillation a commencé en 1989 ; l'eau-de-vie étant ensuite logée trois à cinq ans dans du chêne du Limousin, le premier brandy fut commercialisé en 1994. Il s'agit d'une petite production (500 caisses par an).

Si, en vigneron moderne, Nel se sert d'un ULM pour inspecter ses vignes, l'eau-de-vie est une tradition familiale : son arrière-grand-père faisait déjà du brandy à Boplaas dans les années 1860 et l'exportait à Londres.

Clos Cabrière • Vignoble cultivé sous l'autorité des von Arnim à Franschhoek, où l'on élabore également un vin mousseux selon la méthode traditionnelle. Le brandy

d'alambic du domaine, Fine de Jourdan (du nom du huguenot qui a créé le domaine en 1694), est tiré de la troisième presse de chardonnay (les deux premières servent à l'élaboration de vin), qui donne 150 l de moût par tonne de raisin. Cette presse est riche en extrait sec en suspension, et très aromatique. Achim von Arnim, qui tenait à produire son eau-de-vie selon la pure technique champenoise, s'est fait aider par la Régie sud-africaine des alcools, KWV ♦ et ses relations personnelles en Champagne. Les détails de sa méthode sont gardés secrets.

L'alambic, offert par un des actionnaires de l'entreprise, a une capacité de 400 l, qui est donc inférieure à la norme. Aussi a-t-il fallu bénéficier d'une dérogation pour obtenir la licence. Le vin n'est pas traité à l'anhydride sulfureux, et l'on évite la fermentation malolactique dans la mesure du possible. L'eau-de-vie sort de l'alambic à 70 % vol. Le brandy a séjourné jusqu'à présent trois ans en fûts de chêne, la proportion de chêne neuf étant limitée à 20 % pour éviter un boisé trop prononcé. La première distillation a eu lieu en 1990 (trois fûts de 300 l). La meilleure saison a été jusqu'ici 1994, avec une douzaine de fûts.

Fine de Jourdan • Brandy du domaine du Clos Cabrière ♦, à Franschhoek.

Fish Eagle • Marque haut de gamme d'un brandy d'alambic à chauffe directe. Il est présenté comme « naturel », c'est-à-dire sans additif ni conservateur, comme d'ailleurs d'autres brandies de la

Distillers Corporation. Pour éviter que l'arôme désagréable de l'anhydride sulfureux ne se retrouve à la sortie de l'alambic, les bons vins destinés à la distillation ne sont pas traités avec cet antioxydant. Le Fish Eagle est fait essentiellement avec de l'ugni blanc et du colombard. L'eau-de-vie est logée dans de petits fûts neufs en chêne français séché en plein air. Ce brandy pâle (sans caramel) est souple, tendre et très fruité.

KWV • Marque de brandies haut de gamme jouissant actuellement d'un grand prestige. Ils ont remporté le trophée Domecq du meilleur brandy deux années consécutives au Concours international des vins et spiritueux de Londres : le 20 ans d'âge en 1990, le 10 ans d'âge en 1991.

La coopérative vinicole KWV (*Kooperatieve Wijnbouwers Vereniging Beperkt*) fut créée en 1924 pour régir la production du vin et du brandy. Sa fonction est parfois controversée car, de par ses activités commerciales, elle est à la fois juge et partie. Le premier brandy KWV fut obtenu en 1926 par double distillation dans des alambics spécialement construits pour la coopérative et qui seraient encore en service.

La commercialisation des brandies haut de gamme ne débuta qu'en 1984, alors que la KWV en élaborait déjà dans les années 70. Les experts qui examinèrent à l'époque les réserves de brandies en train de mûrir dans les caves de la coopérative estimèrent qu'une partie assez importante du brandy de dix ans d'âge méritait de vieillir encore : ce lot devint le KWV 20 ans d'âge. Les brandies KWV sont légèrement édulcorés et additionnés de bonificateurs naturels des arômes. La teneur en alcool, qui diminue progressivement pendant le vieillissement, est ajustée avec de l'eau distillée.

Le 10 ans d'âge et le 20 ans d'âge sont riches et succulents, avec une structure homogène et opulente. Tous deux sont complexes et soyeux, mais un agréable *rancio* rend le 20 ans d'âge plus moelleux. La coopérative commercialise aussi un 5 ans d'âge (fruité, avec une nuance de caramel) et un « trois étoiles » de 3 ans d'âge.

En bas : un des nombreux bâtiments de la coopérative nationale sud-africaine KWV, fondée en 1924.

documents ou dans une boîte de pique-nique. Les cavaliers pouvaient la ranger dans leur sacoche de selle et la réutiliser comme gourde. Les brandies Mellow Wood sont élaborés par la distillerie des fermiers de Stellenbosch. Légèrement épicés, ils ont un agréable nez de pain grillé, et l'alcool est perceptible en fin de bouche. La mention « exceptionnel pour usage médicinal » portée sur l'étiquette a été remplacée en 1994 par « riche, chaleureux, tendre et toujours velouté ».

Le domaine de Mons Ruber, situé dans le Klein Karoo, près de la principale région viticole du Cap, s'étend au pied de surprenantes montagnes rouges.

Mellow Wood • Assemblages d'eau-de-vie d'alambic à chauffe directe et de colonne de distillation continue de 3 et 5 ans d'âge. L'âge se réfère aux 30 % d'eau-de-vie d'alambic vieillie en fût de chêne. Le brandy Mellow Wood, commercialisé dès 1915, fut conditionné à partir de 1939 dans une bouteille plate d'une forme originale. La nouvelle formule eut un immense succès : on pouvait glisser cette flasque dans une poche, elle ne roulait pas sur le plancher des voitures et se logeait parfaitement dans un porte-

Mons Ruber • Brandy de hanepoot (nom local du muscat d'Alexandrie). Mons Ruber, situé dans la région semi-désertique du Klein Karoo, doit son nom (« mont rouge » en latin) à la couleur surprenante des hauteurs voisines. Le domaine produit des vins et des brandies depuis les années 1850. On y a aussi élevé des autruches à l'époque où leurs plumes étaient à la mode. Lors de la visite de la famille royale d'Angleterre à Mons Ruber en 1947, on montra à la future reine Élisabeth comment il fallait arracher les plumes.

La famille Meyer faisait autrefois à Mons Ruber une eau-de-vie surnommée *witblits* (« foudre blanche ») ainsi que du brandy. La consommation de ces alcools fût incontestablement importante pendant la crise des années 30, mais ils étaient tellement durs et grossiers que leur production ne fut pas encouragée.

À la fin de cette époque, les Meyer commencèrent à distiller du brandy dans un alambic du style cognaçais chauffé au bois. On avait placé l'appareil sous trois arbres : un oranger, dont les feuilles servaient à parfumer l'eau-de-vie ; un figuier, dont les fruits arrivaient à maturité au moment de la distillation ; et un saule, qui faisait office de parasol. L'alambic se trouvait toujours installé au bord d'un canal d'irrigation dans lequel on plongeait le serpentin et près de la cave, car, faute de pompe, on transportait le vin à distiller avec des seaux. Le bois de chauffage était coupé dans les collines et amené par téléphérique.

Le brandy de hanepoot produit en 1994 par les frères Radie et Erhard Meyer est le résultat de la première distillation « orthodoxe » entreprise depuis ces temps héroïques. L'eau-de-vie vieillit à présent dans de petits fûts en chêne du Limousin. Les Meyer pensent qu'un assemblage du produit des premières saisons de distillation pourrait donner un brandy de très bonne qualité. Comme la loi exige au moins trois ans de vieillissement, ils ont encore largement le temps de concevoir une belle étiquette.

Old Château • Marque de brandy créée en 1921. La composition a été modifiée en 1989 pour inclure une proportion non précisée d'eau-de-vie d'alambic à chauffe directe vieillie cinq ans dans le chêne.

L'Old Château est souple, fruité, avec une forte teneur en alcool (43 % vol.).

Oude Meester • Gamme de brandies d'alambic produits par la principale entreprise de spiritueux du pays. L'Oude Meester VSOP a été lancé en 1948 par la Distillers Corporation comme « Liqueur Brandy », c'est-à-dire digestif. Deux ans plus tard, à Londres, il était classé meilleur brandy au Concours des vins et spiritueux de l'exposition de l'Empire britannique.

Le roi George VI d'Angleterre et la reine Élisabeth ont admiré les autruches de Mons Ruber lors de leur visite en 1947.

L'Oude Meester VSOP – qui vieillit entre cinq et huit ans dans du chêne importé de France – est toujours commercialisé à sa teneur alcoolique traditionnelle de 43 % vol. Le Souverain, mis sur le marché en 1988, ne titre que 38 % vol. ; c'est le premier brandy sud-africain de 12 ans d'âge, et tout son vieillissement s'effectue dans le même fût de 300 l. Ces deux brandies sont assez corpulents et peu aromatiques.

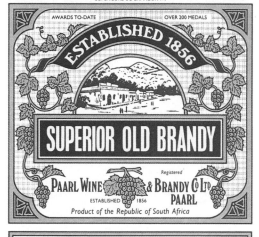

Paarl Rock • Brandy produit de façon artisanale à Paarl. La Paarl Wine & Brandy Company fut fondée en 1856 par les descendants d'une famille de réfugiés huguenots de La Rochelle, les Villiers, qui avaient débarqué au Cap en 1689. L'entreprise fit de gros efforts, comme tant d'autres à l'époque, pour produire un brandy de qualité et se lancer sur les marchés d'exportation. Cecil Rhodes, Premier ministre du Cap dans les années 1890, figura un certain temps parmi ses actionnaires. La société disposait de caves et de bureaux impressionnants dans la ville. Le Paarl Rock est subtil et un peu austère, de bonne tenue, avec une puissance contenue. L'entreprise a mis sur le marché le premier brandy sud-africain monocépage, issu du hanepoot (muscat).

Richelieu • Brandy d'alambic de style français. C'est la première marque lancée après la guerre par la Distillers Corporation. Fidèle à la « grande tradition française », selon son producteur, le Richelieu a pourtant une certaine corpulence et conviendrait pour les cocktails.

Royal Oak • Golden Liqueur (« liqueur dorée »), utilisé surtout pour la confection des cocktails. Ce brandy est discrètement aromatique, doux, tendre et fruité, avec des nuances de pain grillé.

Ryn • Les caves furent construites en 1904 avec de grosses pierres extraites de la rivière voisine, l'Eerste. Elles devaient servir de coopérative aux fermiers pendant la période difficile qui suivit la guerre des Boers. Dans la distillerie, qui a été restaurée, on organise des séminaires, des cours de dégustation, des visites de cave et même des concerts. Elle compte quatre alambics John Dore à chauffe directe et six colonnes de distillation continue hautes comme un immeuble de cinq étages. Van Ryn exploite sa propre tonnellerie. Le Rare Cabinet Brandy vieillit jusqu'à vingt ans dans le chêne. Il a des arômes francs et fruités. Sa structure est tendre et légère, son goût acéré, avec des nuances de caramel.

Viceroy • Autre brandy sous l'étiquette Van Ryn, le Viceroy Old Liqueur est assez corpulent, avec des arômes boisés et du mordant dû à l'alcool.

Australie

Le brandy australien dérive de l'eau-de-vie de vin que l'on employait autrefois pour fortifier le porto. Les immigrants des pays vinicoles d'Europe introduisirent la culture de la vigne, et la production de vin fut bientôt assez importante pour être commercialisée. Les vins vinés – ceux auxquels on ajoute de l'eau-de-vie – avaient la cote auprès des immigrés originaires d'Angleterre, de Hollande et d'autres pays du nord de l'Europe. Il fallut donc élaborer du brandy. La surproduction encouragea également la distillation, surtout après l'adoption du sultana sans pépins dans la région irriguée du bassin de la Murray.

Les distilleries se multiplièrent tout au long du XIXᵉ siècle, rendant nécessaire la révision du cadre légal : les lois promulguées en 1901 permirent d'éliminer les produits malsains et de fixer des taxes sur la production et la distribution de l'alcool. L'intérêt pour le brandy élaboré dans le pays oscilla au cours de notre siècle en fonction de la disponibilité du cognac et des autres spiritueux d'importation. Depuis les années 80, la popularité du brandy australien ne cesse de croître : il détient actuellement 75 % d'un marché national qui a doublé depuis la fin de la Deuxième Guerre mondiale.

On distille du brandy en Australie-Méridionale, dans l'État de Victoria et dans la Nouvelle-Galles du Sud. Aux cépages traditionnels doradillo et sultana se sont ajoutés récemment le pedro ximénez et le palomino (cépages du xérès), ainsi que le white hermitage (ugni blanc). La distillation se fait en alambic à chauffe directe et en colonnes à alimentation continue. Le brandy doit titrer de 74 % vol. à 83 % vol (le cognac ne peut pas dépasser 72 % vol.). Le séjour dans le chêne dure entre deux ans (minimum légal) et vingt ans. Sur les étiquettes, les mentions « Old » et « Very Old » signifient respectivement au moins 5 ans et 10 ans d'âge. Le « Blended Brandy » est un assemblage d'eaux-de-vie issues d'alambic et de colonne de distillation, et de vin. Jus de raisin et de prune, miel et autres « bonificateurs » sont autorisés.

La Barossa Valley, en Australie-Méridionale, ressemble à son homonyme espagnole. Les premiers immigrés créèrent des vignobles et ne tardèrent pas à distiller leur vin.

Brandy

Cette demeure de la Barossa Valley , avec sa belle dentelle en fer forgé, date du siècle dernier.

Black Bottle • Brandy populaire de la compagnie vinicole BRL Hardy, obtenu par une méthode originale. L'eau-de-vie est distillée deux fois, d'abord en alambic à chauffe directe puis dans une colonne à alimentation continue, ce qui permet de conserver la saveur et les arômes du fruit et confère au brandy une structure plus délicate. Arrivé d'Angleterre en 1850, Thomas Hardy fut bouvier et chercheur d'or pendant trois ans avant de créer un vignoble. En attendant que ses vignes commencent à produire, il passa quatre ans à creuser les caves où il allait loger son vin. Son premier alambic était une bouilloire Cornish surmontée d'une colonne de distillation fractionnée. L'actuel président de la société, un Hardy de la cinquième génération, a participé comme skipper à une récente America's Cup.

Le brandy haut de gamme de Hardy, entièrement distillé en alambic à chauffe directe, vieillit dans de petits fûts de chêne à McLaren Vale. L'eau-de-vie destinée au Black Bottle est logée trois ans en fûts de chêne ; une partie y reste plus longtemps avant de participer aux assemblages de brandies plus âgés. Tous les fûts nécessaires aux vins et aux brandies de Hardy sont

fabriqués dans la tonnellerie de l'entreprise, à McLaren Vale. Le VSOP d'alambic à chauffe directe est tiré de vin de doradillo. Un séjour de vingt-cinq ans dans le chêne l'assouplit et lui donne de la classe.

Château Tanunda • Brandy sec et aromatique produit par le géant vinicole Seppelt. Le Château Tanunda a toujours été une distillerie. Au début du siècle, elle était gérée par une coopérative. Lorsque Seppelt la racheta, ses caves étaient déjà pleines de vieux brandy.

Château Yaldara • Brandy très aromatique de Lyndoch, dans la Barossa Valley. Herman Thumm, émigré d'Allemagne dans les années 40, mit au point une méthode de distillation sous vide qui préserve la saveur et les arômes de l'eau-de-vie. Il racheta un ancien moulin et en fit un château aux allures médiévales.

La distillerie date de 1974. La firme, qui possède environ 45 ha de vignes, produit un brandy (3 ans d'âge) parfumé et nerveux.

Le Seven-Star XO, se caractérise par sa structure bien soyeuse. Il s'agit d'un assemblage de brandies de 20 à 50 ans d'âge.

Stock/Penfolds • Brandy souple et léger, vendu sous le nom de la société italienne Stock (*voir Italie*) et distillé selon ses spécifications par la compagnie vinicole Penfolds à Nuriootpa, en Australie-Méridionale. Il assemble des eaux-de-vie d'alambic à chauffe directe et de colonnes de distillation continue. Il est logé jusqu'à huit ans en barriques de chêne américain.

St. Agnes • Brandy d'alambic vieilli en petites barriques. Le Dr Angove quitta la région des Cornouailles dans les années 1880 pour s'installer en Australie-Méridionale. Croyant aux vertus thérapeutiques du vin, il planta de la vigne à Tea Tree Gully, près d'Adélaïde, où il pratiqua la médecine et s'intéressa aussi à la distillation. En 1910, ses fils créèrent à Renmark la première entreprise vinicole et la première distillerie du bassin de la Murray, d'où est issu le brandy St. Agnes.

Grands producteurs de vin, les Angove inventèrent en 1965 le *wine box*, le fameux récipient utilisé partout dans le monde et connu en France sous le nom de cubitainer, ou vinocube. En Australie, on se souvient encore d'un de leurs premiers vins, le Château Downunda. Leurs brandies sont des produits très soignés, élégants et bien structurés.

En haut : les deux fils du Dr Angove commencèrent à distiller dans leur entreprise vinicole installée à proximité d'Adelaïde. Leur brandy St. Agnes connut un succès immédiat.

En bas : on vendange chez les Angove depuis quatre-vingts ans. Une telle longévité témoigne de l'esprit dynamique et novateur de l'entreprise.

Portugal

Aveleda, une demeure portugaise typique du Minho, où l'on produit du *vinho verde*.

Au Portugal, le terme générique pour l'eau-de-vie de vin (y compris la très forte *beneficiaçao* qui sert à viner le porto) est *aguardente*. L'eau-de-vie de marc porte le nom de *bagaçao* ou *bagaceira*. Le brandy, élaboré en bien moindre quantité qu'en Espagne, reste un sous-produit de l'industrie vinicole. Les vins de *vinho verde*, dont l'acidité est aussi élevée que celle des vins d'ugni blanc qui servent à l'élaboration du cognac, donnent un bon brandy. Le bairrada fournit aussi une matière première de qualité pour la distillation.

L'aguardente a un caractère plus sec et moins opulent que l'*aguardiente* espagnole, mais on en tire quelques brandies corpulents qui profitent de leur séjour dans des fûts de porto. Le style dépend de la proportion relative des eaux-de-vie d'alambic et de colonne de distillation continue. On ajoute souvent des bonificateurs naturels comme les essences de noix ou de pruneau.

La bagaceira est aussi populaire que l'*aguardente*. Le plus souvent, le marc passe directement du pressoir à la distillerie, ce qui permet d'obtenir une eau-de-vie aromatique et délicieusement fraîche. Chaque coopérative en fait, mais il y a parfois de l'alcool méthylique en excès dans la *bagaceira* élaborée par des distillateurs de l'arrière-pays, trop attachés aux méthodes traditionnelles.

Antiqua • *Aguardente* épicée, nerveuse et fruitée. Elle est produite par Caves Aliança, une des plus dynamiques entreprises vinicoles de la nouvelle génération, réputée pour son *dão* rouge et ses *vinhos verdes*.

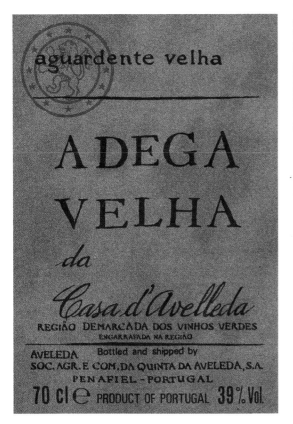

beaucoup dans la Reserva et la récente Reserva Velha, plus élégantes et distinguées. La société produit aussi une excellente et vibrante *bagaceira*.

Caves da Porça • Marque d'une coopérative de Murca, dans le Douro. Son *aguardente velha* conserve tous les parfums d'origine. Très boisée et d'une couleur intense, elle présente une structure homogène (45 % vol.).

Dans le Minho, au nord du Portugal, le raisin est souvent conduit en pergola. On en tire le *vinho verde*, un vin à l'acidité élevée qui convient à la distillation du brandy.

Aveleda • Marque leader sur le marché international du *vinho verde*. Ses *aguardente* et *bagaceira*, très aromatiques, sont issues d'alambic à chauffe directe et de colonnes de distillation continue.

Carvalho, Ribeiro & Ferreira • Cette firme, créée en 1888, possède un grand stock de vieilles (*velhas*) *aguardentes* qu'elle assemble en proportions diverses à des eaux-de-vie moins anciennes. Elle obtient ainsi d'élégants brandies de caractère, moelleux et homogènes, ainsi que des variétés plus jeunes et plus ardentes. Les eaux-de-vie sont issues d'un petit alambic couplé à une colonne de distillation fractionnée de 8 m de haut. L'*aguardente* « 1920 », bien implantée sur le marché, ne passe pas plus d'un an dans le chêne ; elle ne comporte aucun additif. Les eaux-de-vie de réserve comptent pour

Mexique

Le temple dit « des Inscriptions » de Palenque, édifié par les Mayas des siècles avant que Cortés n'encourage la culture de la vigne, est le symbole des anciennes civilisations du Mexique.

Cortés, nommé gouverneur général de la Nouvelle-Espagne en 1522, encouragea l'implantation de vignobles au Mexique : tous les navires venant d'Europe devaient apporter des plants de vigne, et chaque bénéficiaire d'un lot de terrain (accordé par *repartimiento*, « répartition ») était censé faire planter 1 000 pieds de vigne par centaine d'Indiens travaillant sur sa propriété pendant au moins cinq années consécutives. Aujourd'hui, 90 % des vins mexicains, souvent de bonne qualité, sont consacrés à la distillation. Le brandy est très populaire dans le pays, et plusieurs marques produisent des caisses par millions, dont Presidente♦, qui représente le plus gros volume de brandy au monde. Après la Deuxième Guerre mondiale, le Mexique accéda à la demande française d'interdire l'utilisation du mot *coñac*, et le terme anglo-saxon de *brandy* s'imposa sans difficulté.

Le brandy mexicain s'inspire de son homologue espagnol. Ce fut d'ailleurs le Fundador♦, produit en Espagne, qui domina le marché jusqu'à la restriction des importations. Aucune des principales marques mexicaines n'a plus de 40 ans, bien que certaines firmes existent depuis des siècles. Le rhum et la tequila, qui régnaient autrefois sur le marché mexicain des spiritueux, ont maintenant été remplacés par le brandy.

Celui-ci peut être bu pour lui-même ou employé dans la confection de cocktails.

Les principales zones viticoles se trouvent dans les régions de Sonora, Coahuila, Zacatecas et en Basse-Californie. On y cultive surtout les cépages thomson seedless (sultana sans pépins), cariñan, flame tokay, perlette, bula dulce, palomino, ruby et saint-émilion (l'ugni blanc du cognac). On distille en alambic et en colonne à alimentation continue. Pour le vieillissement, on utilise le système de la solera, comme à Jerez, en Espagne.

Almacenes Guajuardo • Distillerie. La Vinicola del Marqués Aguayo est la plus ancienne entreprise vinicole d'Amérique, créée à proximité d'une vigne sauvage découverte en 1593 à Parras. La société s'est spécialisée dans la production de brandy.

Casa Madero • Distillerie de brandy d'alambic. L'entreprise vinicole, fondée à Parras vers 1620, a été rachetée en 1870 par la famille du propriétaire actuel. Evaristo Madero rapporta d'Europe des boutures provenant des principaux pays viticoles ainsi qu'un alambic cognaçais que des spécialistes français vinrent mettre en service. Francisco Madero, le Président mexicain assassiné en 1913, était un de ses descendants.

Martel • Marque produite par la filiale mexicaine de la maison de cognac Martell. Ce brandy d'alambic à chauffe directe est issu de l'ugni blanc des grands vignobles de San Juan del Río, créés en 1965.

Don Pedro • Brandy haut de gamme, en tête du marché avec le Presidente♦ produit par la même firme. Le Don Pedro, lancé par Domecq à la fin des années 60, vend plus de trois millions de caisses par an, dont 98 % au Mexique ; au début des années 90, il enregistra la plus spectaculaire progression des ventes au monde. Presidente et Don Pedro vieillissent à Los Reyes, près de Mexico, dans des chais séparés, et sont soumis à des soleras différentes. Le Don Pedro met huit à dix ans pour traverser la sienne, d'où il émerge remarquablement tendre et moelleux. C'est un alcool à forte personnalité,

assez éloigné du modèle espagnol. Environ 30 % plus cher au détail que le Presidente, il mérite d'être bu pour lui-même.

Presidente • Marque leader sur le marché mondial. Elle appartient à Domecq, l'entreprise espagnole de xérès et de brandy, récemment rachetée par le groupe britannique Allied Distillers. Il s'en vend plus de cinq millions de caisses par an, dont 95 % au Mexique et une petite partie aux États-Unis. Dans les années 50, quand l'importation de cognac et de brandy fut interrompue, Domecq fit venir d'Europe la technologie de la distillation et s'assura une livraison régulière de vin par les viticulteurs mexicains. Le Presidente, comme le Don Pedro♦, vieillit à Los Reyes, près de Mexico, dans les plus vastes *bodegas* d'Amérique latine (elles comptent environ 400 000 fûts de chêne blanc brûlé). Le Presidente traverse, pendant six ans, une solera à trois étages. Coloré avec du caramel, il est additionné de sirop de sucre. Assez doux et corpulent, il présente un certain mordant, très apprécié dans les cocktails.

Presidente est le brandy le plus vendu dans le monde. Sa publicité le suit partout, y compris sur la plage d'Acapulco.

Arménie

L'église d'Astvatsatsin, en Arménie, date de 1215. Ici, comme dans bien d'autres pays, la distillation a une origine monastique.

Cette région montagneuse située au sud du Caucase, non loin de la mer Noire, pourrait bien être la patrie de la vigne et du vin. Si l'arche de Noé s'est échouée sur le mont Ararat après le Déluge, c'est bien là que le patriarche a dû planter sa vigne pour devenir, selon le chapitre IX de la Genèse, le premier vigneron de l'humanité. Les débuts de la distillation en Arménie se perdent, eux aussi, dans la nuit des temps. Une distillerie qui perpétue l'ancienne tradition monastique des eaux-de-vie a été construite en 1887 au pied du mont Ararat, dans la capitale de l'Arménie, Erevan.

La distillerie d'Ararat fournissait d'excellents spiritueux au tsar et à l'aristocratie. Dès le début de son activité, elle entreposa de l'eau-de-vie dans des caves creusées au flanc du mont Ararat, constituant ainsi sa « réserve d'or ». Après la révolution d'Octobre, les hauts dignitaires du parti communiste soviétique et leurs hôtes de marque puisèrent dans les meilleurs brandies d'Ararat. Winston Churchill les aurait beaucoup appréciés en 1945, à la conférence de Yalta, où ils figuraient en permanence sur la table des boissons.

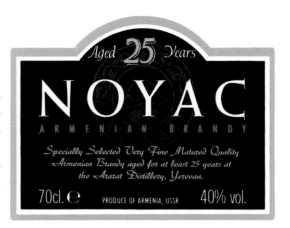

À la fin des années 80, avant la dissolution de l'Union soviétique, la distillerie s'est spécialisée dans la production de brandies pour l'exportation et cette politique commerciale est encore suivie aujourd'hui. On utilise surtout les cépages locaux – saperavi, voskeat, chilar – et la muscadine, ainsi que deux cépages de Madère, le sercial et le verdelho.

Ararat • Marque destinée à la distribution sur les marchés occidentaux. On a célébré en 1987 le centenaire de la distillerie, qui occupe le site de l'ancienne forteresse de Sardar Khan. En 1892, un spécialiste arménien, diplômé de la faculté d'œnologie de l'université de Montpellier, avait mis sur pied la production de brandy avec trois alambics charentais à chauffe directe. Neuf ans plus tard, il vendait sa première « fine champagne sélectionnée ». Pendant la Deuxième Guerre mondiale, on érigea un faux mur devant l'entrepôt afin de protéger contre d'éventuels pillards les stocks les plus précieux de la distillerie. Ils restèrent intacts et ces brandies servent aujourd'hui aux assemblages. La distillerie produit à présent différents styles de brandy avec ses douze alambics cognaçais. Elle gère sa propre tonnellerie.

Les brandies d'exportation sont disponibles en deux qualités : un « trois étoiles » et un « six étoiles » (à chaque étoile correspond une année de vieillissement).

Noyac • Gamme de vieux brandies tirant parti de la « réserve d'or » d'Ararat. Dans ces excellentes eaux-de-vie, on retrouve certains arômes des cépages locaux. Noyac signifie « source de Noé » : celle-là même qui sert à la production du brandy. Issu d'une double distillation en alambic cognaçais à chauffe directe, le brandy a séjourné jusqu'à quarante ans dans des fûts en chêne du pays, ou bien du Limousin. Vartan Ouzounian, un Arménien installé à Londres, a acquis des fûts de Noyac dont le contenu a été mis dans d'élégantes bouteilles. Avant lui, 10 % seulement de la production passaient à l'Ouest. À présent, Ouzounian réexporte le Noyac en Russie à l'intention du marché hors taxes. On le trouve aussi dans la zone Asie-Pacifique, aux États-Unis et dans certains pays d'Europe.

Ces vieux brandies ont une richesse qui rappelle celle du chocolat, et leur structure devient fastueuse avec le temps. Les variétés de 10 et 18 ans d'âge ont remporté des prix au Concours international des vins et spiritueux à Londres en 1991. Il existe aussi un Noyac de 25 ans d'âge.

La dégustation exige une grande précision et de la finesse lorsqu'il faut comparer les arômes du raisin avec ceux du brandy.

Angleterre

Si les Anglais cessèrent de distiller de l'eau-de-vie il y a plus de trois cents ans, ce ne fut pas par désaffection pour le brandy mais par obédience envers leurs souverains : Marie II Stuart et Guillaume III, qui allaient monter sur le trône en 1689, avaient désapprouvé un an auparavant la consommation de boissons fortes. Le commerce clandestin vint alors au secours des habitués – le grand-père du romancier Thomas Hardy figura parmi les contrebandiers les plus enthousiastes.

Au milieu des années 80, Bertram Bulmer, ancien responsable d'une grande cidrerie, obtint enfin l'autorisation de distiller de l'eau-de-vie de pomme dans son musée du cidre, à Hereford. Au bout de dix ans de requêtes, un châtelain et un producteur de cidre du Somerset reçurent eux aussi l'autorisation de distiller à Brympton d'Evercy House, près de Yeovil. Grâce à ces précédents, quelques autres permis de distiller ont été octroyés ces dernières années. Ainsi, l'Angleterre compte à présent plusieurs petits producteurs d'eau-de-vie de cidre, de marc et de vin.

King Offa • Eau-de-vie de cidre élaborée dans une petite distillerie rattachée au musée Bulmer du cidre à Hereford. Bertram Bulmer, ancien président du conseil d'administration de la société Bulmer's Cider, mit fin à plus de trois siècles d'interdiction lorsqu'il obtint, en 1984, une autorisation de distiller du *cider brandy* dans son musée. Les Français protestèrent contre l'utilisation abusive du mot « brandy » (consacré pour l'eau-de-vie de vin), mais Bulmer bénéficia du soutien de Margaret Thatcher, alors Premier ministre, et du ministère anglais de l'Agriculture et de la Pêche. La reine reçut en 1987 la première bouteille : ce n'était que justice, puisqu'elle avait offert à Bulmer un chêne du parc du château de Windsor pour qu'il en tire des fûts de vieillissement. Aujourd'hui, on utilise surtout des fûts de bourbon dont les fonds ont été remplacés par du chêne de Hereford. Nick Bulmer, qui a pris le relais de son père, a installé quantité d'appareils assurant le fonctionnement autonome de l'alambic à chauffe directe pendant de longues périodes. Le petit alambic peut produire quelque 200 l d'eau-de-vie par jour. Les bouteilles étaient toutes millésimées il n'y a pas longtemps, mais les nombreuses années de distillation permettent maintenant de réaliser des assemblages. Le King Offa est corpulent et aromatique, avec de nettes nuances musquées.

Lamberhurst • Eau-de-vie de vin. Quand l'entreprise vinicole Lamberhurst, installée dans le Kent, annonça en 1990 la mise en vente d'un petit lot du premier brandy de vin distillé en Angleterre depuis plus de trois siècles, une queue s'était déjà formée à 6 heures du matin devant la porte du dépôt, et le stock fut épuisé en moins d'une heure. La société Lamberhurst avait acheté du vin pour produire ce brandy, mais elle envoya l'année suivante 15 000 l de son propre millésime 1990 à la distillerie de Julian Temperley, dans le Somerset. La distillation se fait encore à l'extérieur, en attendant que Lamberhurst puisse installer l'alambic pour lequel elle vient de recevoir une licence.

Le Lamberhurst (3 ans d'âge) est franc, frais et agréablement tendre. Le maître de chai Stephen Donnelly poursuit ses recherches pour déterminer le meilleur chêne et la durée optimale de vieillissement.

Somerset Royal • Eau-de-vie de pomme. Le producteur de cidre Julian Temperley fait son eau-de-vie de pomme dans une vieille crèmerie située à côté d'une voie de chemin de fer désaffectée, quelque part dans le Somerset. Il exploite deux alambics du Calvados, baptisés Joséphine et Fifi à cause de leurs caractères féminins très marqués... mais dissemblables. Temperley commença à distiller à Brympton d'Evercy puis finança sa propre installation en faisant appel à des souscripteurs (des clients qui acceptaient de payer en primeur l'eau-de-vie qui serait mise plus tard à leur disposition). Le premier millésime fut ainsi entièrement vendu d'avance. Le Somerset Royal bénéficia par ailleurs d'une grande publicité lorsqu'une expédition anglaise en Antarctique en emporta une bouteille pour fêter le nouvel an 1992 au pôle Sud. Temperley s'est approprié peu à peu l'art de la distillation et a mené

des recherches pour trouver le bois idéal pour les fûts de vieillissement. Il distille aussi à façon de l'eau-de-vie de vin.

Pour l'instant, le Somerset Royal « standard », riche, vif et aromatique, est encore jeune (3 ans d'âge). La maison commercialisera bientôt un 5 ans d'âge et prévoit déjà un 10 ans d'âge pour l'an 2000.

Wootton • Eau-de-vie de vin. Colin Gillespie, un vigneron plusieurs fois primé du Somerset, a créé son vignoble en 1971, quand il n'y en avait encore qu'une vingtaine dans le pays. En 1992, il fit distiller une partie de ses vins blancs de müller-thurgau et de seyval. Gillespie, qui envisageait de faire vieillir son brandy dans le chêne, s'était renseigné auprès de son ami Bernard Hine (*voir cognac Hine*) sur le choix du bois. Mais il trouva son eau-de-vie si délicieusement fraîche, fruitée et souple qu'il renonça à la loger en fût et la mit en bouteilles. Elle était absolument unique en son genre en Grande-Bretagne et fut probablement la première distillée dans le pays depuis des siècles.

Page précédente : les vignobles de Wootton s'étendent sur les pentes des Mendips.

En haut : Colin Gillespie, un des pionniers de l'eau-de-vie anglaise.

Ci-contre : le produit des vignobles de Lamberhurst, dans le Kent, sera bientôt distillé par la maison.

Israël

Au bord de la mer de Galilée, on a adopté le palissage métallique pour que les vignes profitent d'un bon ensoleillement.

La production de vin et d'eau-de-vie en Israël remonte à 1882, quand le baron Edmond de Rothschild créa la société Carmel. En 1906, l'entreprise fut confiée aux viticulteurs et devint une coopérative, statut qu'elle a conservé jusqu'à ce jour. Deux futurs Premiers ministres de l'État d'Israël, notamment David Ben Gourion, en 1907, avaient travaillé autrefois dans ses vignobles.

Il y a un siècle, les Rothschild avaient fait venir de France des experts pour organiser de façon rationnelle la culture de la vigne, l'élaboration du vin et sa distillation. Et l'influence française est encore perceptible dans la production. Les méthodes cognaçaises suivies en Israël ont été adoptées dans de nombreux pays. Le colombard est largement cultivé pour les vins destinés à la distillation. Celle-ci est menée en alambic à chauffe directe et en colonnes à alimentation continue, puis l'eau-de-vie vieillit dans des fûts en chêne du Limousin.

Askalon • Firme qui détient la marque de brandy Grand 41. En 1787, J. Hirsch Segal créa une distillerie dans la ville russe de Bobroisk. Deux de ses descendants émigrèrent en 1925 en Palestine et construisirent une distillerie dans le quartier Sarona (à présent Hakirya) de Tel-Aviv. La société Askalon est maintenant dirigée par les sixième et septième générations de la famille Segal.

Le Grand 41, aimable et aromatique, est distillé dans un alambic semblable à ceux qui sont employés pour l'armagnac. Il séjourne quatre ans dans du chêne français.

Carmel • Marque d'une grande coopérative vinicole – la plus ancienne du pays – qui distille aussi de l'eau-de-vie. Ses produits, de très bonne qualité, sont aujourd'hui exportés dans une quarantaine de pays. Les brandies Carmel ont remporté récemment de hautes distinctions au Concours international des vins et spiritueux de Londres. Les vins destinés à la distillation de ces brandies viennent de tout le pays, mais la distillerie et les caves centenaires sont situées à Richon-le-Zion.

Le Richon (6 ans d'âge) est riche et très aromatique ; le Brandy 100 (9 ans d'âge), souple et équilibré, met en avant son fruité ; l'excellent Carmel de 15 ans d'âge est mûr et élégant.

Stock 84 • Brandy léger d'apéritif produit par la distillerie Barkan selon les spécifications de la société italienne Stock (*voir Italie*). Le style des brandies distillés partout dans le monde sous licence Stock est standardisé. Ces alcools sont invariablement souples, mais avec une certaine vivacité. La marque est bien implantée sur le marché israélien.

146

Brandy
d'autres régions du monde

Brésil

Macieira • Brandy brésilien de la compagnie Seagram. Dérivé du style portugais, le « cinq étoiles » est une pure eau-de-vie de raisin ayant fait un peu de fût ; le « trois étoiles » est un assemblage de diverses eaux-de-vie, notamment de raisin et de gingembre. Bien que de nombreux Brésiliens s'en tiennent à la *cachaça* (eau-de-vie de canne à sucre), la popularité du brandy ne cesse de croître dans ce pays.

Chypre

À Chypre, l'art de la vinification remonte à l'Antiquité, mais la technique de la distillation est un acquis relativement récent. La société Haggipavlu fut la première à faire de l'eau-de-vie sur l'île en 1868, avec un alambic cognaçais importé de France.

Le *koniak* devint si populaire que Haggipavlu réserva la quasi-totalité de la production de vin à la distillation.

À Chypre, on utilise depuis des siècles des paniers en osier pour le transport de la vendange.

Le brandy fait maintenant partie de la culture chypriote – les variétés légères sont souvent servies au cours du repas à la place du vin. Le brandy chypriote, issu de distillation à forte teneur alcoolique, est souple et léger ; aussi y ajoute-t-on souvent des essences de fruits et de noix pour le parfumer.

Anglias • Marque de la société Haggipavlu, qui produit une gamme étendue de spiritueux et de liqueurs. Dans les années 30, cette firme exportait un brandy spécial au Royaume-Uni, qui fut aussi commercialisé dans l'île quand les Chypriotes commencèrent à réclamer l'*Anglias brandy* (le « brandy anglais »).

En 1894, Christodoulis Haggipavlu avait commencé à produire à Limassol du vin destiné au Moyen-Orient. Haggipavlu eut l'honneur de partager avec le cognac Bisquit Napoléon le grand prix du meilleur brandy à l'Exposition internationale de Londres en 1914. Le premier alambic à chauffe directe, qui date de 1868, est exposé à la distillerie. Les brandies de Haggipavlu sont souples et fruités. L'Anglias est le plus vendu à Chypre. La gamme, qui inclut un 15 ans d'âge, l'Alexander, s'étend jusqu'à la qualité XO.

République tchèque

Slovignac • Brandy qui fut lancé avant la Deuxième Guerre mondiale par les frères Tauber à Prague. Baptisé Slovignac en 1955, il appartient à la société Selico d'Olomouc. Le brandy proprement dit est logé dans le chêne pour une durée non spécifiée. Le Slovignac, tendre, rond et fruité, a obtenu de nombreuses distinctions dans le pays et lors des concours organisés en Europe de l'Est. Il est proposé en deux qualités : « trois étoiles » (assemblage à parts égales d'eau-de-vie de vin et d'alcool neutre), et « deux étoiles » (plus doux, composé d'un quart d'eau-de-vie de vin et de trois quarts d'alcool neutre). Les deux brandies ont une teneur alcoolique de 40 % vol. Ils sont additionnés de rhum d'importation et d'autres bonificateurs naturels.

Grèce

Metaxa • Brandy parfumé avec du vin de muscat. Certains lui refusent l'appellation de brandy, vu l'ajout de ce vin aromatique. Pourtant, il est issu d'une double distillation en alambic à chauffe directe et vieilli en fût de chêne, comme le sont ailleurs des brandies parfaitement respectables, faits dans les règles et aussi ouvertement bonifiés. Il se vend plus d'un million de caisses de Metaxa chaque année.

Idoniko Tsipouro • Eau-de-vie jeune du domaine Kostas Lazarides situé à Adriani Drama, en Macédoine grecque, où l'on cultive des cépages d'origine française.

L'Idoniko Tsipouro, distillé dans un appareil allemand à alimentation continue, ne fait pas de bois. Vif et fruité, il est issu du raisin (cabernet, merlot, sauvignon, sémillon) récolté sur les 35 ha du domaine. Il existe aussi une version parfumée à l'extrait d'anis.

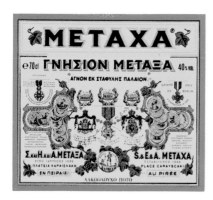

Pologne

Polmos Winiak Luksusowy • Ce brandy (*winiak* signifie « cognac » ou « brandy » en polonais) est fait d'eau-de-vie de vin mûrie d'importation à laquelle on ajoute de l'alcool neutre.

Un peu de vin du style xérès est ajouté pour renforcer les arômes. Le mélange repose plusieurs années pour s'homogénéiser avant embouteillage. Ce brandy (43 % vol.) tendre a un nez franc et une bouche agréable.

Slovaquie

Martignac • Eau-de-vie de vin et alcool neutre, auxquels on ajoute des bonificateurs. Le Martignac est produit par la société St Nicolaus♦, installée à Liptovsky Mikulas.

St Nicolaus • Brandy de la société St Nicolaus, installée à Liptovsky Mikulas, en Slovaquie. Cette eau-de-vie vieillie dans le bois porte le nom de la ville qui fut une cité royale en 1268.

La famille Starky créa une distillerie en 1868, puis diversifia ses activités au point de fournir de l'électricité à Liptovsky Mikulas et aux villages voisins. Elle fut entreprise d'État jusqu'en 1992. Elle fabrique une gamme étendue de boissons alcooliques et de produits alimentaires, et distribue aussi le Coca-Cola.

Taïwan

Fortune • Brandy à base de vins locaux. L'eau-de-vie, obtenue par double distillation en alambic à chauffe directe, vieillit au moins cinq ans. 41 % vol.

Tea Brandy • Brandy doux et léger. Il offre une palette originale d'arômes grâce à l'infusion du thé Wu Lung, d'excellente qualité, dans de l'eau-de-vie d'origine taïwanaise. 25 % vol.

Vodka

Eau-de-vie traditionnelle de Pologne et de Russie, la vodka est également répandue en Scandinavie, dans les pays baltes et dans les Balkans. Elle est obtenue par distillation de céréales, de pommes de terre ou d'autres végétaux fermentés. La vodka produite en alambic possède des arômes et des saveurs séduisants, qu'elle doit à la matière première. La variété issue de colonne à alimentation continue est généralement un alcool neutre, dénué de caractère.

C'est ce dernier type de vodka que l'on obtient par les techniques modernes de production et qui est largement commercialisé. Distillée à très forte teneur alcoolique, ce qui la prive d'arômes, l'eau-de-vie est diluée avant embouteillage. La plupart des consommateurs, sous l'influence du marché, pensent maintenant que la vodka doit être neutre, et qu'il faut y ajouter les saveurs et les arômes désirés. Seulement, si elle était commercialisée sous le nom d'« alcool neutre » – ce qu'elle est en réalité –, et non sous celui de « vodka », elle perdrait tout son charme ! La vodka industrielle contient environ 30 mg de principes aromatiques par litre, alors que le cognac ou le bon whisky en comptent jusqu'à 2 600 mg.

Cette vodka « internationale » n'a pas de racines. Malgré la couleur locale suggérée par l'étiquette, elle n'est spécifique ni à la Pologne ni à la Russie, et ne suit en fait aucune tradition. La vodka la plus vendue au monde, Smirnoff – du nom de l'ancien fournisseur du tsar –, fut d'abord commercialisée à l'Ouest comme « whiskey blanc ». Ce n'est que récemment que la maison Smirnoff a mis en vente la première vodka qu'elle ait produite en Russie depuis la révolution d'Octobre.

Les Polonais proposent sous le nom de « pure eau-de-vie polonaise » (96 % vol.) un produit qu'ils tiennent pour absolument différent de leur large gamme de vodkas. Il s'agit d'une eau-de-vie neutre.

Les eaux-de-vie à très forte teneur en alcool de Pologne et de Russie sont liées au froid extrême qui y règne souvent en hiver : elles seules pouvaient être transportées autrefois sans risquer de geler. On les diluait juste avant la mise en bouteilles pour la vente au détail ou lorsqu'on les utilisait pour la confection des liqueurs.

Dans ces pays, on produit toujours des vodkas traditionnelles qui, comme le cognac et le whisky de malt, sont distillées en alambic. Ces vodkas ont une saveur particulière et une fin de bouche franche. En général pures et transparentes, elles sont parfois additionnées de produits aromatiques naturels (herbes, baies, épices, miel, jus ou essence de fruits). Certaines sont subtiles, d'autres ont des arômes très marqués, souvenir de l'époque lointaine où il fallait masquer les odeurs désagréables dues à une distillation imparfaite.

Les céréales, notamment le seigle, constituent la matière première traditionnelle de la vodka. On commença à les distiller au XVᵉ siècle, marqué en Russie par une surproduction céréalière. La saveur du seigle, qui se retrouvait dans l'eau-de-vie, était particulièrement appréciée. De nos jours, la fabrication de la vodka à partir du seigle indique la recherche d'une certaine qualité. De nombreuses vodkas de grain, et de seigle en particulier, sont distillées en alambic à chauffe directe.

À défaut de céréales, les pommes de terre font figure de pis-aller, notamment en Russie. Pourtant, des variétés adaptées au sol et au climat et dont on extrait une excellente eau-de-vie ont été sélectionnées. On leur a longtemps préféré la betterave ; aujourd'hui, on emploie surtout la mélasse, résidu de la fabrication du sucre, pour la vodka industrielle.

Les céréales broyées doivent être chauffées pour extraire le sucre fermentescible de l'amidon, alors que la mélasse est déjà riche en sucre.

Page de gauche : les champs de seigle se dorent au soleil en Mazurie, une région du nord-est de la Pologne.

Ci-dessous : la vodka a longtemps été faite avec des pommes de terre. De nos jours, on a sélectionné des variétés qui donnent une excellente eau-de-vie.

Le mélange de la base avec de l'eau chaude donne un liquide sucré. Ensemencé avec de la levure, celui-ci fermente et donne une sorte de bière à faible teneur en alcool. Celle-ci est distillée deux fois en alambic à chauffe directe pour obtenir une eau-de-vie titrant environ 60 % vol. qui conserve certaines caractéristiques aromatiques. Autrefois, une troisième distillation, voire une quatrième, étaient nécessaires pour aboutir à une eau-de-vie plus forte et plus pure. Aujourd'hui, on produit une eau-de-vie forte en alcool grâce à la colonne de distillation à alimentation continue, qui permet de maîtriser avec précision la teneur alcoolique. Le distillat est purifié davantage par filtrage à travers du charbon de bois, puis ramené par dilution à la teneur alcoolique désirée (37,5 % minimum dans l'Union européenne).

Le costume traditionnel russe est à l'honneur lors des fêtes de fin d'année. Les spectateurs se réchaufferont avec quelques verres de vodka.

Avant que la science de la distillation ne se répande en Europe, le seul moyen d'obtenir un alcool plus fort que la bière ou le vin était la congélation. Dans la Pologne du VIIIe siècle, on savait que l'eau contenue dans ces boissons gelait, alors que l'alcool restait liquide. Certains ont prétendu que l'on buvait déjà de la vodka à l'aube du XIVe siècle au fort de Viataka, en Russie, mais cela semble peu vraisemblable.

La vodka est-elle née en Pologne ou en Russie ? Pour répondre à cette question, il faudrait connaître avec certitude la voie suivie par l'art de la distillation pour parvenir en Europe. Était-ce celle de l'ouest, à partir de l'Afrique du Nord, ou celle du sud, à partir de la Perse ? La seconde semble plus probable, car on croit savoir que l'on faisait de l'eau-de-vie en Perse au XIe siècle.

Quoi qu'il en soit, l'Europe orientale commença à distiller au XVe siècle. Dans certaines régions, les gouvernements, les seigneurs féodaux ou les monastères détenaient le monopole de la distillation, mais la production et le commerce de la vodka étaient le plus souvent autorisés, sous réserve du paiement de taxes.

Au début, on pratiqua la distillation unique d'une bière légère, dont on tirait une boisson qui ne titrait pas plus de 16 % vol. Puis se répandit l'idée de la redistiller, une ou plusieurs fois, pour obtenir une eau-de-vie plus forte et plus pure.

Le filtrage permit ensuite d'éliminer les impuretés du distillat. Les premiers filtres étaient faits avec du feutre et du sable, selon l'antique méthode romaine. Au XVIIIe siècle, on découvrit les vertus du charbon de bois, et l'on obtint ainsi des eaux-de-vie aussi réussies que celles d'aujourd'hui.

En Pologne et en Russie, les vodkas étaient parfumées avec diverses substances d'origine végétale : miel, poivre, zeste de citron et d'orange, baies de sorbier, noix, menthe et autres herbes odorantes. La Neshinskaya Riabina, à base de baies de frêne, produite par la première génération des Smirnov, fut une des vodkas les plus populaires au XIXe siècle. Les Starka et Zubrówka, originaires de la Russie d'alors, qui englobait la Pologne, diffèrent maintenant selon qu'elles sont produites en Russie ou en Pologne.

Le marché international de la vodka s'est enrichi récemment avec des variétés produites en Suède et en Finlande. Largement diffusées, elles tendent à renforcer la tradition, car on encourage les consommateurs à faire infuser des matières aromatiques dans leur vodka plutôt que de l'utiliser comme support neutre pour les cocktails.

Russie

Selon la légende, Vladimir Ier, grand-prince de Kiev, aurait reçu le baptême et imposé le rite byzantin à son peuple vers 988, après avoir appris que l'islam interdisait la consommation d'alcool, alors que le christianisme l'utilisait au cours des offices religieux.

Jusqu'au XIVe siècle, l'hydromel fut la boisson la plus alcoolisée de Russie. Grâce à des contacts avec des commerçants étrangers et des monastères, on commença alors à y produire de l'eau-de-vie. La vodka, en tant que type de boisson alcoolique, est plus ancienne que son nom. Parmi ses aïeules, elle compte la *perevara* (boisson à base d'hydromel et de bière), puis la *korchma* (eau-de-vie à base de vin).

Le seigle fut très tôt employé pour fabriquer de la vodka, dont la première exportation – vers la Suède – date de 1505. Dans les années 1540, Ivan le Terrible institua le premier monopole russe de la vodka. Distillée dans les alambics du tsar, elle était vendue exclusivement dans ses cabarets que l'on appelait *kabaki*. Quelques autorisations étaient toutefois accordées aux nobles. Au lieu d'enrichir le Trésor du souverain, ces mesures eurent le même effet que les dispositions restrictives et les mesures de prohibition prises ailleurs dans le monde : elles ne firent qu'encourager la distillation illicite.

Au XVIIe siècle, on servait de la vodka aux banquets impériaux et l'on en buvait dans les églises lors des cérémonies religieuses. La science de la distillation ayant évolué, on procéda à de quintuples distillations expérimentales dans un laboratoire installé dans le palais du tsar. Aux XVIe et XVIIe siècles, en Russie comme en Pologne, le terme de « vodka » s'appliqua aux potions avant de désigner les eaux-de-vie colorées et aromatisées, puis, dans la seconde moitié du XIXe siècle, la vodka transparente.

Pierre le Grand, grand amateur de vodka, en emportait toujours une grande quantité lors de ses voyages à l'étranger. Pourtant, pendant son séjour à

Ci-dessus : seuls les Moscovites aisés, comme ceux que l'on voit sur cette gravure de 1816, pouvaient s'offrir de la vodka de bonne qualité.

Page précédente : les fontaines du palais d'Été à Saint-Pétersbourg.

À droite : l'aigle à deux têtes figurait sur les armoiries de la Russie tsariste depuis 1472.

Versailles en 1717, il épuisa sa réserve et dut se contenter de vin et de cognac. Malgré la finesse de ces alcools, le tsar souffrait d'être privé de sa boisson favorite. Quand il en fut à sa dernière bouteille, il écrivit même à la tsarine pour lui confier qu'il se sentait perdu devant la perspective d'un régime « sec ». On ne s'étonnera donc pas qu'il eût œuvré pour l'amélioration de la vodka : il aurait même inventé un nouveau type d'alambic.

Au XVIIIᵉ siècle, la production était entièrement contrôlée par quelques privilégiés. La vodka russe atteignait souvent une qualité extraordinaire, car les propriétaires terriens utilisaient les meilleures céréales et disposaient, grâce au servage, d'une main-d'œuvre abondante et gratuite. On aromatisait alors l'eau-de-vie avec toutes sortes de matières végétales, des glands à la barbe-de-capucin et du raifort à la menthe. En 1780, le tsar chargea un chimiste, Théodore Lowitz, d'inventer un moyen de mieux purifier la vodka, et celui-ci mit alors au point le filtrage sur charbon de bois.

Bien qu'attachés aux traditions tissées autour de leur boisson nationale, les Russes adoptaient volontiers du matériel étranger convenant à la production de la vodka. Ainsi, au XVIIᵉ siècle, ils importèrent de Pologne, d'Allemagne et de Suède des alambics à chauffe directe en cuivre ; des colonnes de distillation à alimentation continue en provenance d'Angleterre firent leur apparition deux siècles plus tard. Peu à peu, l'équipement fut adapté afin de servir à une distillation très lente de bouillies riches et bien épaisses. La vodka de seigle de grande qualité était réservée aux classes aisées et à l'exportation ; le peuple devait se contenter de vodka de

betterave ou de pomme de terre mal distillée, et vendue le plus souvent en vrac (l'unité de mesure officielle à l'époque était le seau).

La mauvaise qualité de cette boisson populaire était due à son manque de purification. Elle ne pouvait rivaliser avec la vodka de seigle traditionnelle, très estimée à l'étranger et largement employée par les producteurs de malaga et de xérès pour fortifier leurs vins.

Au tournant du siècle, l'État finança de nombreuses recherches destinées à déterminer les meilleures méthodes de production et la teneur en alcool optimale pour la vodka. Une loi de 1902 prescrivait pour la vodka moscovite, véritable étalon de la production nationale, une richesse alcoolique de 40 % vol. après dilution. Selon Pokhlebkin, de l'Académie des sciences de Moscou, la vodka moscovite classique est faite avec du seigle ; transparente, sans additifs, elle est coupée avec de l'eau « vivante » (non distillée) pour atteindre une teneur en alcool de 40 % vol.

La vodka russe accompagne bien les zakouski : œufs de saumon salés, hareng, saumon et autres poissons fumés, cornichons aigres-doux, blinis et crème aigre, *pelmeni* (beignets de viande épicée), chou en saumure avec oignons et poivre noir, etc.

Toutes les distilleries appartiennent encore à l'État. Les plus grandes et les plus fameuses se trouvent à Moscou (entre autres, la distillerie Kristall, de plus en plus connue hors de Russie), Saint-Pétersbourg, Samara, Irkoutsk, Kaliningrad, Kalouga et Koursk. Elles sont toutes actionnaires de l'agence d'exportation russe Soïouzplodoimport, qui possède de nombreuses marques de vodka. L'étiquette comprend des indices précieux sur la provenance ou la nature de l'eau-de-vie : Moskovskaya est une marque ; *osobaya*, qui signifie « spéciale », indique une qualité supérieure, destinée à l'exportation. La Moskovskaya locale peut être médiocre. Les « marques » présentées ci-après sont en fait des adjectifs dérivés de termes indiquant la teneur alcoolique (*krepkaya*, « forte »), l'arôme (*pertsovka*, « au poivre ») ou l'origine (*Moskovskaya*, « de Moscou »).

La splendide cathédrale de l'Assomption de Zagorsk, non loin de Moscou, fut édifiée au XVIe siècle. Les origines de la vodka russe remontent à cette époque.

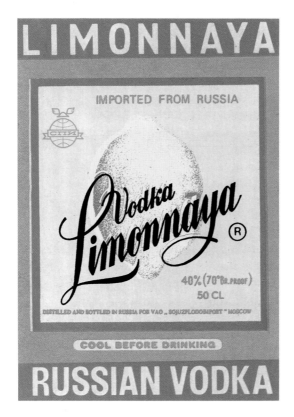

Krepkaya • Vodka de grain, forte et transparente, très appréciée par les amateurs de cocktails corsés et par ceux qui boivent la vodka pour le coup de fouet que donne l'alcool. *Krepkaya*, « forte » en russe, dit bien son nom : 56 % vol.

Kubanskaya • Vodka de grain parfumée avec des infusions de citron séché et de zeste d'orange. Les Cosaques du Kouban, en Russie méridionale, faisaient cette vodka selon leur recette, très différente de celle que l'on utilise à Moscou. La Kubanskaya a de bons arômes et une saveur légèrement amère (40 % vol.).

Limonnaya • Vodka distillée avec une infusion de zeste de citron (*limon* signifie « citron » en russe). Un peu de sucre est ajouté avant la mise en bouteilles. Arôme onctueux et alcool perceptible en bouche. 40 % vol.

Moskovskaya • Vodka de seigle classique, sans additifs aromatiques. La variété *osobaya* (« spéciale » en russe), destinée à l'exportation, est sans reproche. Il existe aussi une version de prestige, appelée Cristall, que l'on trouve dans les magasins hors taxes et les boutiques de produits de luxe. À base de seigle et de malt de seigle, la Moskovskaya est chaleureuse, avec un arôme crémeux et une saveur légèrement herbacée. 40 % vol.

Okhotnichya • « Vodka du chasseur » traditionnelle, que l'on peut rapprocher du gin. Gingembre, racines de tormentille (riches en tanin), clous de girofle, poivre noir, piment rouge, baies de genièvre, zestes de citron et d'orange, grains de café et graines d'anis macèrent dans une eau-de-vie qui est ensuite redistillée. La vodka de grain est enrichie avec un peu de cette infusion, du sucre et du vin blanc rappelant le porto (qui compte pour 20 % du volume).

Pertsovka • On dit que Pierre le Grand aimait saupoudrer sa vodka de poivre noir finement moulu et que ses contemporains l'imitaient volontiers. La Pertsovka serait l'héritière de cette tradition, seulement poivre noir, piment rouge et cubèbe macèrent dans la vodka avant sa

mise en bouteilles. De couleur jaune-brun tirant sur le rouge, la Pertsovka est une boisson assez épicée. Par ailleurs, ses légers arômes vanillés constituent une heureuse surprise.

La Pertsovka, qui n'a pas une teneur alcoolique très forte (35 % vol.), convient bien au Bloody Mary (mélange de jus de tomate et de vodka).

*P*osolskaya • Vodka portant le nom d'« ambassadrice », proche des variétés moscovites classiques. Relativement récente, elle mérite attention.

*P*shenichnaya • Vodka de bonne qualité, faite exclusivement d'eau-de-vie de froment. La Pshenichnaya a une teneur en alcool de 40 % vol.

*R*usskaya • Vodka transparente, bon marché, additionnée d'un peu de cannelle. Mise sur le marché dans les années 70, elle est faite d'eau-de-vie de pomme de terre et diluée à 40 % vol. avec de l'eau distillée.

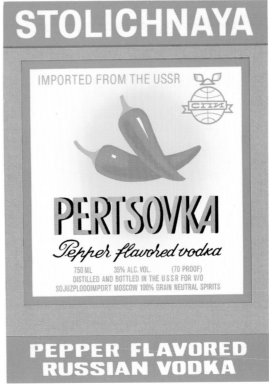

Ci-dessus : le palais d'Été fut construit à Saint-Pétersbourg pour Pierre le Grand, grand amateur de vodka.

dans la Klyazma. Zolotoe Koltso (« anneau d'or ») est le nom d'une région fameuse pour l'architecture de ses églises.

Zubrovka • Équivalent russe de la Zubrówka ♦ polonaise. Cette vodka est aromatisée avec de l'herbe de bison, abondante dans la région forestière qui s'étend de part et d'autre de la frontière entre les deux pays.

La version russe a une teinte jaune-vert, et la bouteille ne contient pas de brin d'herbe comme la polonaise. La Zubrovka (40 % vol.) a un nez de caramel, une bouche soyeuse et un parfum vineux.

Starka • Vodka dont le nom signifie « vieille ». Aromatique, elle est de couleur brun clair. Une infusion de feuilles de pommier de Crimée et de poirier dans de l'eau-de-vie est redistillée, puis additionnée d'eau-de-vie de raisin et de vin du type porto. Il en résulte une boisson légère et agréablement fruitée.

Stolichnaya • Vodka « de la capitale » qui, comme la Moskovskaya ♦, est une authentique vodka russe de haut de gamme. L'addition d'un peu de sirop de sucre lui donne un caractère velouté. Soumise à un triple filtrage au charbon de bouleau blanc, la Stolichnaya est chaleureuse, avec un nez balsamique mais un parfum ténu. Elle est agréablement maltée, avec des nuances de pain grillé et une note sucrée. 43 % vol.

Stolovays • Vodka de grain transparente, dont la richesse alcoolique est supérieure à la moyenne (50 % vol.).

Zolotoe Koltso • Vodka moins connue, proche du style moscovite classique. Elle est diluée avec de l'eau pompée

Pologne

Les Polonais et les Russes se disputent depuis toujours la paternité de la vodka. Les premières références écrites à sa production en Pologne datent du XVᵉ siècle, mais de nombreux auteurs prétendent que les Polonais en buvaient déjà au moins un siècle plus tôt.

En 1546, le roi Jan Olbracht octroya le droit de produire et de vendre des boissons alcooliques à tous ses sujets. Cependant, une vingtaine d'années plus tard, des impôts frappèrent la distillation de la vodka, sa vente, ainsi que le commerce d'alambics et de cuves. Un véritable « lobby » de la noblesse se constitua alors et réussit à obtenir en 1572 le privilège exclusif de la fabrication des spiritueux, ainsi que le droit de contraindre les paysans à les consommer dans le cabaret du seigneur local. La production et le commerce de la vodka devinrent ainsi une importante source de revenus pour les propriétaires terriens et pour l'État.

Au début, on distillait des céréales, avec une préférence pour le seigle, mais aussi des tubercules et des fruits, sans se préoccuper de l'origine du produit. Toute eau-de-vie était appelée *okowita* (« aqua vitae »), *gorzalka*, *gorzale wino* (« vin brûlé », c'est-à-dire *brandy*) ou, en latin, *vinum crematum*, pour la distinguer des distillats médicinaux. Un traité médical de 1534 décrivait une lotion après-rasage comme une « vodka pour laver le menton après qu'on l'a rasé ». Les vodkas médicinales, mélangées avec des infusions d'herbes, avaient une faible teneur en alcool. On en prenait une cuillerée ou deux, ou bien on en massait les articulations ankylosées. Avec le temps, le terme de « vodka » finit par ne désigner que les eaux-de-vie destinées à être bues.

Autour de 1550, on élaborait déjà de la vodka à Cracovie, mais Poznan devint rapidement un grand centre de production – 49 alambics en 1580 – qui diffusait à Wroclaw et plus loin encore. La vodka faisait office de monnaie d'échange : les artisans de Poznan payaient les marchandises venant d'autres villes en expédiant à leurs créditeurs de la vodka d'une valeur équivalente.

159

Toute la société polonaise buvait de la vodka. Les nobles se déplaçaient avec une caissette en contenant quelques flacons. En hiver, les chasseurs aimaient à la rafraîchir dans la neige, à deux pas d'un feu de branchages. Aux XVIIᵉ et XVIIIᵉ siècles, les grands domaines et les monastères avaient leur propre alambic ; de nouvelles recettes et des techniques de distillation firent leur apparition.

Ainsi, une véritable industrie de la vodka vit le jour. Au XVIIIᵉ siècle, cette eau-de-vie était exportée du port de Gdansk vers les pays riverains de la Baltique, et les Polonais étaient particulièrement fiers d'en approvisionner la Russie. Cent ans plus tard, le pays comptait de nombreuses distilleries de vodka et d'autres eaux-de-vie, notamment à Gdansk, qui devint un grand centre de production. On utilisa de plus en plus la pomme de terre et la betterave.

Le monopole polonais de l'alcool fut créé en 1919 afin de contrôler la production et la distribution. Après la Deuxième Guerre mondiale, sous le régime communiste, l'administration des spiritueux prit le nom de Polmos, qui fut également utilisé comme marque pour les produits exportés.

La plupart des vodkas polonaises – et certainement les meilleures – sont faites avec du seigle, mais l'on trouve aussi des eaux-de-vie à base de pomme de terre. Elles sont souvent aromatisées avec un peu d'eau-de-vie

Page précédente : la vieille place de Poznan. Autrefois résidence des rois de Pologne, cette ville est un important centre de distillation.
En haut à droite : à Cracovie, les premières distilleries datent de 1550.

Ci-dessous : cuves en bois contenant chacune l'équivalent de 35 000 bouteilles de vodka.

de fruits (cerise, cassis, mûre, fraise). On peut aussi leur ajouter des infusions de noix, d'herbes odorantes et du miel.

La Pologne produit chaque année plus de 53 millions de caisses, dont 63 % de vodka pure, le reste étant aromatisé et/ou coloré de diverses manières. Le pays dispose de vingt-cinq distilleries couplées avec des chaînes d'embouteillage. Autrefois partie intégrante du monopole d'État, elles constituent aujourd'hui des sociétés indépendantes et concurrentes.

Grâce à la créativité de ces entreprises, le marché polonais compte aujourd'hui plusieurs centaines de vodkas. La plupart d'entre elles ont été mises sur le marché depuis la fin des années 80. Les variétés connues depuis longtemps, comme la Wyborowa, sont produites sous contrat par plusieurs distilleries pour le compte d'Agros qui, comme Polmos, n'appartient plus à l'État mais reste propriétaire des marques.

Les vodkas polonaises, généralement diluées avec de l'eau de source, se rangent en trois catégories par ordre de pureté croissante :
– *zwykly* (standard),
– *wyborowy* (supérieure)
– *luksusowy* (« de luxe »).
Pour ceux qui aiment les vodkas légèrement aromatiques, les variétés de la catégorie *wyborowy* représentent le meilleur choix. La Wyborowa est d'ailleurs la vodka polonaise la plus appréciée, aussi bien dans le pays qu'à l'étranger.

Baltic • Vodka transparente faite d'eau-de-vie de pomme de terre rectifiée. Les sols légers de la côte baltique donnent des pommes de terre de très bonne qualité dont l'amidon est saccharifié avec de l'orge maltée, puis ensemencé avec des levures sélectionnées. La bouillie est distillée dans les fermes de la région et rectifiée pour éliminer les sous-produits indésirables de la fermentation. Pourtant, la Baltic conserve l'arôme de pomme de terre. Ni sucre ni bonificateur ne sont ajoutés. La vodka est ensuite diluée et filtrée au charbon de bois. Un court repos précède la mise en bouteilles.

Bielska Extra • Nouvelle marque d'une vodka de grain, enrichie avec une subtile infusion herbacée. Avant la Deuxième Guerre mondiale, la région de Bielsko-Biala comptait de nombreuses distilleries. La slivovitz (eau-de-vie de prune), faite à l'ancienne par l'établissement qui a précédé la distillerie Polmos, était réputée dans toute la Pologne. Les entreprises de distillation – dont Stock, Jenkner et Gessler – ont été nationalisées après la guerre et contraintes de remettre toutes leurs recettes à l'État communiste. La Bielska étiquette rouge titre 38 % vol., la bleue 40 % vol. Le nez est aimable et délicat, la saveur ponctuée d'une note huileuse.

Bielska Zytnia • Vodka de grain casher, légèrement aromatisée avec des eaux-de-vie de fruits. En Silésie, la tradition de la distillation casher remonte au XVIIIe siècle. En 1957, la « Branche B de la fabrique silésienne de vodka » (la future distillerie Polmos de Bielsko-Biala) commença à distiller une slivovitz de Pâque. Son succès fut tel que l'organisme d'État décida d'y faire produire toute une gamme de vodkas casher. Après l'éclatement de Polmos en 1991, de nouvelles marques ont pris le relais. La Bielska Zytnia a un bouquet et une saveur tendres. 40 % vol.

Cytrynówka • Vodka parfumée au citron. Zeste de citron et feuilles de citronnier infusent dans de l'alcool rectifié, qui est ensuite redistillé. La Cytrynówka, qui titre 40 % vol., a du corps ; cependant son caractère citronné reste assez discret. On peut la boire pour elle-même, mais elle se marie particulièrement bien avec la pâtisserie.

Happy • Cette nouvelle vodka casher a des saveurs et des arômes frais et vifs bien à elle. On l'obtient par assemblage de différentes eaux-de-vie d'agrumes. Son nom (*happy*, « heureuse ») lui va bien, car elle a un caractère enjoué. 40 % vol.

Jarzebiak • Vodka aromatisée de type sec. Il s'agit d'une eau-de-vie de baies de sorbier (*jarzebiak*) coupée avec de l'alcool neutre et enrichie avec des infusions aromatiques. Le vieillissement dans le chêne lui confère une jolie couleur vieil or. Fruitée, avec des nuances de muscat, la Jarzebiak a une fin de bouche crémeuse, avec des notes épicées et poivrées assez ardentes (40 % vol.). Il existe une version « de luxe », additionnée d'eau-de-vie de vin et de sucre, qui convient mieux comme digestif.

Karpatia • Nouvelle vodka de grain additionnée d'eau-de-vie de fruits qui lui donne un bouquet séduisant. Disponible en 38 % vol. et 42 % vol.

Kasztelanska • Vodka veloutée, complexe et concentrée. Son vieillissement dans le chêne lui donne une robe profonde brun-jaune. La Kasztelanska est boisée et vanillée, avec des nuances herbacées et citronnées très chaleureuses. Souple, elle montre une pointe épicée de cannelle ou de muscade. 40 % vol.

Krakus • Vodka de seigle. L'eau-de-vie est rectifiée à deux reprises, d'où un velouté qui l'a rendue très

populaire. Son nom vient de Kraków (Cracovie), ancienne capitale de la Pologne. 40 % vol.

Lanique • Marque d'une gamme de vodkas produites par la distillerie Lancut, une des plus anciennes et des plus grandes du pays. Outre ses célèbres classiques comme Wyborowa ◆ et Zubrówka ◆, Lanique propose une belle palette de vodkas aux arômes de fruits (orange, citron, prune, cerise), ainsi que des vodkas casher.

Une spécialité de Lanique est la vodka Pétale de Rose – aromatisée avec de l'essence de rose –, dont on dit qu'elle est « plus chère que l'or ». 37,5-40 % vol.

Luksusowa • Vodka de type sec, transparente, à base d'eau-de-vie de pomme de terre. Luksusowa signifie « de luxe ». 45 % vol.

Monopolowa • Nouvelle marque d'une vodka transparente, faite avec de l'eau de source mais sans aucun additif, ce qui explique son caractère franc et pur. La Monopolowa bouchon rouge titre 38 % vol., la bouchon bleu 40 % vol.

$\mathcal{P}$**erfect** • Vodka casher, avec des saveurs et des arômes authentiques de grain. Faite avec de l'eau de source, elle est disponible en 40 % vol. et 42 % vol.

$\mathcal{P}$**ieprzówka** • Vodka parfumée au poivre. L'eau-de-vie est deux fois rectifiée, puis additionnée de plusieurs espèces de poivre et de divers bonificateurs. Elle est épicée et très piquante, mais son ardeur est supportable. 45 % vol.

$\mathcal{P}$**olish Pure Spirit** • Voir Spirytus Rektyfikowany.

$\mathcal{P}$**olonaise** • Vodka de style international, franche et très pure. Son arôme, éphémère, rappelle pourtant qu'il s'agit d'une vodka de seigle. Disponible en 40 % vol. et 50 % vol. ; la seconde version, soyeuse, est très raffinée.

$\mathcal{P}$**rima** • Vodka de grain casher. Son arôme aimable est dû à l'addition d'eau-de-vie de fruits. 40 % vol.

$\mathcal{R}$**ebeka** • Petite gamme de vodkas casher, pures ou aromatisées. Produites par la distillerie Lancut, elles sont vendues sous l'étiquette Lanique ♦. 38-39 % vol.

$\mathcal{S}$**elect** • Vodka casher très pure, faite avec de l'eau-de-vie de pomme de terre fortement rectifiée, diluée à l'eau de source. Disponible en 40 % vol. et 42 % vol.

$\mathcal{S}$**oplica** • Très ancien type de vodka, aromatisée avec de vieilles eaux-de-vie de vin et de pomme, et dans laquelle on fait infuser des fruits secs. Le tout passe de longues années en fût de chêne et en ressort avec une belle robe or foncé. Nez vanillé, bouche glycérinée, ronde, veloutée, avec des nuances de fruits. 40 % vol. Soplica vient du nom des seigneurs lituaniens dans le poème épique de Mickiewicz *Pan Tadeusz*.

$\mathcal{S}$**pirytus Rektyfikowany** • Célèbre eau-de-vie polonaise, à très forte teneur en alcool (jusqu'à 96 % vol.). Bien qu'elle soit vendue en bouteilles, il ne s'agit pas de la boire telle quelle, mais de la diluer pour préparer liqueurs, infusions et cocktails divers. Cette eau-de-vie neutre de grande qualité accompagne particulièrement bien les poissons ainsi que les plats gras ou épicés à base de viande.

Starka • Vodka de seigle traditionnelle dont l'origine remonte au XVIe siècle. Elle figura parmi les *gorzalkas*, anciennes eaux-de-vie polonaises. Aujourd'hui, elle est faite du meilleur seigle et distillée dans des alambics conçus pour préserver les arômes de la céréale. Non rectifiée, la Starka passe jusqu'à dix ans dans de petits fûts en chêne et montre une robe brun doré. On l'additionne, avant la mise en bouteilles, d'un peu de malaga. Elle titre à 43 % vol. ou 50 % vol.

On la boit de préférence frappée. Elle est boisée, vanillée, ample et douceâtre. Ses parfums sont plus riches que ne l'est sa bouche aux discrets arômes de seigle. Il existe aussi une Starka russe.

Tatra • Vodka parfumée aux herbes aromatiques. Parfois appelée Tatrzanska, elle est originaire du massif des Tatras. Parfumée avec des plantes odorantes, dont le lamier (de la famille des orties), la Tatra est très rafraîchissante. On l'apprécie beaucoup en été, pure ou coupée d'eau, glacée ou avec des glaçons. 45 % vol.

Wyborowa • Vodka réputée sur le marché international, faite d'une unique variété de seigle cultivée dans différentes régions de Pologne. Le premier distillat est rectifié deux fois, puis un procédé dont seule la maison possède le secret achève de le raffiner. L'eau-de-vie ainsi obtenue, franche et claire, conserve une certaine structure et les qualités propres à la céréale d'origine. Les arômes de seigle sont élégants, discrets mais nets. La Wyborowa est légèrement douce et herbacée, avec une fin de bouche musquée rappelant le cachou. Disponible à 40 % vol. et 45 % vol.

Ziolowa Mocna • Vodka de type sec, aromatisée. Cette eau-de-vie de pomme de terre est enrichie d'essences d'herbes aromatiques. Corpulente et épicée, elle a des arômes légèrement minéraux. Le palais, persistant, est étonnamment onctueux. 44 % vol.

Zloty Klos • Vodka casher, franche et transparente, faite avec des céréales et de l'eau de source. Elle est commercialisée à une teneur en alcool de 40 % vol. et 42 % vol.

Zubrówka • Vodka aromatisée, aussi appelée « Bison vodka », de plus en plus présente sur le marché international. Issue d'une double rectification, elle est coupée avec une infusion d'herbe de bison (*zubrówka*), commune dans la forêt de Bialowieza. Cette herbe est broutée par les rares bisons survivant en Europe (représentés sur les étiquettes de la Zubrówka polonaise et de la Zubrovka russe).

L'écrivain anglais Somerset Maugham évoque le charme de la Zubrówka dans *Le Fil du rasoir* : « De l'herbe fraîchement coupée… des fleurs printanières… du thym et de la lavande… C'est comme écouter de la musique au clair de lune… » L'herbe de bison donne à la vodka un goût et un parfum végétaux très séduisants, et la revêt d'une robe jaune-vert pâle. 40 % vol. et 50 % vol. Chaque bouteille de cette eau-de-vie polonaise contient un brin d'herbe de bison, ce qui n'est pas le cas de sa sœur russe, orthographiée Zubrovka ♦.

Zytnia Extra • Vodka de seigle, de type sec, coupée avec un peu d'eau-de-vie de pomme et enrichie avec divers arômes de fruits. La Zytnia Extra est une des vodkas préférées des Polonais. De couleur jaune pâle, aimable, chaleureuse et musquée, avec une touche de fruits secs, un arôme de céréales et une structure veloutée, elle titre 40 % vol.

Vodka
d'autres régions du monde

Le château de Savonlinna,
dans la province finlandaise
de Saimaa, anime le paysage
hivernal.

Nombre de spiritueux sont fabriqués selon des recettes complexes. La vodka « moderne » est loin de ces exigences. Pour la produire, il suffit d'élaborer correctement une eau-de-vie neutre et de pouvoir en assurer la distribution. Il existe ainsi de nombreuses vodkas industrielles bien connues et très réussies (Popov, Gordon's, Kamchatka, Skol, Barton, Vladivar et Gilbey's), dont certaines vendent plus de trois millions de caisses chaque année. Elles ne figurent pas dans cet ouvrage, car nous avons pris le parti de présenter exclusivement les spiritueux qui s'inscrivent dans une tradition.

Royaume-Uni

Smirnoff • Vodka la plus consommée dans le monde – on dit qu'il s'en vend une caisse toutes les deux secondes. Produite dans vingt-cinq pays, elle est considérée comme britannique parce que le capital de la société américaine Heublein, qui a développé la marque, est entre des mains anglaises. Quoique d'origine russe, la Smirnoff n'avait pas d'autres rapports avec la Russie avant que la marque ne lance, en 1994, sa première vodka distillée en Russie depuis la révolution de 1917.

La société Smirnov est née peu après la retraite de Russie : en 1815, année de la bataille de Waterloo, Ivan Smirnov loua un entrepôt en partie détruit pendant l'incendie de Moscou et commença à y distiller de la vodka. À cette époque, les vodkas Smirnov étaient aromatisées avec des fruits (framboise, fraise, prune, groseille...). En 1886, Piotr Smirnov fit sensation dans une foire que visita le tsar : son pavillon présentait un ours vivant, et la vodka était servie par des hommes revêtus de peaux d'ours. Le tsar nomma Smirnov fournisseur de la cour impériale pour la vodka et d'autres spiritueux.

Après la révolution d'Octobre, Vladimir Smirnov fut emprisonné et condamné à mort. Il fut mené à plusieurs reprises devant le peloton d'exécution, mais la sentence était reportée à chaque fois au dernier moment. Libéré par les Russes blancs, il se réfugia à Paris, où il réussit à installer une petite distillerie, mais sa vodka passa inaperçue. Il rencontra alors Rudolf Kunett, un Russe émigré aux États-Unis dont la famille avait fourni autrefois des céréales aux distilleries Smirnov, et lui céda la formule de sa vodka. En 1934, Kunett ouvrit une petite distillerie dans le Connecticut.

La loi sur la prohibition venait d'être abrogée, mais Kunett vendait à peine six mille caisses par an et travaillait à perte. N'étant plus en mesure de payer le renouvellement de sa licence, il vendit sa formule et sa distillerie à Heublein, une firme locale de boissons. Celle-ci eut l'idée de génie de présenter sa vodka comme du « whiskey blanc ». Son slogan « sans goût ni odeur », qui a dû sembler absurde aux amateurs de whiskey, contenait déjà le germe du succès que l'on sait.

L'immense popularité de la vodka Smirnoff aux États-Unis est bâtie sur un coup du hasard : la vogue soudaine d'un cocktail, le *Moscow Mule* (vodka et soda parfumé au gingembre), inventé en 1946 dans un bar de Los Angeles. Le tenancier du bar ne visait pas à populariser la vodka, mais à liquider son stock de Schweppes. Pendant la « chasse aux sorcières » suscitée par l'hystérie anticommuniste du sénateur McCarthy, la firme abandonna toute référence à la Russie et souligna que sa vodka, distillée dans le Connecticut, était un pur produit américain. Peu à peu, la vodka trouva sa place dans une société prospère, qui affectionnait les cocktails comme le Bloody Mary et le Screwdriver. Heublein arriva ainsi à hisser la Smirnoff au deuxième rang mondial des spiritueux pour les ventes. La bouteille à l'étiquette rouge est la plus populaire. Elle a été lancée en souvenir de la vodka que Piotr Smirnov livrait aux armées du tsar, la

Vodka

166

Smirnovskaya Vodka N° 21, dont le nom figure en caractères cyrilliques sur l'étiquette.

Au début des années 90, après la *glasnost* gorbatchévienne, Boris Smirnov, arrière-petit-fils de Piotr Smirnov, resté en URSS, voulut faire reconnaître ses droits sur la marque, mais, à la suite de l'intervention des avocats de Heublein, le tribunal le débouta de sa demande. Une nouvelle action est en cours depuis avril 1996. Un autre Smirnov se rendit à Hambourg pour superviser la commercialisation de la Stolichnaya ♦.

La Smirnoff est une eau-de-vie de grain redistillée et filtrée, ce qui donne une vodka sans saveur ni parfum. La plus intéressante des vodkas de la marque est la dernière-née, à l'étiquette noire. C'est une vodka de grain distillée en alambic à Moscou, comme au temps des tsars. À la différence des autres produits Smirnoff, elle a des arômes et une forte personnalité : elle ne sert donc pas à la confection des cocktails, mais doit être bue pour elle-même. La gamme des vodkas Smirnoff comprend l'étiquette rouge (37,5 % vol.), l'étiquette noire (40 % vol.), l'étiquette argent (45,2 % vol.) et l'étiquette bleue (45 % vol. et 50 % vol.).

Finlande

L'art de la distillation aurait été introduit en Finlande au XVIe siècle par des mercenaires de retour des guerres européennes. La bière, jusqu'alors boisson nationale, fut remplacée, en moins d'un siècle, par l'eau-de-vie : chaque famille ou presque possédait son alambic en cuivre. Au XVIIIe siècle, la Finlande faisait partie de la Suède, et nombre de distilleries créées à cette époque furent des entreprises royales établies pour le compte de la Couronne suédoise.

Avant 1880, la production commerciale de vodka était limitée par le fait qu'il n'existait qu'une seule entreprise fournissant des levures. Après la création d'une seconde société, la distillerie Rajamäki fut construite en 1888 et connut une expansion rapide : dix ans plus tard, elle était devenue la plus grande des vingt-sept distilleries finlandaises.

À l'instar des États-Unis, la Finlande imposa la prohibition de 1919 à 1932. La distillerie Rajamäki fut nationalisée en 1920, mais, après l'abrogation de la loi

À Inari, dans la région arctique de la Finlande, les Lapons se servent de rennes domestiqués comme animaux de trait.

Remplisseuse d'une chaîne de conditionnement de la Finlandia. La bouteille « givrée » est caractéristique de cette vodka.

sur la prohibition, elle fut transformée en un nouveau complexe de distillation et de production.

Pendant la Deuxième Guerre mondiale, cette entreprise se consacra à la production d'un mélange autrement redoutable – le « cocktail Molotov », destiné au combat contre les chars d'assaut – et d'alcool pur servant de carburant pour les véhicules.

Toutes les vodkas finlandaises sont issues de grain, et l'eau utilisée pour leur élaboration est suffisamment pure pour qu'aucun traitement ne soit nécessaire.

Finlandia • Marque de vodka haut de gamme appartenant à l'État finlandais. Lancée en 1970, la Finlandia a contribué à faire reconnaître la qualité des vodkas scandinaves et leur caractère traditionnel. C'est une eau-de-vie de blé rectifiée à 96 % vol., puis coupée avec de l'eau de source captée au pied des glaciers. La Finlandia est largement exportée et bien représentée sur

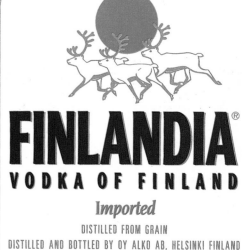

le marché hors taxes. Aimable, sans additif chimique, elle a des arômes de céréales et une structure soyeuse. Disponible en 40 % vol. et 50 % vol.

*K*oskenkorva • Produite par la même entreprise d'État que la Finlandia, cette vodka l'a de fait précédée. L'eau-de-vie Koskenkorva Vilina, additionnée de 3 mg de sucre par litre pour adoucir sa fin de bouche, a été mise sur le marché finlandais en 1952. La Koskenkorva sans addition de sucre est la vodka préférée des Finlandais et la plus vendue en Scandinavie. Disponible en 40 % vol., 50 % vol. et 60 % vol.

Sibérie

*S*ibirskaya • Vodka venant de la partie septentrionale de la Russie. Cette eau-de-vie sibérienne est faite avec du blé d'hiver de grande qualité. Elle est filtrée sur charbon de bouleau provenant de la vaste taïga. Disponible à 37,5 % vol., 42 % vol. et 45 % vol.

Ukraine

*G*orilka • Terme générique désignant la vodka ukrainienne transparente faite de blé, malté et non malté, et d'eau douce locale. Elle est aromatisée avec du tilleul. On la connaissait autrefois à Moscou comme eau-de-vie tcherkesse, car les Cosaques tcherkesses venaient vendre à Moscou et au-delà cette vodka faite de blé (et non de seigle comme la vodka moscovite). À l'époque, les cabaretiers achetaient cette eau-de-vie médiocre pour pouvoir proposer une boisson bon marché. *Gorilka* signifie « brûlant ». Le nom de cette vodka pourrait être lié à son caractère ardent ou bien à la technique de fabrication (c'était de la bière ou du vin « brûlés », c'est-à-dire distillés). La Gorilka a un nez typique et une saveur douce. Elle titre 40-45 % vol.

*U*krainskaya S Pertsem • Vodka poivrée, faite de blé, malté et non malté. Disponible en 40 % vol.

Les bouleaux sibériens sont brûlés pour obtenir le charbon de bois qui servira au filtrage de la vodka.

La distillerie estonienne Liviko est dominée par les flèches des églises de Tallinn.

Estonie

Eesti Viin • Vodka de grain de grande qualité, lancée récemment par les producteurs de Viru Valge. L'Eesti Viin est leur marque de prestige. Elle titre 38 % vol.

Viru Valge • Vodka de grain produite par la distillerie Liviko à Tallinn, capitale du pays. L'eau est adoucie, et l'eau-de-vie additionnée de sucre. Aimable et douce, cette vodka possède un arôme authentique de céréales. Elle titre 40 % vol.

Allemagne

Gorbatschow • Marque qui connut un développement spectaculaire au début des années 90. Les Gorbatschov, réfugiés à Berlin après la révolution d'Octobre, avaient été fournisseurs officiels de la cour impériale à Saint-Pétersbourg. En 1921, ils créèrent une distillerie dans la capitale allemande pour satisfaire

la demande des émigrés russes et la curiosité des Berlinois. Avec environ 45 % du marché, Gorbatschow est en tête des ventes de vodkas et de schnaps en Allemagne. La firme produit un million de caisses par an et en exporte sur les principaux marchés mondiaux. Cette vodka est disponible à 40 % vol., 50 % vol. et 60 % vol.

Suède

Au XVe siècle, lorsque l'on commença à distiller en Suède, tous les spiritueux étaient appelés *brännvin*. L'alcool suédois le plus connu étant aujourd'hui l'aquavit (*voir pages 214-215*), habituellement épicé d'une manière ou d'une autre, on pourrait décrire la vodka suédoise comme un *brännvin* non parfumé. Dans la plupart des pays européens, on distilla d'abord pour préparer divers potions et élixirs. En Suède, la distillation contribua aussi à la production de poudre à canon. Un livre de comptes datant d'environ 1460 mentionne le paiement fait à un fabricant d'explosifs nommé Berend pour du « *brännvin* destiné à la fabrication de poudre à canon ». Cependant, le *brännvin* était aussi une boisson depuis que des marchands allemands qui s'étaient installés dans le pays au début du XVe siècle y avaient apporté leurs « eaux fortes ».

Les autorités voyaient d'un mauvais œil une telle utilisation de l'alcool destiné à la poudre à canon. Vers la fin du XVe siècle, quiconque fabriquait et vendait du *brännvin* pour un autre usage pouvait être poursuivi. Toutefois la rigueur finit par fléchir, et une première autorisation de « détenir et de servir du *brännvin* » fut accordée en 1498. Son bénéficiaire était cependant tenu de livrer en priorité de l'alcool aux fabricants de poudre.

En Suède, où le climat ne permet pas la culture de la vigne, le *brännvin*, obtenu par la distillation du vin importé, fut longtemps une boisson très chère. Au XVIIIe siècle, quand on apprit à le tirer des céréales cultivées dans le pays, il devint accessible à l'ensemble de la population.

Ainsi, la production de l'eau-de-vie ne se limitait plus aux quelques alambics installés dans les demeures

En Suède, été comme hiver, on boit toujours un verre à l'occasion des fêtes.

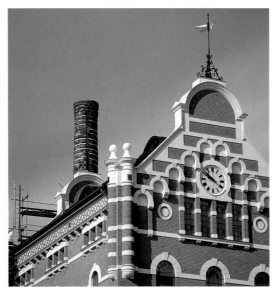

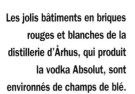

Vodka

Les jolis bâtiments en briques rouges et blanches de la distillerie d'Århus, qui produit la vodka Absolut, sont environnés de champs de blé.

suédois de la production d'alcool, rétabli en 1855, vend aujourd'hui dans le pays trois fois moins de spiritueux à une population qui a triplé entre-temps (huit millions d'habitants aujourd'hui).

La vodka – *brännvin* non épicé – a conservé sa place à côté de l'aquavit et des liqueurs. Le monopole produit aussi des imitations de spiritueux renommés d'autres pays. Ces alcools sont parfois de si bonne qualité qu'il leur arrive d'être jugés supérieurs aux vrais dans des dégustations à l'aveugle. Mais il y a aussi des déceptions. Ainsi, au début du siècle, le monopole importa d'Écosse un alambic à chauffe directe et entreprit de distiller du « scotch ». L'échec fut patent, et l'alambic écossais est aujourd'hui exposé à Stockholm, dans le magnifique musée des Alcools.

Absolut • Marque du monopole d'État des vins et spiritueux. Au XIXᵉ siècle, un industriel polyglotte nommé Lars Olsson Smith possédait une distillerie à Stockholm, sur l'île de Reimersholme. Il fit deux fois fortune dans sa vie, mais finit ruiné. Dans sa distillerie, qui était la plus grande d'Europe, il mit au point un nouveau procédé permettant d'obtenir une eau-de-vie de pomme de terre très pure, alors que dans le Sud, où l'on cultivait des céréales de grande qualité, les moyens de production de l'eau-de-vie restaient primitifs.

Aujourd'hui, on utilise encore ce procédé, mais on a remplacé les pommes de terre par des céréales pour la production de la vodka Absolut. Smith prétendait que son eau-de-vie était absolument pure – *absolut rent* en suédois –, d'où le nom de cette vodka.

L'Absolut a, dès l'origine, mis en avant sa pureté tout en affirmant une personnalité suédoise. Elle est surtout destinée à la vente aux États-Unis, qui représentent 60 % du marché mondial de la vodka. La forme originale de sa bouteille fut inspirée par un vieux flacon de pharmacie déniché chez un antiquaire de Stockholm. Les producteurs voulaient employer un verre « absolument » transparent pour souligner la pureté du contenu ; on a donc choisi un type de sable qui garantit l'absence de tout reflet verdâtre. La bouteille de l'Absolut est fabriquée par la verrerie Limmared, fondée en 1741, celle-là même qui avait produit le flacon ayant servi de modèle.

des nobles et des propriétaires terriens. La distillation familiale fut autorisée, et le *brännvin* fit bientôt partie de l'ordinaire de la population. Sa qualité d'aliment est attestée par l'habitude que prirent alors les Suédois de le boire à la cuillère, comme une soupe, dans des bols réservés à cet usage. Dans les villes, la distillation du *brännvin* et sa vente par les cabaretiers furent soumises à des taxes, mais les particuliers conservèrent le droit d'en produire. Lorsque la prohibition fut déclarée en 1756, l'État confisqua quelque 180 000 alambics. Après une série de mauvaises récoltes, la Couronne institua le monopole de la production d'alcool et fit construire une soixantaine de distilleries. Le roi Gustave III, qui s'intéressait au *brännvin*, en fit installer une au palais royal de Stockholm. La distillation et l'importation des spiritueux par des particuliers furent rigoureusement interdites. L'État constata bientôt une prolifération de la distillation illicite et dut autoriser de nouveau la production familiale. En 1830, on comptait 175 000 alambics dans l'ensemble du pays.

Au XIXᵉ siècle, l'usage était d'avoir une bouteille de vodka et deux petits verres rangés dans un placard que l'on ouvrait quand il y avait de la visite. Si l'on recevait plusieurs personnes, celles-ci buvaient tour à tour dans le même verre, l'autre étant réservé au maître de maison.

Dans les années 1830, avec l'essor de la production industrielle, la distillation familiale devint marginale. La consommation nationale était prodigieuse : plus de cent millions de litres par an. Le monopole

L'Absolut a été relancée en 1979, année du centenaire de l'innovation de Smith. Il s'en est vendu 10 000 caisses la première année, et la progression sur quatorze ans a été spectaculaire : les ventes atteignaient 1,4 million de caisses en 1987, puis 4,5 millions en 1993. L'Absolut, exportée dans soixante pays, se place au deuxième rang mondial des vodkas et au onzième des spiritueux.

La publicité a joué un grand rôle dans la popularité de cette vodka. Elle a su donner à la marque une image toujours moderne et sophistiquée. Ainsi, un encart astucieux inséré dans des magazines jouait une mélodie de Noël quand on le déployait, tandis que l'on pouvait voir à l'intérieur d'une pochette remplie de liquide de la « neige » tomber devant la photo d'une bouteille d'Absolut.

L'Absolut est faite avec du blé cultivé autour de la distillerie d'Århus, dans le sud du pays. La bouillie fermentée est distillée et rectifiée, puis on coupe l'eau-de-vie avec de l'eau de source pour en ramener la teneur en alcool au niveau désiré. On trouve aujourd'hui de l'Absolut pure ou aromatisée. Parmi les variétés parfumées, celles au citron et au poivre sont des vodkas de grande qualité. L'Absolut est disponible à 40 % vol. et 50 % vol.

États-Unis

Wolfschmidt • Distillateurs depuis 1847, les Wolfschmidt furent les premiers à introduire de la vodka aux États-Unis, au tournant du siècle. Cette famille, établie à Riga, capitale de la Lettonie, fournissait de la vodka à la cour des tsars Alexandre III et Nicolas II. Plus tard, une vodka proche de celle que produisaient les Wolfschmidt à Riga fut distillée aux Pays-Bas.

La marque appartient maintenant à la compagnie Jim Beam, qui vend chaque année un peu plus d'un million de caisses de vodka fabriquée aux États-Unis. La Wolfschmidt est commercialisée à une teneur en alcool de 40 % vol.

À gauche : un flacon impeccable. L'Absolut doit son succès fulgurant sur le marché mondial autant à sa politique commerciale qu'à l'habileté de ses distillateurs.

Genièvre et gin

L e gin, eau-de-vie parfumée au genièvre, est né aux Pays-Bas. Le terme anglais de *gin* n'est qu'une abréviation du mot *genever*, qui désigne en néerlandais la baie de genièvre. On l'appelle aussi *jenever* et *geneva* (aucun rapport avec la ville de Genève). Au Royaume-Uni, on l'avait baptisé Hollands et Schiedam (du nom d'une ville renommée pour ses distilleries).

En Hollande, le genièvre est le spiritueux le plus vendu. Un de ses ancêtres devait déjà exister en 1585, quand le comte de Leicester débarqua à la tête d'un corps expéditionnaire pour aider les Provinces-Unies contre l'armée espagnole de Philippe II. Les soldats anglais auraient raconté à leur retour qu'ils avaient pris l'habitude de boire de l'eau-de-vie du pays – du « courage hollandais » – avant d'aller au combat.

À l'origine, cet alcool fut sans doute un médicament, car la baie de genièvre est associée pour la première fois à l'eau-de-vie dans une potion diurétique inventée au début du XVIIᵉ siècle à l'université de Leyde par le docteur Franciscus de la Boë. Le journal de Samuel Pepys nous apprend que la potion était parvenue en Angleterre vers 1660, car c'est à cette époque qu'il a soigné sa colique avec « de l'eau forte faite avec du genièvre ». Quand Guillaume d'Orange monta sur le trône d'Angleterre, le cognac fut prohibé, et l'on encouragea vivement la production de *corn brandy* (le nom courant de l'eau-de-vie de grain). Les Anglais y

allèrent de leur veine patriotique, mais non sans faire un peu de zèle : à Londres, on fabriquait du gin dans une maison sur quatre, et, dans les années 1720, la majorité de la population était constamment en état d'ébriété. Pendant plus d'une décennie, le taux de mortalité dépassa celui de la natalité. Dans le film *Oliver* de Carol Reed, l'exclamation de Fagin (Alec Guinness) lorsqu'il gifle l'enfant : « Ferme-la et bois ton gin ! » est certainement conforme à la réalité historique.

La fabrication du gin fut interdite en 1736, mais la mesure se révéla inefficace et fut abrogée en 1742. Au XVIIIᵉ siècle, de nombreuses distilleries londoniennes s'efforcèrent de produire un gin de qualité apte à remplacer le tord-boyaux familial. Le gin de style anglais fit le tour du monde à l'époque glorieuse de l'Empire britannique. Les Américains l'appréciaient, à commencer par George Washington, et les quakers avaient pris l'habitude de boire des grogs au gin brûlants après les funérailles. Le gin fit son entrée en force sur le marché américain pendant la Prohibition. Aujourd'hui, les marques les plus vendues outre-Atlantique rappellent le gin de Londres.

On fabrique toujours l'ancien type de genièvre aux Pays-Bas, en Belgique et en Allemagne, tandis que le gin de style londonien – une boisson qui s'inscrit dans une tradition, sans obéir pour autant à une quelconque réglementation – est populaire au Royaume-Uni, aux États-Unis, en Espagne et en Australie.

Page précédente : comme le cyprès, le genévrier commun (*Juniperus communis*) appartient à la famille des Cupressacées. On tire de ses baies une huile aromatique qui sert à parfumer le gin.

Ci-dessous : en Ombrie (Italie), on récolte les baies de genièvre comme autrefois.

Pays-Bas

À Amsterdam, on aime bien faire descendre la bière avec un verre de genièvre.

on employait des « renifleurs » chargés d'éliminer les bouteilles dont l'odeur révélait qu'elles avaient servi de récipients pour d'autres liquides. La profession était respectée et bien payée. Les renifleurs devaient avoir un odorat très développé ; aujourd'hui, ils seraient peut-être « grands nez », responsables des assemblages.

De nombreuses sociétés productrices de genièvre remontent aux XVIe et XVIIe siècles, comme Bols (1575), Wenneker (1693) et De Kuyper (1695). À l'époque, le port de Rotterdam était le centre mondial du commerce des épices. Ce riche marché de matières premières et de produits aromatiques stimula la création d'une multitude de distilleries, dont certaines sont encore en activité.

Tous les genièvres sont obtenus par distillation de céréales maltées et parfumés avec des baies de genévrier. On utilise un mélange de blé, de maïs, de seigle et d'orge. Grâce à la distillation en alambic à chauffe directe, les éléments aromatiques se retrouvent dans l'eau-de-vie, comme dans le cas du whisky de malt. La teneur en alcool du genièvre étant relativement faible – moins de 60 % vol. –, son intensité aromatique est comparable à celle de l'armagnac traditionnel, distillé à 55-57 % vol. Le genièvre est distillé plusieurs fois ; les baies de genièvre et d'autres substances aromatiques – dont les proportions relatives relèvent du secret de fabrication – sont incorporées avant la distillation finale. Quelques rares producteurs distillent encore du genièvre fermenté.

Il y a trois catégories de genièvre : *oude, jonge* et *korenwijn*. L'*oude* (« vieux ») est le genièvre à l'ancienne, alors que le *jonge* (« jeune ») représente la version du XXe siècle. (Ces adjectifs ne se réfèrent pas à l'âge de l'eau-de-vie, car, en général, il n'y a pas de vieillissement.) Le premier, qui a une robe paille, est plus souple et plus aromatique que le second, aujourd'hui le plus courant. Le *korenwijn* (littéralement « vin de grain ») est le genièvre « de luxe », plus riche en malt et vieilli trois ans en fût de chêne. Conditionné dans les bouteilles de grès traditionnelles, il a une robe or pâle. Le genièvre se boit pur et frappé.

Exporté depuis plus de deux siècles, le genièvre hollandais à l'ancienne est présent aujourd'hui sur le marché d'une soixantaine de pays. Au XVIe siècle, l'eau-de-vie de grain était populaire dans les Flandres car elle échappait aux impôts frappant l'eau-de-vie de vin. Nombre de distillateurs fuyant les persécutions religieuses qui se déchaînaient au sud du pays, s'étaient installés à Amsterdam et à Rotterdam.

Ils furent à l'origine de l'industrie hollandaise du genièvre, qui engendra parfois des métiers peu communs. Comme les typiques bouteilles en grès étaient consignées – et revenaient donc à la distillerie pour être remplies –,

Bols • Marque et société. Bols est une des plus anciennes maisons de commerce du monde. Elle remonte à 1575, quand Lucas Bols commença à distiller dans un hangar en bois construit au bord d'une rivière près d'Amsterdam (on lui avait interdit de s'installer dans la ville à cause du risque d'incendie). Le hangar abritait les matières premières, et l'alambic fonctionnait en plein air. Les navires hollandais déchargeaient dans le port d'Amsterdam toutes sortes d'épices et de fruits exotiques que Bols utilisa pour créer ses premiers spiritueux semblables aux liqueurs actuelles.

L'exportation commença en 1691, et les premières commandes vinrent d'Argentine ; la maison fabrique encore un genièvre spécial, selon une vieille recette, pour le marché argentin. De nouvelles installations furent inaugurées en 1970 par la reine des Pays-Bas, et Bols reçut alors la permission d'ajouter l'épithète « royal » à son nom commercial.

Corenwyn • Genièvre spécial produit par Bols. *Corenwyn* est une variante orthographique de *korenwijn*, qui désigne un genièvre à forte proportion de malt. Bols a le droit exclusif de l'utiliser, car c'est Lucas Bols qui inventa cette eau-de-vie en 1575. Le Corenwyn est distillé quatre fois dans des alambics en cuivre à chauffe directe. Les baies de genièvre sont ajoutées avant la distillation finale, qui en extrait les arômes. Trois ans en fût de chêne donnent au Corenwyn une couleur or pâle et des arômes tendres de noix et de fruits. Ce genièvre est logé en bouteilles de grès faites à la main.

À gauche : bien rangées dans le four, les bouteilles en grès destinées au Corenwyn sont prêtes pour la cuisson.

Ci-contre : le Corenwyn, un genièvre original logé dans une bouteille en grès, a été distillé pour la première fois par Lucas Bols en 1575.

Goblet • Marque d'un genièvre *jonge*, tendre et soyeux, produit par la société Wenneker♦.

En bas au centre : la distillerie Hooghoudt, au nord de la Hollande, est environnée de champs de céréales.

De Kuyper • Marque et société. Johannes De Kuyper créa sa distillerie en 1695, et l'affaire est toujours entre les mains de ses descendants. De Kuyper concentra son activité sur les marchés d'exportation, notamment ceux de l'Empire britannique. Il fallut attendre 1930 pour que la société commence à vendre ses genièvres aux Pays-Bas. La bouteille verte aux lignes courbes du *jonge genever* et son étiquette en forme de cœur se font facilement remarquer.

Hooghoudt • Marque et société de la province de Groningue, au nord des Pays-Bas. En 1888, Jan Hooghoudt choisit d'installer sa distillerie dans cette région céréalière. À l'occasion du centenaire de l'entreprise, la reine Beatrix lui accorda le droit de porter les armes royales. Hooghoudt est fidèle aux traditions : les substances aromatiques de son genièvre infusent dans de grandes jarres en terre cuite avant d'être soumises à une double distillation en alambic à chauffe directe. La gamme compte aussi un *korenwijn* aux arômes tendres et un genièvre doux, parfumé au cassis.

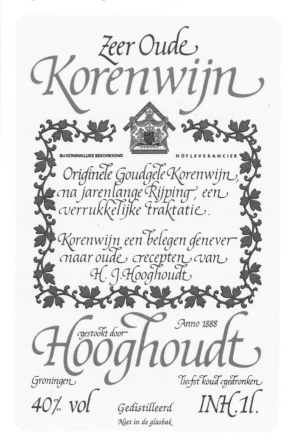

Notaris • Geneva (*sic*) haut de gamme. Pieter Hansen créa sa distillerie en 1777. Son petit-fils y ajouta ensuite une verrerie pour réduire le coût des bouteilles – exorbitant à l'époque. Il rebaptisa son entreprise Uit Tegenweer Opgericht (en néerlandais, « fondé par protestation »), et la société actuelle s'identifie par le sigle UTO.

La distillerie De Tweelingh, à Schiedam, très traditionnelle, est la dernière survivante d'une série d'entreprises qui bénéficiaient au début du siècle d'un sceau de la municipalité attestant la qualité de leur production. Seigle, maïs et orge maltée sont stockés dans un moulin restauré. L'eau-de-vie est distillée en alambic.

Une partie est redistillée avec des baies de genièvre, une autre avec des herbes aromatiques, une troisième reste telle quelle. Ces trois variétés sont ensuite assemblées, et une partie du genièvre ainsi obtenu est logée en cuves de chêne.

Le Notaris (35 % vol.) est un excellent genièvre malté. La qualité Very Old mûrit trois ans dans le chêne. On le déguste dans un verre renflé avec une ouverture étroite destiné à emprisonner les arômes et on le tient dans la paume de la main, comme un ballon de cognac, pour élever sa température. L'entreprise produit aussi les genièvres Gorter, Sonnema et Vlek.

Royal Dark • Genièvre *jonge* lancé en 1992 par la société Bokma. Cette eau-de-vie de grain parfumée au genièvre, qui passe une année en fût de chêne du Limousin, fut la première véritable innovation de Bokma. Le Royal Dark, conçu pour élargir la clientèle, est souple et tendre.

Vijf Jaren • Genièvre original élaboré par Bokma pour rivaliser avec les cognacs et les whiskies comme apéritif et comme digestif. On fait vieillir séparément, pendant cinq ans, des eaux-de-vie de malt, de grain et de plantes aromatiques (dont le genièvre) dans de petits fûts en chêne du Limousin. Après assemblage, on les laisse se marier avant de les mettre en bouteilles.

Volmout • Genièvre *jonge*, un de ceux lancés par Bokma à la suite de dégustations à l'aveugle pratiquées par un échantillon représentatif de consommateurs. Ces études de marché avaient montré que les nouvelles générations aimaient le goût et le parfum du genièvre, mais que l'image de cette eau-de-vie datait. Une forte proportion de malt donne au Volmout un corps plus ferme ainsi qu'un goût malté plus opulent et persistant que chez des genièvres similaires.

Wenneker • Marque et distillerie. Wenneker, fondée en 1693, offre une gamme complète de genièvres : *jonge* (étiqueté Goblet♦), *oude* et *korenwijn*. La qualité *oude*, vieillie en fût de chêne américain, possède une saveur et des arômes particulièrement tendres.

En haut : créée en 1693, la distillerie Wenneker fait vieillir ses genièvres en fût de chêne.

Ci-dessous : la distillerie De Tweelingh de Schiedam ainsi que ses genièvres de grande qualité ont très peu changé depuis que la production a commencé en 1777.

Grande-Bretagne

Quand il monta sur le trône en 1689, Guillaume d'Orange encouragea la distillation du gin, pour faire baisser la contrebande du cognac.

Après le désastreux abus de gin que connut l'Angleterre des années 1720, la distillation et la consommation de cette eau-de-vie furent finalement réglementées. Vers la fin du XVIIIe siècle apparut un producteur désirant mener une politique de qualité. En 1830, le pays fut inondé de bière, car l'interprétation aberrante d'une décision du Parlement en libéralisait indéfiniment la consommation. Les débits de boisson se multiplièrent : on en compta bientôt 100 000, c'est-à-dire un pour 150 habitants en Angleterre et au pays de Galles. Grâce aux bars à gin – des établissements tape-à-l'œil, bien éclairés, au décor pompeux et criard –, le gin put rivaliser avec la bière. Peu à peu, il perdit sa mauvaise réputation et conquit la bonne société : la crème des officiers de l'armée britannique l'adopta, et même le

Guide d'économie domestique de Mrs Beeton – véritable bible des maîtresses de maison – proposait quelques recettes au gin.

Pendant la Première Guerre mondiale, une loi imposa un vieillissement minimal de trois ans pour le whisky et le cognac. Le gin bénéficia de ses effets sur le marché britannique : les quelques années de pénurie qui suivirent lui apportèrent nombre de nouveaux adeptes.

Pour obtenir du « gin distillé », on fait infuser du genièvre et des herbes dans de l'alcool neutre, que l'on redistille en alambic ; le distillat est ensuite coupé d'eau pour abaisser sa teneur en alcool avant mise en bouteilles. Toutes les marques réputées sont élaborées de cette manière. La fabrication du « gin ordinaire » est plus aisée et moins onéreuse : on ajoute des essences de genièvre et de divers aromates à de l'alcool neutre, puis le mélange est coupé d'eau et mis en bouteilles.

Le style dominant au Royaume-Uni est le *London dry* (« sec de Londres »), mais sa provenance n'est pas réglementée. Le *London dry*, qui sert de modèle au « gin anglais » produit dans d'autres pays, a été nommé ainsi car il était sec par rapport à l'*Old Tom*, nettement sucré, largement vendu à Londres dans la première moitié du XIXe siècle. Toutes les eaux-de-vie étaient alors distillées en alambic à feu nu, et l'on masquait leurs arômes indésirables en les sucrant. Les colonnes de distillation à alimentation continue permirent la production d'eaux-de-vie comme le *London dry*, qui pouvaient se passer de « bonificateurs ». Celui-ci se caractérise aujourd'hui par une saveur et un parfum frais, fruités et légèrement citronnés.

Le *Plymouth gin* a un parfum intense et un goût un peu minéral. Ce gin ne peut être légalement élaboré que dans la ville de Plymouth. Seule la société Coates a le droit de le produire.

Le gin est en général obtenu par double distillation : la première, en colonne à alimentation continue, donne une eau-de-vie neutre ; la seconde, en alambic, permet d'extraire les arômes de la première après que le genièvre et les autres substances aromatiques ont infusé dans le distillat.

En Grande-Bretagne, les producteurs de gin peuvent humer le distillat sortant de l'alambic et en contrôler ainsi les arômes. (Les distillateurs de scotch doivent se contenter d'un examen visuel, car le distillat passe dans une boîte vitrée fermée à clé avant de se déverser dans une cuve à laquelle ils n'ont pas accès). La « tête » et la « queue » de la distillation sont éliminées. Le « cœur » est ensuite coupé d'eau, ce qui permet de ramener sa teneur en alcool à un niveau qui varie de 37,5 % vol. à 57 % vol. suivant les marques.

On peut dire que la qualité du gin varie *grosso modo* en fonction du nombre de substances aromatiques que l'on fait infuser dans l'eau-de-vie. Il faut en compter quatre pour un produit bon marché et jusqu'à une douzaine pour une marque haut de gamme. Les principales matières aromatiques sont les baies de genièvre, la coriandre, l'angélique, le zeste d'orange et de citron, le gingembre, la cardamome, le cassier, la cannelle, la poudre d'iris, la réglisse, le cumin, le calamus, le cubèbe et les graines de paradis.

Les recettes sont bien entendu confidentielles, et les marques se voient parfois obligées de recourir à de savants stratagèmes pour décourager les esprits curieux. Un employé d'une grande maison de gin a étudié les volumes de produits aromatiques commandés au cours d'une longue période, mais ses calculs furent vains, car la composition des commandes était délibérément modifiée à chaque fois pour éviter toute indiscrétion. Les propriétaires du gin Gordon's prennent la précaution d'ajouter aux résidus de leur distillation des substances qu'ils se procurent ailleurs afin de fausser l'analyse des déchets.

L'origine du *gin and tonic* remonte à l'époque de l'Empire des Indes : pour lutter contre la malaria, on absorbait de la quinine en la faisant dissoudre dans de l'eau gazeuse. Ce mélange, bientôt appelé *Indian tonic water*, ne tarda pas à rivaliser avec le soda pour couper le gin au mess des officiers et des sous-officiers. En revanche, c'est dans la marine qu'il faut rechercher l'origine du *gin and lime* (citron vert) : on y buvait du jus de citron vert pour éviter le scorbut pendant les voyages au long cours. Le *pink gin* est obtenu par l'addition de quelques gouttes d'Angostura (un amer). Pour faire du *sloe gin* (un cordial), on laisse macérer des prunelles dans du gin.

Dans les colonies, la quinine dissoute dans l'eau gazeuse permettait de lutter contre le paludisme. On ne tarda pas à découvrir que, mélangé au gin, le remède devenait une boisson délicieuse (photographie prise aux Indes vers 1897).

Beefeater • Gin de style *London dry* produit par la société James Burrough. C'est le seul gin de stature internationale à être encore distillé à Londres. La distillerie se trouve toujours dans une rue tranquille du quartier de Kennington. Après six ans passés au Canada, au début du XIXe siècle, le chimiste James Burrough revint à Londres et créa une distillerie à Chelsea. L'exportation vers les États-Unis commença en 1917, et, en moins de cinquante ans, Burrough devint le plus gros exportateur britannique de gin. La recette exacte du Beefeater, qui comporte des amandes – un ingrédient peu commun –, n'est connue que de six personnes.

Au début des années 90, la plupart des producteurs ont baissé la teneur en alcool de leur gin jusqu'au minimum autorisé de 37,6 % vol. Beefeater a choisi de maintenir un titre élevé (jusqu'à 47 % vol.) si celui-ci était accepté par la réglementation des pays de destination. Grâce à cette politique, ses ventes ont grimpé de 20 %.

À droite : sur ce vieux schéma, on peut suivre les différentes étapes de la distillation du Bombay Sapphire.

1. Alambic à chauffe directe
2. Arrivée de vapeur
3. Sortie de vapeur
4. Chapiteau
5. Colonne de rectification
6. Col de cygne
7. Cuve à aromates
8. Sortie d'eau
9. Condensateur
10. Arrivée d'eau
11. Boîte à distillat
12. Cuve de réception
13. Sortie vers l'embouteillage

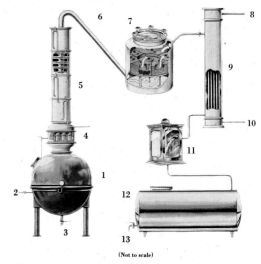

THE UNIQUE BOMBAY SAPPHIRE DISTILLATION PROCESS

(Not to scale)

1. Carterhead still
2. Steam inlet
3. Steam outlet
4. Feints chamber
5. Rectifying column
6. Vapour pipe
7. Copper botanicals basket
8. Water outlet
9. Water condenser
10. Water inlet
11. Spirit safe
12. Receiving tank
13. Bottling line feed

Bombay • Célèbre marque de gin de style *London dry*. Elle fut la première à proposer, au début des années 90, un gin « de luxe », le Bombay Sapphire, qui voulait rivaliser avec les grands cognacs et les whiskies haut de gamme. Sa recette, qui remonte à 1761, exige dix substances aromatiques, alors que la plupart des gins anglais n'en comportent pas plus de six.

L'eau-de-vie de grain est distillée deux fois avant de subir une distillation finale de 24 heures en alambic à chauffe directe. Les vapeurs de distillation s'imprègnent des substances aromatiques contenues dans une cuve en cuivre vieille de 130 ans : c'est un peu comme si elles traversaient un sachet de thé géant. Cette technique particulière d'infusion, utilisée pour tous les gins Bombay, permettrait d'obtenir un produit dans lequel aucun parfum ne domine.

Le Bombay Sapphire est servi à bord du Concorde britannique.

Booth's • Marque et société. La famille compte parmi ses ancêtres un Booth emprisonné dans la Tour de Londres. Elle a produit le premier gin portant son nom peu après la création de son négoce de vins et spiritueux dans la City, en 1740.

Au début du XIXe siècle, Booth's était déjà la plus grande entreprise de distillation de Grande-Bretagne, sous la direction de Felix Booth, l'homme qui mit son nom de famille sur la carte de l'Amérique. Il subventionna l'expédition de John et James Ross partis à la recherche d'un passage entre l'Atlantique et le Pacifique, au nord du Canada. Ils n'en découvrirent pas, mais donnèrent le nom de Boothia à un golfe et à une presqu'île. John Ross atteignit néanmoins le pôle Nord magnétique... et célébra l'événement avec un verre de Booth's.

La marque principale de Booth's est étiquetée *dry gin*, et non *London gin*. Le High and Dry, une variété plutôt rare, est un *London dry*, dont la robe brun pâle est due à un séjour en fût de xérès. L'entreprise détient un brevet de fournisseur de la reine.

Coates • Entreprise qui produit le *Plymouth gin*♦ dans la ville du même nom, située dans le Devon. La société fut créée en 1793, mais la distillerie, installée dans l'ancien monastère dominicain Black Friars, édifié en 1425, est beaucoup plus ancienne. Lorsque Henri VIII eut dissous les ordres monastiques et confisqué leurs biens, le monastère devint la prison pour dette de Plymouth. Son histoire est également liée à la colonisation du Nouveau Monde, car en 1620, quelques Pères Pèlerins passèrent la nuit dans ses murs avant de s'embarquer le lendemain pour l'Amérique sur le *Mayflower*. Le bâtiment servit plus tard de refuge à des huguenots qui avaient fui les persécutions religieuses qui s'exerçaient en France contre les protestants.

En 1793, la famille Coates transforma les locaux en distillerie et y produisit un gin plus aromatique et plus piquant que celui de Londres. Comme Plymouth était un port militaire, les Coates livraient à la Royal Navy le gin destiné au mess des officiers (les matelots n'avaient droit qu'au rhum). Les deux spiritueux avaient une forte teneur en alcool, ce qui permettait d'économiser de la place sur les bateaux.

On produisait alors du gin dans plusieurs ports du sud-ouest du pays, comme Bristol et Barnstaple. Plymouth comptait sans doute à l'époque de nombreuses distilleries, dont seule subsiste Black Friars.

Aujourd'hui, « Plymouth Gin » est à la fois une appellation d'origine contrôlée et une marque, car il ne peut être légalement produit qu'à Plymouth, dans la distillerie Black Friars appartenant aux Coates. La famille obtint cette exclusivité à la suite d'un procès gagné dans les années 1880 contre une distillerie de Londres qui avait commencé à produire son propre *Plymouth gin*. Aucune autre firme ne peut donc en fabriquer... mais rien n'empêcherait les Coates de faire du *London gin* s'ils en avaient envie !

Le *Plymouth gin* est plus riche en genièvre et moins citronné que le *London dry*, mais l'un comme l'autre présentent de nombreux arômes fruités. Le mélange de végétaux utilisé pour le premier fait ressortir les qualités aromatiques de quelques racines. Le *Plymouth gin*, nettement plus chaleureux que le London dry, est bien fruité et tendre, avec une note minérale caractéristique.

C'est le seul gin de Grande-Bretagne à être encore produit dans la distillerie d'origine. On rectifie de l'eau-de-vie neutre pour en augmenter la teneur en alcool et l'on y fait infuser des substances aromatiques. La distillation finale a lieu dans un alambic à chauffe directe vieux de plus d'un siècle.

Pour célébrer le bicentenaire de leur entreprise, les Coates ont mis en bouteilles une petite quantité de gin aussi riche en alcool que celui qui était livré autrefois à la Royal Navy. Cette qualité a une teneur en alcool de 100 *British proof*, l'équivalent de 57 % vol.

Crown Jewel • Gin très fort (50 % vol.), de qualité exceptionnelle, lancé en 1993 par les producteurs du Beefeater♦. Cette version « de luxe », aux saveurs et aux arômes amples et citronnés, est essentiellement destinée au marché hors taxes.

Lors de sa présentation à la presse, le Crown Jewel fut retiré d'un congélateur encastré dans des blocs de glace. Cette pratique est déconseillée avec un alcool moins fort, car la bouteille risquerait d'éclater. « Un Martini tiède, c'est du minestrone », proclama le barman en brisant la glace. Le Crown Jewel, qui bénéficie d'une triple distillation, est franc, sec et fortement aromatique.

Gordon's • Marque leader sur le marché mondial et qui se classe également au sixième rang des spiritueux. Gordon's vend en Grande-Bretagne plus de gin que toutes les autres marques réunies. Plus de 25 % de sa production annuelle (5,8 millions de caisses) est exportée aux États-Unis.

Alexander Gordon, un Écossais installé à Londres, ouvrit en 1769 une distillerie dans le quartier de Southwark. Il tenait à produire un gin dont l'excellence attirerait l'attention et séduirait bien entendu la clientèle. À l'époque, la distillation en alambics à feu nu mal conduits donnait une eau-de-vie tellement impure qu'il fallait souvent la sucrer pour en dissimuler les arômes indésirables. Gordon et d'autres distillateurs soucieux de produire une eau-de-vie pure créèrent le *London dry*, nettement supérieur à l'*Old Tom* courant, une boisson fortement diluée et sucrée.

Tout au long du XIXᵉ siècle, le gin de Gordon fut exporté aux quatre coins de l'Empire britannique et embarqué, pour le mess des officiers, sur les navires faisant route vers les colonies. Un jour, des mineurs « assoiffés » vivant dans un coin perdu d'Australie payèrent d'avance en poudre d'or, leur commande de gin, pour s'assurer de la livraison. En 1898, Gordon's s'associa à un autre distillateur qui partageait ses ambitions, Charles Tanqueray♦, dans l'espoir de développer le marché international. Le premier connut une expansion dans le monde entier, le second augmenta considérablement ses ventes aux États-Unis.

Au début des années 90, la société Gordon's décida de ramener la teneur en alcool de son gin à 37,5 %. Elle assura que le goût de son produit ne souffrait pas de cette réduction, mais la concurrence – qui continuait à vendre des gins titrant de 40 % vol. à 57 % vol. – trouva là l'occasion de faire une publicité accrue pour ses gins. (Le Gordon's exporté au-delà de l'Union européenne titre toujours 40 % vol.)

L'entreprise bénéficie d'un brevet de fournisseur de la reine et de la reine mère. La tête d'ours qui figure sur l'étiquette est tirée de l'écu du clan Gordon. Signe des temps, même le Gordon's – quintessence du *London dry gin* – n'est plus distillé dans la capitale, mais à Laindon, dans l'Essex.

Alexander Gordon, qui créa sa distillerie en 1769, voulait élaborer un gin pur, sans ajout de sucre.

Tanqueray mit fin à une lignée qui ne comptait que des pasteurs depuis trois générations. Comme Alexander Gordon♦, il voulait produire un gin différent et de grande qualité, et il passa beaucoup de temps à mettre au point sa recette. Son gin connut un succès immédiat, et les Anglais des colonies qui venaient passer leurs vacances en Grande-Bretagne n'oubliaient pas de remporter une bonne réserve de Tanqueray au retour. C'est ainsi que la marque fit ses premières « exportations ». Après sa fusion avec Gordon's en 1898, Tanqueray concentra ses efforts sur le marché américain. Dans les années 50 et 60, il s'imposa aux États-Unis après avoir conquis quelques figures emblématiques du monde politique et du spectacle de la côte ouest, comme le Président Kennedy, Bob Hope et Frank Sinatra. Près de 90 % des 1,4 million de caisses que Tanqueray produit chaque année sont vendus aux États-Unis, où la marque détient plus de 50 % du marché.

La forme de la bouteille rappelle les bouches d'incendie londoniennes du XIXe siècle. Comme pour le Coca-Cola et le whisky Dimple♦ de Haig, le modèle est protégé dans le monde entier. On raconte que la recette du Tanqueray est rangée dans un coffre à trois serrures, que l'on ne peut ouvrir qu'en présence des trois personnes détenant chacune une clé. L'alambic que l'on utilisait il y a 150 ans pour la production de l'*Old Tom* sert toujours pour la seconde distillation. Aucun Tanqueray n'est produit sous licence.

À gauche : on vérifie systématiquement la qualité des baies de genièvre, un des principaux aromates du gin.

High & Dry • *London dry* produit par Booth's♦. La robe colorée de ce gin est due à son vieillissement en fût de chêne.

Plymouth • Seul style de gin britannique dont l'origine – la ville de Plymouth – est contrôlée (*voir Coates♦*).

Tanqueray • Gin haut de gamme. Charles Tanqueray construisit sa distillerie à Finsbury, au nord de Londres, où il pouvait bénéficier d'eau de source de grande qualité. Cela se passait en 1830, au moment où Aeneas Coffey venait de mettre au point sa version de la colonne à alimentation continue, permettant d'obtenir plus facilement qu'avec l'alambic à chauffe directe une eau-de-vie plus pure et meilleur marché. Les Tanqueray, des huguenots, s'étaient réfugiés en Angleterre en 1701. Un membre de la famille fut orfèvre à la cour du roi George II. En choisissant de devenir distillateur, Charles

EXPORT STRENGTH

Tanqueray
®
SPECIAL DRY

Distilled English Gin.

CHARLES TANQUERAY & Cº
LONDON. ENGLAND.
47.3 % vol   70 cl e
PRODUCE OF ENGLAND • 100 % GRAIN NEUTRAL SPIRITS

BOOTH'S
HIGH & DRY
ESTD 1740
DISTILLED
LONDON
DRY GIN
37.5 % vol   70 cl e

Belgique

En Belgique, le genièvre est orthographié « jenever ». À part cette préférence graphique, sa technique d'élaboration – qui remonte à environ 1600 – est à peu près identique à celle que l'on emploie en Hollande. Il semble bien que le genièvre ait ses origines dans les Flandres, dans le nord de la Belgique actuelle. Cette région faisait partie des Pays-Bas, qui s'étendaient jusqu'à Calais et qui comprenaient une grande partie de la Hollande actuelle, avant la sécession des provinces protestantes.

Les premiers distillateurs faisaient infuser les baies de genièvre dans l'eau-de-vie contenue dans des ballons en verre suspendus au-dessus du feu. Ils remuaient constamment les ballons pour assurer une chauffe uniforme. À l'origine, la saveur et le parfum persistants du genièvre devaient masquer l'odeur de brûlé que l'eau-de-vie prenait souvent pendant la distillation.

Après la domination autrichienne puis l'annexion par la France (à la fin du XVIIIᵉ siècle), la Belgique connut une période de disette. Plus tard, lorsqu'elle appartint au royaume des Pays-Bas, la production de genièvre fut temporairement suspendue. Pendant la Première Guerre mondiale, de nombreux alambics furent saisis par l'occupant, car l'Allemagne avait besoin de cuivre pour ses usines de munitions. Certaines entreprises survécurent en important de l'alcool avant de pouvoir remettre en état leurs installations. En 1919, lorsque la loi Vandervelde prohiba la vente d'alcool dans les cafés et les hôtels, nombre de distilleries furent acculées à la faillite.

On compte aujourd'hui en Belgique une vingtaine de producteurs qui élaborent quelque 150 spiritueux, à l'ancienne ou de style moderne.

Les distilleries contribuèrent, en leur temps, à façonner le paysage. Elles étaient nombreuses dans la zone agricole autour d'Eeklo, au nord-ouest de Gand, qui fut divisée en petites parcelles, ou *meetjes*. La région porte aujourd'hui le nom de Meetjesland.

Filliers • Petite marque et distillerie familiale située à Deinze, au sud-ouest de Gand. Kamiel Filliers obtint en 1880 une licence pour construire une distillerie : il pouvait continuer ainsi la tradition familiale interrompue en 1863, quand la *graanstokerij* (« distillerie ») avait été détruite par un incendie. On comptait, il y a un siècle, environ deux douzaines de petites distilleries dans la région, toutes exploitées par des fermiers qui faisaient du genièvre avec leur grain et le vendaient en fûts aux auberges et bistrots locaux. Filliers est une des deux distilleries qui ont subsisté. Elle utilise du blé, du seigle et de l'orge maltée, et l'on applique les mêmes méthodes de production qu'au début du XIXe siècle. On effectue une distillation en colonne puis une autre en alambic. Une fois aromatisée, l'eau-de-vie est logée en fût de chêne. Filliers propose deux qualités (5 ans d'âge et 8 ans d'âge), cas apparemment unique dans l'industrie du genièvre. Le seigle est bien présent dans le Filliers, un genièvre riche, aromatique et velouté.

Hoorebeke • Cette marque de genièvre, la plus ancienne de Belgique, est produite par une société créée en 1740, qui est aussi la doyenne d'âge des entreprises belges de ce genre. La famille Van Hoorebeke est originaire d'Audenarde, en Flandre-Orientale. Brasseurs depuis 1400, les Van Hoorebeke devinrent ensuite distillateurs. Jan Frans Van Hoorebeke appuya la rébellion de 1789 contre la domination autrichienne, mais sa distillerie, située à Eeklo, au nord-ouest de Gand, fut incendiée après la bataille de Waterloo. On construisit une autre distillerie, puis une autre encore, toujours à Eeklo.

Le Van Hoorebeke est le seul genièvre belge obtenu par distillation directe de baies de genièvre fermentées. Il sort de l'alambic à 53 % vol. – cette teneur en alcool très basse permet à l'eau-de-vie de déployer des arômes amples et persistants. C'est un genièvre à l'ancienne, auquel un séjour dans le chêne confère une robe légèrement colorée. Il existe une version de 8 ans d'âge.

Meyboom • Marque de la société Fourcroy. Le Meyboom fait partie de la nouvelle génération de genièvres destinés à une clientèle plutôt jeune. Un emballage moderne, aux lignes pures, s'est substitué à la présentation traditionnelle. Rafraîchissant, le Meyboom est agréablement aromatique.

Peket De Houyeu • Genièvre haut de gamme à l'ancienne, produit par la société Bouillon depuis le début du siècle. Sa robe colorée est due à un séjour dans le chêne et non à l'addition de caramel. Pour les cadeaux, sa bouteille traditionnelle en grès peut être encastrée dans de l'étain. Peket de Chevremont et Bastognard sont les autres genièvres de la gamme.

Smeets • Marque et distillerie. On fabrique du genièvre dans la région de Hasselt, à l'est de la Belgique, depuis le XVIIe siècle, mais la distillerie Smeets, bien que fidèle à la tradition, n'existe que depuis 1947. L'Extra Smeets est un genièvre jeune courant ; le Belegen Hasseltse de la même entreprise, logé en cruchons, passe cinq ans en fût de chêne.

Page précédente : la place du marché de Veurne, en Flandre-Occidentale.

À gauche : trois générations de Van Hoorebeke.

Ci-dessous : un coin de la distillerie Filliers.

Gin
d'autres pays

Le siège de la société Larios, qui produit le gin le plus vendu en Espagne, se trouve à Malaga, associée surtout à l'image du vin.

Lituanie

Nemunas • Gin récemment mis sur le marché, qui porte le nom de Nemunas (Niémen), le plus important des fleuves traversant le pays. En Europe centrale et septentrionale, le terme de « brandy » désigne souvent le genièvre et les eaux-de-vie dans le style du schnaps, comme en témoigne l'étiquette du Nemunas. En plus du genièvre, il est aromatisé avec des fleurs de tilleul, du houblon et du miel. Très fort (60 % vol.), ce gin floral peut être servi au cours du repas, ou bien avec (ou dans) le café.

Espagne

Larios • Marque leader en Espagne, pays où la consommation de gin par habitant est la plus élevée du monde (on en boit 60 % avec du Coca-Cola). Larios vend plus de gin que tous les autres producteurs espagnols réunis. Avec 3,2 millions de caisses par an, il se place au troisième rang mondial des marques de gin. Le Larios est du style *London dry*. Il peut sembler surprenant qu'une distillerie espagnole puisse produire un bon *London dry*, mais lors d'une dégustation récente à Londres d'une douzaine de grandes marques de gin par

leurs directeurs et les experts du magazine *Wine and Spirit International*, le Larios fut classé en tête. Plus étonnant encore, un gin de supermarché fut jugé supérieur à plusieurs marques réputées sur le marché international.

Au tournant du siècle, les Larios acquirent une entreprise vinicole de Málaga, puis commencèrent à distiller du gin en 1933. Un membre éminent de la famille, Martin Larios y Herrero, participa à la construction du chemin de fer Málaga-Cordoue et bâtit, entre autres, la rue principale de Málaga, ce qui lui valut d'être fait marquis. La distillerie de l'entreprise, installée dans la province de la Manche, se consacre entièrement à la production du gin ; les autres activités de Larios s'exercent à Málaga. 40 % vol.

Rives Pitman • Société du groupe Osborne♦ spécialisée dans la production d'alcools blancs et pionnière du gin espagnol. Elle utilise un alcool neutre titrant 96,5 % vol., obtenu par double distillation, et des eaux-de-vie distillées après infusion de substances aromatiques propres à chaque style. Ses colonnes à alimentation continue mesurent 20 m de haut. Rives et Pitman sont des marques distinctes. Le Rives Oro est très sec ; le Rives Special est issu d'une triple distillation ; le Pitman est du style *London dry*.

États-Unis

Les États-Unis constituent le plus grand marché du gin au monde : il s'en vend douze à treize millions de caisses chaque année. La plupart des marques populaires – comme Gordon's, Tanqueray et Gilbey's – sont originaires de Grande-Bretagne. C'est pourtant le Seagram's, distillé dans le pays, qui est en tête des ventes.

Seagram's • Marque leader sur le marché américain. Seagram's commença à être commercialisé en 1939 comme gin sec, mais il avait une robe dorée car il séjournait jusqu'à un an dans des fûts ayant contenu du whiskey. Sa teinte était assez profonde pour atteindre 30 points sur l'échelle de Klett. À l'époque, le Seagram's était le seul gin du marché à bénéficier de ce traitement,

qui le rendait à la fois plus aimable et plus sec que d'autres marques de la même catégorie.

Au fil des ans, la robe du Seagram's s'est éclaircie pour répondre à l'attente des consommateurs qui se faisaient du gin l'image d'une eau-de-vie blanche. On continue pourtant à le loger dans le même type de fût, mais pendant 90 jours seulement. Seagram's, qui est devenu numéro un des gins en 1981, produit environ quatre millions de caisses par an. Il se classe actuellement au troisième rang des spiritueux vendus aux États-Unis.

Producteur du gin le plus vendu aux États-Unis, Seagram's doit assurer le renouvellement continuel de son stock de céréales.

Rhum
et eaux-de-vie de canne

L e rhum est une eau-de-vie obtenue par distillation de mélasse ou de jus de canne à sucre fermentés. Il se pourrait que Christophe Colomb soit en quelque sorte à l'origine de la production rhumière des Antilles. En 1493, lors de son deuxième voyage aux Indes occidentales, il fit escale aux Canaries, où il embarqua des boutures de canne à sucre qu'il planta à son arrivée à Hispaniola (cette île est aujourd'hui partagée entre Haïti et la république Dominicaine). Les plantations de canne et les sucreries se multiplièrent rapidement dans tout l'archipel des Antilles.

Pour fabriquer le sucre, on broie la canne et l'on en extrait le jus ; celui-ci est ensuite chauffé, ce qui provoque sa cristallisation, mais une partie du liquide reste sous forme d'un sirop brunâtre. Ce résidu, contenant jusqu'à 50 % de sucre, fut appelé *melazas* car il rappelle le miel (en espagnol, *melaso* signifie « mielleux »), d'où le mot anglais *molasses* et le terme français de « mélasse ».

On ne tarda pas à s'apercevoir que ce sirop, abandonné au soleil, fermentait. Un peu avant 1650, on entreprit de distiller un mélange fermenté de mélasse, de jus de canne et d'eau. Ce rhum primitif était un alcool si redoutable que les colons anglais de la Barbade – sans doute la première île des Antilles où l'on fit de l'eau-de-vie de mélasse – le surnommèrent *kill-devil* (« tue-diable »). Chez les Français installés sur les îles voisines, cette expression devint « guildhive », et la distillerie de rhum fut appelée « guildhiverie ». Le terme anglais de *rum*, attesté en 1667, viendrait de *rumbullion*, mot d'origine obscure signifiant « grand tumulte » dans le comté anglais du Devon ; pirates et corsaires l'avaient adopté pour désigner les beuveries auxquelles ils se livraient pour célébrer une bonne prise. Les Français en firent « rhum » et « rhumerie » pour la distillerie, les Espagnols *ron* et *roneria*.

Les colonies anglaises de Louisiane, de Nouvelle-Angleterre et du Canada constituèrent un vaste marché pour le rhum des Antilles anglaises. Au début, on échangea le rhum contre du bois en grume et du poisson séché, mais les colons finirent par acquérir de la mélasse concentrée pour distiller leur propre rhum. La politique de monopoles commerciaux menée par la métropole menaçait de s'étendre au rhum, et le mécontentement des colonies se manifesta avec force dans le blocus de Boston (1773), prélude à la guerre d'Indépendance. Par ailleurs, la Grande-Bretagne s'était prise de passion pour le rhum : au XVIIIe siècle, celui-ci détrôna même le gin, jusqu'alors boisson nationale. Le punch au rhum devint très populaire – Londres comptait 300 bars à punch –, et le bol à punch prit place sur les buffets des salles à manger.

Dès 1665, la Royal Navy avait adopté le rhum pour remplacer la bière et l'eau qui devenaient imbuvables après quelques semaines de navigation. En 1731, la ration quotidienne d'un marin anglais était d'environ un tiers de litre de rhum à 80 % vol. Vu le nombre de matelots perchés sur les vergues qui s'écrasaient sur le pont pendant les manœuvres, l'Amirauté décida que le rhum serait coupé d'une même quantité d'eau. La distribution de rhum aux équipages de la Navy a été supprimée en 1969.

Page de gauche : le marché du port de Salvador, dans l'État brésilien de Bahia, regorge de canne à sucre.

Ci-dessous : brûlage après la récolte de la canne à sucre.

Photo ancienne : le transport du rhum par char à bœufs à la Jamaïque.

Les rhums légers, pour lesquels on utilise des levures sélectionnées, sont distillés rapidement à forte teneur en alcool dans des colonnes à alimentation continue. Ce procédé ne leur laisse que peu d'arômes et de corps. Après filtrage sur charbon de bois, ils sont parfois assouplis par un court séjour en fût de chêne. Les rhums plus lourds, plus riches en arômes, sont obtenus par fermentation avec des levures naturelles, suivie d'une double distillation lente en alambic traditionnel à chauffe directe. Logés plus longtemps dans le chêne, ils sont parfois additionnés de substances qui renforcent leurs arômes. Le vieillissement dure au moins douze ans mais jamais plus de vingt, car au-delà, les rhums perdent leur saveur. On utilise souvent des fûts en chêne blanc américain ayant contenu du whiskey.

La France du XVIIIe siècle raffolait de produits exotiques : le café, le chocolat, les épices et le rhum furent bien accueillis. L'importation des rhums étant interdite – les prises faites par les navires de guerre ou les bateaux des corsaires étaient toutefois acceptées –, on ne buvait que ceux des Antilles françaises, auxquels s'ajoutèrent, un siècle plus tard, ceux de la Réunion. Si la consommation de rhum par la Royal Navy rendit cet alcool populaire en Grande-Bretagne, il le devint en France grâce à l'armée. Pendant les guerres napoléoniennes, les cantinières portaient déjà un tonnelet de rhum ; au cours de la Grande Guerre, le rhum coulait à flot dans les tranchées. Lorsque le phylloxéra détruisit le vignoble français à la fin du siècle dernier, la pénurie de vin et d'eau-de-vie qui s'ensuivit provoqua une prodigieuse augmentation de la demande de rhum, ce qui eut pour effet immédiat la levée des restrictions à son importation.

On peut assembler les rhums d'alambic et de colonne de distillation en proportions diverses pour obtenir toute une gamme de richesses aromatiques. Au départ, tous les rhums sont incolores. Leur teinte est due en partie au séjour dans le chêne, mais surtout à l'addition de caramel.

Sur l'étiquette des bouteilles de rhum figure le nom de la distillerie ou une marque avec indication de l'origine géographique, ou bien une marque commerciale sans plus de précisions (c'est surtout le cas des assemblages de rhums de provenances diverses). Les rhums agricoles sont identifiés comme tels.

On distingue trois types de rhums suivant leur couleur :

Rhum blanc. Généralement peu corpulent – hormis quelques variétés assez « lourdes » –, avec des arômes discrets, il est destiné aux cocktails. Le rhum agricole, plus parfumé, peut être bu pour lui-même.

Les pirates sont entrés dans la légende... avec leur boisson préférée, le rhum.

On peut diviser les rhums en deux catégories : celle des rhums dits industriels (ou de sucrerie) – de loin la plus vaste – et celle des rhums que l'on qualifie en France d'agricoles. Les rhums industriels sont faits avec un sous-produit de la fabrication du sucre, la mélasse ; la durée de fermentation de celle-ci va d'une quinzaine d'heures pour les rhums légers à deux semaines pour les plus lourds. Pour renforcer le goût et accélérer la fermentation, on ajoute à la mélasse du *dunder* (dépôt resté au fond de l'appareil de distillation). Les rhums agricoles, plus fins, sont à base de jus de canne, le vesou, filtré et soumis à une fermentation courte (sa durée varie selon les levures utilisées). On ne fait plus guère de rhums agricoles que dans les Antilles françaises et à Haïti.

Rhum ambré. Plus corpulent, avec des arômes plus riches, il a passé quelques années en fût de chêne. Certains rhums ambrés vieillissent huit ans et plus, ce qui explique leur élégance et leur équilibre

Rhum noir. Ce rhum à l'ancienne, robuste et fruité, est distillé essentiellement en alambic. Il conserve le goût de caramel et l'opulence des premiers rhums fournis à la Royal Navy.

Antilles

Barbade

Rhums issus d'alambic et de colonnes à alimentation continue, ambrés, assez légers, un peu sucrés (*voir Cockspur et Mount Gay*, une des plus anciennes plantation des Petites Antilles). Le rhum est peut-être né à la Barbade, car c'est en 1637 que le Hollandais Pieter Blower y apporta la canne à sucre.

Cuba

Les rhums cubains (37,5°), que l'on trouve en France sous l'étiquette Havana Club, sont distillés en colonnes à alimentation continue. Très légers, ils ressemblent à ceux de Porto Rico. C'est sur cette île que la marque Bacardi, qui domine le marché du rhum, a ses racines. Mais depuis les années 60, elle est produite ailleurs.

Harmony Hall, une maison coloniale traditionnelle de la Jamaïque, évoque toute la douceur du climat tropical.

Guadeloupe

Découverte par Christophe Colomb en 1493, la Guadeloupe fut colonisée par les Français dès 1635. Ils y créèrent des plantations de canne à sucre et employèrent la main-d'œuvre fournie par les négriers. Des rhumeries s'ajoutèrent bientôt aux sucreries. Aujourd'hui, la Guadeloupe produit un peu plus de rhums industriels que de rhums agricoles. Les deux catégories sont plus corsées et plus aromatiques que celles de la Martinique.

Ci-dessus : Kingston, sur la côte sud de la Jamaïque, est une ville-jardin qui bénéficie de la fraîcheur des montagnes Bleues.

À droite : tous les bars offrent un large assortiment de rhums.

Guyana

Bien que la Guyana se trouve sur le continent, on rattache ses rhums à ceux des Petites Antilles proches. La culture de la canne à sucre a commencé vers 1600, et le rhum a suivi peu après. Les rhums de la Guyana, en général plutôt légers, sont très appréciés pour les assemblages.

Haïti

Cette île est une ancienne colonie française, où la population comprenait près de 85 % d'esclaves peu avant l'indépendance. Haïti produit des rhums agricoles très aromatiques, obtenus par double distillation en alambic et vieillis dans le bois.

Jamaïque

Le rhum traditionnel de la Jamaïque, obtenu par double distillation en alambic, est corpulent, avec des arômes lourds et violents. On élabore sur l'île un rhum très concentré destiné à l'Allemagne et à l'Autriche. Coupé avec 95 % d'eau-de-vie neutre, il devient le *Rum Verschnitt* allemand et l'*Inlander Rum* autrichien qu'il ne faut pas confondre avec le rhum authentique. La Jamaïque fait aussi des rhums légers, distillés en colonnes à alimentation continue, qui sont surtout destinés au marché américain.

Martinique

La production sucrière de la Martinique s'étant écroulée, on y fait uniquement des rhums agricoles avec du jus de canne fermenté. Ce sont des rhums corpulents, aux arômes complexes, que l'on boit pour eux-mêmes.

Porto Rico

Immense production de rhums légers et très secs, distillés en colonnes. Peu aromatiques, ils sont surtout destinés aux cocktails.

Trinité

On y fait surtout des rhums légers, distillés en colonnes à alimentation continue, et des rhums moyennement corpulents. Les rhums de la Trinité sont excellents pour les cocktails.

194

Angostura White Label • Rhum de la Trinité. Quand la société Angostura quitta le Venezuela pour se fixer à la Trinité, au début du siècle (*voir l'historique de la marque p. 225*), elle acheta des rhums en vrac afin de réaliser un assemblage selon sa recette. Dans les années 40, à l'initiative de Robert Siegert, arrière-petit-fils du fondateur, elle commença à distiller son propre rhum. En 1958, une entreprise canadienne tenta d'en prendre le contrôle, mais le gouvernement de Trinité-et-Tobago la racheta pour la céder ultérieurement à Siegert Holdings, une société *ad hoc* constituée par les cadres et les employés de la société Angostura.

Le White Label, une variété de rhum caractéristique de la gamme Angostura, est très léger, avec un parfum délicat. 43 % vol.

Appleton's Estate • Rhum de la Jamaïque. La plantation fut créée autour de 1740 dans la vallée de Nassau par les frères Dickinson, petits-fils d'un des premiers colons britanniques, Francis Dickinson. Celui-ci avait participé en 1655 aux combats victorieux des Anglais contre les Espagnols. La plantation actuelle englobe les terres que la Couronne avait attribuées aux fils de Dickinson en 1687.

La distillerie est équipée de vieux alambics. Le rhum blanc passe plus de temps dans le chêne que d'autres variétés de son genre, ce qui le rend plus tendre ; on le filtre au charbon de bois pour lui retirer sa couleur. Le rhum ambré est un assemblage de rhums légers et lourds. Le rhum noir, très aromatique, tient du style jamaïcain traditionnel. Tous ces rhums titrent 40 % vol. L'Extra (43 % vol.) a 12 ans d'âge.

Bacardi • Marque leader à la fois dans le commerce mondial du rhum (plus de vingt millions de caisses par an) et sur le marché global des spiritueux. L'origine de Bacardi remonte à la première moitié du XIXe siècle, quand Don Facundo Bacardí y Masó, un Catalan arrivé à Cuba en

1830, entreprit de distiller du rhum avec un petit alambic. Il finit par acheter une distillerie à Santiago de Cuba. Il entreposait son rhum dans une cave habitée par des chauves-souris (certains y voient l'origine de l'emblème qui figure sur l'étiquette de Bacardi, d'autres pensent que la chauve-souris symbolise ici l'esprit de famille). Ses enfants fondèrent la société Bacardi en 1862. Le fils aîné, Emilio, participa au mouvement clandestin qui cherchait à affranchir Cuba de la tutelle espagnole. Il fut arrêté et exilé, mais cela n'empêcha pas Bacardi de devenir fournisseur de la famille royale espagnole. Cet honneur serait lié au fait que le futur roi Alphonse XIII fut guéri d'une grippe grâce à un grog au rhum Bacardi.

Après l'occupation de l'île par l'armée américaine en 1898, le Coca-Cola fit son apparition dans les bars de Cuba. Un soir, un soldat américain mélangea le rhum cubain et le Coca-Cola, puis porta un toast à l'indépendance imminente de Cuba : ainsi serait né le célèbre *Cuba Libre*. En 1935, la société Bacardi installa une usine à Porto Rico, premier maillon d'une chaîne internationale. En 1960, Fidel Castro confisqua la distillerie Bacardi de Santiago de Cuba et nationalisa la marque. Les Cubains entreprirent d'exporter le rhum produit à Santiago sous l'étiquette Bacardi, mais, au terme d'un procès international, la société Bacardi fut reconnue propriétaire de la marque. Le rhum de Santiago allait porter désormais le nom de Havana Club.

La société Bacardi s'installa aux Bahamas et y construisit une distillerie. Elle traite des mélasses importées de la Trinité et de la Guyana par bateaux-citernes. Bacardi est aujourd'hui une multinationale avec des usines installées dans divers pays (Brésil, Venezuela, Trinité-et-Tobago, Panama, Mexique, Espagne...) et de nombreux centres d'embouteillage.

Bailly • Rhum agricole de la Martinique. Il est produit sur la plantation acquise par Jean Bailly, officier de marine sous Napoléon Ier. Les Bailly échappèrent par miracle à la terrible éruption de la montagne Pelée qui anéantit Saint-Pierre en 1902 et fit 35 000 victimes. Jean Bailly, fils du précédent, eut l'idée de faire vieillir l'eau-de-vie de canne. Le rhum Bailly est moelleux et long en bouche, avec des nuances de vanille et de zeste d'orange. Il a une jolie robe dorée.

Bologne • Rhum agricole de Guadeloupe. Très apprécié dans l'île, il est également expédié en métropole. Jeune, le rhum blanc est sec et parfumé ; vieux, il acquiert de la rondeur et des arômes épicés.

Captain Morgan • Le rhum noir le plus vendu au monde. Il porte le nom du capitaine Henry Morgan, pirate gallois anobli et nommé gouverneur de la Jamaïque en 1674 par le roi d'Angleterre Charles II, pour le remercier d'épargner les vaisseaux britanniques. Le groupe Seagram, propriétaire du Captain Morgan, s'est éloigné du style corsé du rhum jamaïcain traditionnel en faisant appel pour ses assemblages aux produits d'autres îles caraïbes. Les rhums de Jamaïque apportent richesse et arômes, ceux de la Guyana finesse et notes épicées, ceux de la Barbade (distillés en colonnes à alimentation continue) la légèreté. Le Black Label, un assemblage riche de rhums de Jamaïque et des îles Fidji (Océanie), est logé jusqu'à quatre ans dans le chêne (37 % vol. et 57,2 % vol.). Le White Label, peu corpulent, est destiné aux cocktails. Le Morgan Mellow Spiced, assez soyeux, est soit un rhum jamaïcain de 2 ans d'âge, soit un rhum ambré de Porto Rico vieux d'un an ; les deux variétés (35 % vol.) sont additionnées d'épices comme la vanille, d'arômes d'abricot et de figue.

Page précédente, en bas à gauche : cette boutique d'artisanat jamaïcain installée sur la plage de la baie de Runaway met en valeur les qualités décoratives de la canne à sucre.

Caroni Puncheon • Rhum de la Trinité. Caroni débuta en 1918 avec un alambic en fonte. Une série d'alambics neufs et de seconde main permirent d'améliorer la qualité et la quantité des rhums au fil des décennies. Les alambics et colonnes utilisés aujourd'hui datent de 1984. L'entreprise distille la mélasse provenant de sa propre sucrerie, fait vieillir ses rhums dans le chêne et dispose d'un stock de rhums vieux (jusqu'à 20 ans d'âge). La gamme comporte huit rhums légers, dont le Puncheon ; son style traditionnel remonte aux débuts de la plantation. D'une grande richesse alcoolique (75 % vol.), il est très apprécié pour les assemblages. Les rhums légers vieillissent au moins trois ans avant embouteillage, les rhums plus lourds au moins six ans.

Clément • Rhum agricole de la Martinique. Son origine remonte à la fin du siècle dernier, quand Homère Clément construisit une distillerie dans sa plantation à Le François, sur la côte est de l'île. Le rhum Clément est distillé dans des appareils à colonnes, d'où il sort à 68 % vol. Après coupage, il est vieilli dans le bois. La gamme comprend un rhum blanc très frais et de vieux rhums ayant fait plusieurs années de fût, corpulents et épicés. Les très vieux Clément, superbes, sont moelleux.

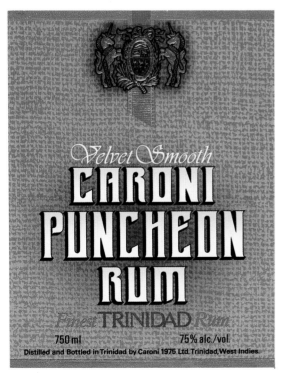

Cockspur • Rhum ambré de la Barbade. La marque fut créée en 1884 par un Danois nommé Valdemar Hanschell. Le Cockspur est élaboré en alambic par la plus grande des deux distilleries encore en activité sur l'île, qui bénéficie de sa propre source. La mélasse fermente grâce à une levure sélectionnée gardée secrète. 37,5 % vol.

Depaz • Rhum agricole de la Martinique, qui remonte aux débuts de la colonisation (vers 1635). Installée sur les flancs de la montagne Pelée, la famille Depaz périt lors de l'éruption volcanique de 1902. Seul un fils qui faisait des études en France resta en vie. À son retour sur l'île, il entreprit de recréer la plantation et la distillerie. Aujourd'hui, le rhum Depaz est distillé en colonnes et vieilli en fût de chêne américain. On trouve en métropole un rhum blanc ayant passé quatre ans en fût et de vieux rhums, corpulents et épicés, avec des nuances d'agrumes, qui sont très longs en bouche.

Dillon • Marque et distillerie de la Martinique. Claude de Girardin de Montgéralde créa la plantation et la sucrerie vers 1690. Son fils Pierre-Claude-François agrandit le domaine et maria une de ses filles au comte Levassor de la Touche de Longpré. Après la mort du comte, elle épousa le vicomte Arthur Dillon, qui

en bouteilles à la Martinique. Il s'agit de rhums blancs (50 % vol. et 55 % vol.), élevés en chêne du Quercy, vieux (45 % vol.), très vieux et hors d'âge millésimés. La production courante est expédiée en vrac à Bordeaux, vieillie en fût de chêne et commercialisée par Bardinet sous les marques Old Nick et Negrita. 40 % vol.

Duquesne • Rhum agricole de la Martinique. Créé au début du siècle, il appartient aujourd'hui au groupe Martini-Rossi. Distillé en colonnes, logé en fût de bourbon à Fort-de-France, il est mis en bouteilles sur place. La gamme Duquesne comprend des rhums blancs frais et joliment aromatiques, ainsi que des rhums vieux (5 et 10 ans d'âge), fins et élégants, avec des nuances épicées.

El Dorado • Marque de la distillerie Demerara, unique producteur du célèbre rhum du comté de Demerara, en Guyana (ancienne Guyane britannique, proche des Petites

combattit avec La Fayette à la tête d'un régiment irlandais de l'armée royale, devint planteur et député de la Martinique. Il avait pour cousine Marie-Josèphe Tascher de la Pagerie, qui devint impératrice des Français : elle épousa le vicomte de Beauharnais puis, après que celui-ci eut été guillotiné, le général Bonaparte. En 1857, la plantation passa aux mains de Pierre Hervé, maire de Saint-Pierre. Il l'agrandit, fit bâtir une distillerie – qui sera partiellement détruite par un cyclone en 1891 – et restaura le canal d'adduction d'eau datant du XVIIe siècle. La distillerie actuelle fut construite en béton armé en 1928. Dillon appartient maintenant à la société bordelaise Bardinet, qui distribue les rhums agricoles mis

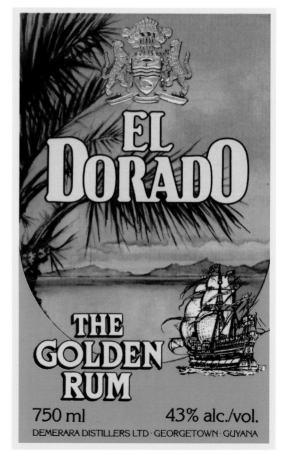

Antilles). La distillerie peut produire tous les styles de rhum grâce à une extraordinaire collection d'appareils allant des vieux alambics à chauffe directe aux colonnes à alimentation continue les plus modernes. Les chais, immenses, contiennent plus de 50 000 fûts.

La gamme El Dorado comprend un rhum blanc (Superior White), un rhum ambré (Golden), un rhum noir très riche (Dark) et un Special Reserve soyeux. Ce dernier, parfumé et long en bouche, passe quinze ans dans le chêne.

Félicité Gold • Rhum ambré de la Trinité. Léger et souple, ce rhum d'assemblage est né en 1820 sur la plantation Félicité, qui appartient maintenant à la société productrice. Il se caractérise par des arômes généreux et une fin de bouche élégante. 43 % vol.

Ferdi's premium • Rhum ambré de la Trinité produit par l'entreprise Jo Fernandez (rachetée par Angostura et Bacardi). Cet assemblage de deux styles de vieux rhums (léger et corpulent) possède une structure souple et un peu plus de corps que d'autres rhums similaires comme le White Star♦. Sa robe dorée est due à un séjour en fût et à l'addition de caramel. 43 % vol.

Lamb's • Rhum de négoce qui remonte à 1849, quand Alfred Lamb lança ses rhums en Grande-Bretagne. Il importait des barriques de jeune rhum des Antilles pour le faire vieillir dans des caves situées sous la Tamise. L'humidité et la fraîcheur lui donnaient un caractère particulier, qui fit son succès. Aujourd'hui, le Lamb's Reserve est un assemblage de rhums d'alambic et de colonne dont le plus jeune a 8 ans d'âge. Il possède un riche goût de caramel, des arômes fumés et boisés, avec une note épicée. Le Pale Gold est corpulent, fruité, avec des nuances de caramel et de chocolat. Les deux variétés titrent 40 % vol.

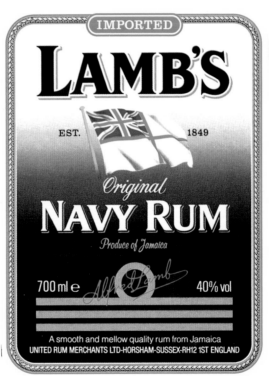

Montebello • Rhum agricole de la Guadeloupe distillé en colonne. Le blanc est très frais, avec un parfum délicat ; le vieux, vieilli quatre ans dans des fûts de chêne français exposés au soleil, est corsé et épicé.

Mount Gay • Rhum ambré de la Barbade. Remontant à 1660, Mount Gay est la plus vieille plantation de l'île et l'une des plus anciennes des Antilles. On y distillait déjà en 1663, et l'on n'a probablement

Page précédente, en haut à gauche : l'impératrice Joséphine, épouse de Napoléon Ier, était apparentée à la famille des fondateurs de la distillerie Dillon, en Martinique.

jamais cessé d'y faire du rhum. Au début du XIXe siècle, il y avait des centaines de distilleries dans l'île, dont le rhum était surnommé « eau de la Barbade ».

Tous les alambics, sauf, un ont été remplacés par des colonnes. Une partie du rhum d'alambic (distillé deux fois) est mise en bouteilles, le reste est assemblé avec le rhum de colonne, auquel on ajoute du vin de pruneau et du vin du style xérès. Les assemblages sont logés dans des fûts de bourbon. Ce séjour leur confère une élégante nuance fumée et une fin de bouche moelleuse.

Old Cask • Rhum vieux de la Trinité. Obtenu par assemblage de différents rhums de 10 ans d'âge, il est souple, moelleux et soyeux. 43 % vol.

Old Oak • Gamme de rhums blancs et ambrés de la firme Angostura, en tête des ventes à Trinité-et-Tobago, ainsi que dans les autres îles des Petites Antilles, ex-colonies anglaises. Le même producteur commercialise, entre autres, un rhum étiqueté « Limbo Drummer ». 43 % vol.

Pusser's • Rhums de diverses origines assemblés à Tortola, une des îles Vierges anglaises, à l'est de Porto Rico. Chuck Tobias, ancien *marine* des États-Unis, a fondé en 1979 à Tortola une entreprise d'assemblage et d'embouteillage. Il a racheté à l'Amirauté britannique une vieille recette et a réussi à obtenir le droit de faire figurer le pavillon de la Royal Navy sur ses étiquettes. En argot maritime anglais, le *pusser* est le cambusier, chargé, entre autres, de distribuer le rhum à l'équipage.

Le Pusser's est un assemblage de six rhums venant de la Trinité et de la Guyana (54,5 % vol.). La marque exporte aux États-Unis deux versions moins fortes : Pusser's Gold (40 % vol.) et Admiral's Reserve (47,75 % vol.).

Royal Oak • Rhum ambré « de luxe » produit à la Trinité par la société Angostura. Cet assemblage de rhums vieux à base de mélasse, élevés dans le chêne, est agréablement onctueux et équilibré. 43 % vol.

Saint-James • Rhum agricole de la Martinique. Créé en 1765 par le révérend père Lefébure des frères de la Charité, il porte le nom de l'amiral anglais Saint-James. En 1902, l'éruption de la montagne Pelée ravagea la plantation mais épargna la distillerie, et le rhum Saint-James ressuscita. Il est distribué dans une bouteille originale, à section carrée. Le blanc, qui passe six mois dans des cuves en inox, est d'un abord facile (40 % vol.) ; l'ambré (trois ou six ans dans le chêne, 45 % vol.) et le hors-d'âge (dix ans), sont des rhums à l'ancienne, amples, moelleux et aromatiques, avec des nuances épicées.

Séverin • Rhum agricole de la Guadeloupe. Il est distillé en colonne et vieilli au moins quatre ans dans du chêne américain et français. En France métropolitaine, on trouve le rhum blanc, sec et parfumé, et le rhum vieux, bien généreux.

200

L'entreprise Wray & Nephew, fondée en 1825, est la plus ancienne de la Jamaïque. Elle possède les marques Wray's Overproof et Appleton's Estate♦, ainsi que trois grandes plantations : Appleton, Holland et New Yarmouth. Les meilleurs rhums de la société viennent du domaine d'Appleton, dont la distillerie est accessible aux visiteurs.

Les assembleurs ont à leur disposition des réserves de rhums qui ont jusqu'à trente ans d'âge – l'entreprise a d'ailleurs encore en stock des rhums exceptionnels, vieux de cinquante ans. John Wray, charron de son état, créa une taverne sur la grande place de Kingston, à côté du théâtre, et finit par devenir marchand de rhum. Son affaire prospéra au point qu'il put prêter de l'argent au gouvernement pour l'aider à financer l'Exposition jamaïcaine de 1891. Le grand séisme et l'incendie de 1907 provoquèrent de graves pertes au sein de l'entreprise : deux employés tués, les archives et trente magasins détruits, le siège de la société rasé. La catastrophe eut aussi raison du théâtre. Pourtant, les affaires de Wray s'avérèrent si solides qu'il fut en mesure d'offrir à la ville un nouveau théâtre. Il y a encore aujourd'hui un bar géré par la firme à l'emplacement de l'ancienne taverne, sur la place, à côté du théâtre.

La firme Wray & Nephew produit aussi le C. J. Wray (du nom de son fondateur), dont elle assure que c'est le tout premier rhum vraiment sec. Il s'agit d'un assemblage de rhums blancs qui est très apprécié pour les cocktails. 40 % vol.

White Magic Light • Rhum léger millésimé de la Trinité. Il est fait avec de la mélasse provenant de la principale sucrerie de l'île, Caroni. 43 % vol.

White Star • Rhum ambré de la Trinité. Peu corpulent, il est obtenu par assemblage de rhums légers et de rhums très aromatiques. Sa couleur dorée, due à un séjour dans le bois, est renforcée par du caramel. 43 % vol.

Wray's Overproof • Jeune rhum blanc de la Jamaïque. C'est un assemblage de rhums légers et de rhums aux arômes marqués. Le Wray's Overproof a des saveurs et des parfums particuliers, car les rhums servant aux assemblages ne vieillissent pas dans le chêne. La mention « overproof » s'applique généralement aux rhums dont la richesse en alcool dépasse 60 % vol. Le Wray's, champion des ventes à la Jamaïque, sert surtout à la confection du punch.

Navires de commerce au large de Kingston, capitale de la Jamaïque, en 1865.

Rhum d'autres régions du monde

On cultive la canne à sucre dans le Queensland depuis les années 1860.

Australie

Le rhum, qui ne semble pas très populaire en Australie, est pourtant la boisson alcoolique la plus vendue après la bière. Certains seraient même surpris d'apprendre que l'on y boit deux fois plus de rhum Bundaberg que de Johnnie Walker, le scotch leader sur le marché mondial. Les premières plantations de canne à sucre furent créées dans les années 1860 dans le Queensland, et la production de rhum a commencé en 1888 à Bundaberg, à 400 km au nord de Brisbane.

Bundaberg • Champion des ventes parmi les rhums australiens. Ce rhum très populaire, surnommé « Bundy », est le spiritueux le plus vendu en Australie (10 % du marché global des alcools et 90 % du secteur des rhums noirs). Plus de la moitié de la production est distribuée dans l'État du Queensland, sa région d'origine. Les Australiens vivant à l'intérieur des terres le préféraient autrefois à la bière, car, ne tournant pas malgré la chaleur torride, il n'avait pas besoin d'être conservé au réfrigérateur.

Bien qu'il s'agisse d'un rhum produit en gros volumes et qui tient à rester une boisson très populaire, le Bundaberg rivalise sur le plan de la qualité avec des marques respectables comme Qantas, Vegemite ou Foster's. Sa belle bouteille à section carrée est ornée de trois étiquettes jaunes – une présentation conçue au début des années 60 par Sam McMahon, frère de William McMahon qui devint Premier ministre d'Australie en 1971-1972. L'ours blanc qui figure sur l'étiquette ronde rappelle le slogan selon lequel ce rhum « peut vaincre le froid le plus terrible ».

Le Bundaberg est élaboré par double distillation, d'abord en colonne à alimentation continue, puis en alambic, d'où il sort à une teneur en alcool qui dépasse les 78 % vol. Il est logé deux ans dans d'immenses cuves de 60 000 l en chêne blanc américain (la société remplit plus de 150 cuves nécessitant chacune environ 6 t de bois). 37,1 % vol.

La Réunion

Grand producteur de canne à sucre, la Réunion distille surtout de l'alcool industriel et des rhums de mélasse, dont la plupart sont expédiés en vrac en métropole, où ils servent à renforcer des rhums légers. Sur le marché local, on trouve aussi quelques rhums agricoles.

Une des merveilleuses chutes d'eau de Canaima, au Venezuela.

Venezuela

Pampero • Rhums haut de gamme produits par l'entreprise qui fut la première au Venezuela à faire vieillir du rhum. Fondée dans les années 30 par Alejandro Hernandez, elle commença par faire des boissons alcoolisées aux fruits tropicaux, puis assembla des rhums jeunes. En 1941, elle mit sur le marché un mélange d'eau-de-vie de canne et de concentré de cola qu'elle appela Patria Libre pour célébrer le retour des libertés publiques. L'année d'après, Pampero logea pour la première fois du rhum dans des fûts de 500 l pendant six mois. Satisfaite du résultat des expériences menées sur près de dix ans, la société remplit enfin 400 barriques dont le contenu fut mis en bouteilles après deux ans de vieillissement. Ce Pampero Ron Anejo (vieux rhum) fut le premier vieux rhum lancé au Venezuela ; vinrent ensuite des rhums âgés de trois et quatre ans.

Dans les années 60, l'entreprise fonda sa politique sur la création de produits nouveaux. En 1962, les Tresanejo et Dorado dominaient le marché des rhums de qualité ; en 1963, l'Aniversario (pour les 25 ans de Pampero) fut parmi les meilleurs du monde ; en 1964, l'Anejo Estelar remporta de nombreuses récompenses ; en 1968, les Light Dry et Golden Dry mirent fin au lancement périodique de nouveaux rhums. Pampero ramena finalement sa gamme à huit rhums.

Pour faire face à la concurrence, l'entreprise dut restreindre encore sa gamme dans les années 70 et miser sur la qualité : tous ses efforts se portèrent sur l'Anejo Especial. Pampero gagna ainsi la partie : 1977 fut la meilleure année de toute son histoire, et en 1979 la société avait retrouvé la première place. Depuis le début des années 80, l'entreprise s'attaque à l'exportation – notamment vers l'Amérique du Nord, l'Espagne et le Portugal – avec ses deux principaux rhums, Anejo Especial et Aniversario. 40 % vol.

Philippines

C'est peut-être le pays d'origine de la canne à sucre. En tout cas, on y faisait déjà fermenter le jus de canne quand Magellan y débarqua en 1521. La distillation commença dans l'archipel vers 1840. Aujourd'hui, la principale distillerie, Tanduay, produit chaque année quelque quatre millions de caisses, distribuées dans le pays. Le rhum d'une seconde distillerie est surtout destiné au marché américain.

Afrique du Sud

Les travailleurs indiens d'Afrique du Sud, notamment ceux du Natal, ont toujours aimé les eaux-de-vie de canne (le nom local du rhum). Autrefois, on n'offrait pas ces boissons « simples » aux invités, mais on en prenait un verre à la cuisine. Dans les années 50, les distillateurs commencèrent à livrer aux débits de boisson, dans de grandes bonbonnes en verre, du rhum à très forte teneur en alcool, que le tenancier coupait à sa guise. Le breuvage était ensuite transvasé dans un pot en métal émaillé munis de robinets qui trônait sur le bar.

Le rhum de la marque Mainstay fut bientôt commercialisé en bouteilles pour ceux qui voulaient en emporter chez eux. Les touristes revenant du Natal le firent connaître au Transvaal. Quand, en 1967, une firme de brandy du Cap lança sa propre marque d'eau-de-vie de canne à sucre, le rhum était déjà devenu une boisson nationale.

Mainstay • Eau-de-vie de canne de la Stellenbosch Farmers Winery qui est devenue la plus importante marque de spiritueux d'Afrique du Sud. C'est aussi l'eau-de-vie de canne la plus vendue dans le pays, où elle détient environ 35 % du marché. Mainstay est un assemblage de rhums d'Afrique du Sud et de rhums de mélasse produits sous licence à l'île Maurice.

Après des débuts modestes (1 500 caisses en 1954), la marque connut un développement rapide : de 7 000 caisses en 1960, elle était passée à un demi-million à la fin de la décennie. Dans les années 80, Mainstay fit sensation en montrant des Noirs et des Blancs sur la même publicité, et la production s'éleva bientôt à 1,7 millions de caisses. 43 % vol.

Brésil

Très gros producteur de sucre, le Brésil tire de la mélasse beaucoup d'alcool industriel, utilisé notamment comme carburant, ainsi qu'un peu d'*aguardente de cana* (« eau-de-vie de canne »), ou *cachaça*. Cette eau-de-vie très populaire, à base de mélasse ou de jus de canne, ou bien d'un mélange des deux, n'est que rarement vieillie en fût. Il s'en vend plusieurs millions de caisses sur le marché intérieur. Elle est aussi exportée dans d'autre pays d'Amérique du Sud, aux États-Unis, au Japon et, en quantités modestes, en Europe (Allemagne, France, Italie, Portugal). Longtemps considérée comme le rhum des pauvres, elle bénéficie actuellement d'une meilleure image, car on en fait vieillir une partie dans le bois.

Cana Rio • Marque créée en 1827 à Rio de Janeiro. Cette *cachaça* est élaborée par la distillerie de la Fazenda Soledade au moyen d'alambics à chauffe directe.

Dreher • Marque d'eau-de-vie de canne aromatisée au gingembre. La famille Dreher, qui avait émigré d'Allemagne après la dernière guerre, créa un commerce de vins à Bento Goncalves, dans le Rio Grande do Sul, l'État le plus méridional du Brésil. Dans les années 50, la production des spiritueux était quasi inexistante, et seuls les Brésiliens les plus riches avaient accès aux produits d'importation.

Lorsque les Dreher créèrent la Conhaque Dreher, en 1955, la boisson connut un succès fulgurant. Simple brandy au départ, la *conhaque* se transforma en une eau-de-vie de canne aromatisée au gingembre. Cette nouvelle formule donna à la Conhaque Dreher un avantage sur les marques concurrentes de *cachaça*. Ses ventes annuelles dépassent les quatre millions de caisses. Dreher se classe parmi les douze spiritueux les plus vendus au monde, malgré une distribution limitée au Brésil.

Pirassununga • Marque de la gamme Hiram Walker, qui compte pour environ 30 % du marché brésilien. La Pirassununga se vend particulièrement bien à São Paulo et Brasilia.

On ajoute du sirop de sucre à l'eau-de-vie de canne, et la teneur en alcool est ramenée à 39 % vol. avec de l'eau déminéralisée.

São Francisco • Marque appartenant au groupe Seagram. Il s'en vendrait environ soixante-dix millions de caisses par an. Sachant que cette *cachaça* est vieillie dans le bois, les chais doivent être gigantesques ! La matière première est constituée de jus de canne plutôt que de mélasse.

Ypióca • *Cachaça* d'alambic vieillie dans le bois. Elle est produite par une raffinerie de sucre achetée par la famille Telles à Fortaleza en 1846. Il existe deux qualités : *empalhada* (2 ans d'âge) et *conta-gotas* (4 ans d'âge).

À gauche, le carnaval de Rio : du rythme, de la couleur et un zeste d'eau-de-vie de canne...

Tequila, aquavit et schnaps

Tequila/mescal

Mexique

La tequila est une eau-de-vie obtenue par distillation du *pulque*, un breuvage fermenté tiré de la sève d'un agave que l'on nomme aussi mescal, pulque, plante centenaire ou aloès américain. Cette plante bulbeuse (famille des Amaryllidacées) ressemblant à un ananas géant pousse au pied d'un volcan, dans la région de Jalisco, au nord-ouest de Guadalajara.

On pense que les Aztèques faisaient déjà fermenter le mescal avant l'arrivée de Cortés, mais ce furent les conquistadors qui commencèrent à distiller le *pulque*. Cette eau-de-vie porte le nom de la ville de Tequila, ancien site des Indiens Ticuilas.

Il faut à l'agave dix à douze ans pour parvenir à maturité. Son immense bulbe, la *piña*, peut peser jusqu'à 60 kg. On le fait bouillir pour en extraire un sirop très sucré, qu'on laisse fermenter. La meilleure tequila est ensuite obtenue par double distillation en alambic ; on pratique la distillation en colonne à alimentation continue pour la version standard.

La tequila a longtemps eu la réputation de provoquer d'affreux maux de tête. En effet, on fabriquait jusqu'il n'y a pas si longtemps une tequila rustique par distillation unique en alambic à chauffe directe ; cette eau-de-vie à odeur très forte contenait tous les éléments volatils nocifs que l'on élimine par une distillation soignée.

La bonne tequila, qui a des arômes herbacés et épicés, ne donne pas davantage la « barre au front » que toute autre eau-de-vie de qualité.

On trouve sur le marché quatre catégories de tequila : *Plata* (« argent »), la qualité standard, qui est commercialisée aussitôt après distillation ; *Reposado* (« reposé »), qui passe quelques mois dans le chêne avant embouteillage ; *Oro* (« or »), à laquelle un séjour plus long en fût de chêne donne une jolie robe dorée (encore que certains producteurs impatients la colorent avec du

Page précédente : l'agave, ou mescal, est cultivé dans la région de Jalisco, à proximité de Tequila, dans une plaine dominée par la sierra Madre.

En haut : après avoir extrait l'agave du sol, on coupe les grandes feuilles pour ne garder que la *piña*. Celle-ci peut peser jusqu'à 60 kg.

En bas : le siège de la maison Sauza, fondée en 1873, promet de la fraîcheur derrière ses murs hispaniques.

caramel) ; *Añejo* (« vieux »), vieillie de un à trois ans au moins dans le chêne. *Añejo* peut rivaliser en qualité (et en prix) avec le cognac et le whisky haut de gamme. Il n'existe pas de très vieilles tequilas, car l'eau-de-vie d'agave devient amère après une dizaine d'années en fût. Une *Denominación de Origen* (appellation), qui fixe les limites géographiques de la région de production et spécifie les matières premières autorisées, a été instituée, mais certains producteurs l'interprètent avec beaucoup de souplesse, et les autorités n'en surveillent pas l'application avec rigueur. La proportion d'agave prescrite est au minimum de 51 % et peut aller jusqu'à 100 % pour la tequila haut de gamme. Le non-respect de ce pourcentage pourrait expliquer les grandes différences de qualité entre les diverses tequilas de même catégorie. Les producteurs réputés n'ont rien à se reprocher – ils peuvent d'ailleurs indiquer sur l'étiquette de leurs tequilas un numéro NOM (*Norma Oficial Mexicana de Calidad*) –, mais il existe aussi de petites entreprises moins responsables, prêtes à faire du chiffre avec des produits douteux, vendus à bon marché.

Le Mexique et les États-Unis ont signé un accord affirmant la spécificité nationale de la tequila et du bourbon ; aucun des deux pays ne peut par conséquent autoriser la fabrication à l'intérieur de ses frontières du produit typique de son voisin. Néanmoins, l'exportation en vrac et la mise en bouteilles dans le pays de destination restent des pratiques courantes.

Hors de la zone délimitée de l'appellation, on produit une eau-de-vie similaire à la tequila, que l'on

appelle mescal. Elle s'est fait connaître comme « la boisson avec le ver dans la bouteille » : il s'agit en fait d'une larve qui se fixe sur la racine d'agave. Sans affecter le goût de l'eau-de-vie, elle fait l'originalité du mescal. On pense que cette larve jouait à l'origine le même rôle que la poudre de chasse (*voir p. 15*) : elle aurait permis de vérifier la teneur en alcool de l'eau-de-vie : si celle-ci était assez forte, la larve restait intacte, alors qu'elle se désintégrait dans le cas contraire.

J ose Cuervo • Tequila la plus vendue au monde (quatre millions de caisses par an). Le colon espagnol Don Jose Antonio de Cuervo reçut en 1758 du roi d'Espagne des terres à Tequila, pour la culture de l'agave. En 1795, la famille Cuervo y édifia une distillerie afin de lancer la production commerciale de tequila. L'exportation commença en 1873 : les trois premières barriques furent expédiées à El Paso, au Texas (annexé par les États-Unis en 1845).

La maison produit des tequilas élégantes et légères. La *Plata* est distillée dans un alambic en inox ; les *Oro* et *Anejo* bénéficient d'une double distillation en alambic ; l'*Especial* est une *Oro* haut de gamme, et la « 1800 » un assemblage de vieilles tequilas. 40 % vol.

En haut à gauche : certaines tequilas logées deux ou trois ans en fût peuvent rivaliser avec le cognac et le whisky de grande qualité.

H erradura • Entreprise familiale qui produit exclusivement des tequilas haut de gamme (100 % eau-de-vie d'agave). *Herradura* signifie « fer à cheval ». La société a choisi ce nom en souvenir du jour de 1861 où Feliciano Romo, qui parcourait son domaine à la

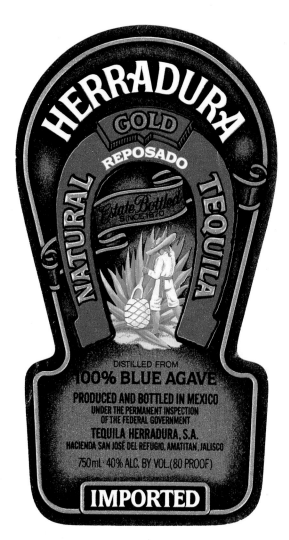

installations ultramodernes, mais les plans des grands fours en argile où l'on cuit les *piñas* datent de 1800.

Les tequilas de Herradura sont faites d'agave bleu cultivé et récolté par le personnel de l'entreprise sur le domaine et sur des terres louées par l'entreprise – les autres distillateurs achètent généralement leur matière première à l'extérieur. On n'utilise à Amatitan ni pesticides ni colorants, et l'eau-de-vie est logée dans des fûts de chêne non traités. Herradura est le seul producteur qui distille et met en bouteilles ses tequilas à l'*hacienda* (propriété).

L'entreprise procède à des essais de fermentation en cuve close et de vieillissement en fût de cognac. Elle utilise le plus souvent des fûts de chêne américain et français. Sous le climat mexicain, la « part des anges » peut atteindre 30 % par an.

La Herradura *Plata* passe deux mois en fûts de chêne, la *Reposado Oro* neuf mois, la *Gold* – qui se vend au Mexique au prix du scotch Johnnie Walker Black Label – dix-huit mois et l'*Anejo* jusqu'à trois ans. La Herradura *Resposado* est une marque haut de gamme.

Mariachi • Tequila de la compagnie Seagram. À base d'agave bleu, elle est distillée deux fois. Disponible en deux qualités : *Blanco* et *Oro Especial*. 40 % vol.

Olmeca • Autre marque de Seagram. Issue d'une double distillation, l'Olmeca est disponible en qualités *Blanco* et *Anejo*. 40 % vol.

recherche du site idéal pour sa distillerie, découvrit un agave sauvage qui avait poussé sous un fer à cheval resté accroché à ses feuilles.

La production d'eau-de-vie commença en 1870, et la distillerie est aujourd'hui dirigée par des Romo de la cinquième génération. Fervents adeptes de la culture « biologique », ils interviennent le moins possible sur l'environnement : ils évitent d'abattre des arbres autour de leur distillerie de peur de modifier la composition des levures naturelles qui provoquent la fermentation du jus d'agave.

L'ancienne distillerie est maintenant un musée, où l'on peut admirer les vieilles cuves de fermentation creusées dans le sol et le broyeur d'origine, qui était actionné par des mulets. La distillerie actuelle, construite à Amatitan en style hispano-mexicain, possède des

En haut : les *piñas* sont comprimées et cuites à la vapeur dans des fours cylindriques, avant d'être broyées et pressurées. Le jus ainsi extrait est additionné de sucre et d'un peu de pulpe avant d'être distillé.

Sauza • Marque qui se classe deuxième sur le marché mondial, avec plus de deux millions de caisses par an. L'entreprise fut fondée en 1873 par Don Cenobio Sauza, qui travaillait dans l'industrie de l'eau-de-vie à Tequila depuis 1856. À défaut d'un réseau de distribution, il acheta cinq voitures et des chevaux, et commença à livrer ses boissons dans toute la province de Jalisco. En 1870, il loua la distillerie Antigua Cruz, pour finalement l'acheter en 1873. On peut encore la voir dans le complexe Sauza, avec sa fameuse cheminée qui porte les traces des balles tirées par les *bandidos* et les révolutionnaires. La Sauza fut la première tequila à être exportée aux États-Unis : trois barriques et six bonbonnes prirent le chemin du Nouveau-Mexique l'année même où Don Cenobio Sauza acheta sa distillerie. À la tequila standard s'ajoutèrent, dans les premières années du siècle, diverses variétés, y compris une *Anejo*.

Pepe Lopez • Tequila à prix modique, produite par la famille Orandain. Créée en 1857, elle fut d'abord distillée de façon artisanale. La Pepe Lopez se classe aujourd'hui au cinquième rang des tequilas vendues aux États-Unis. Le jus fermenté contient le minimum légal de 51 % d'agave, et l'eau-de-vie est distillée deux fois. Il existe deux qualités, *Plata* et *Oro*. 40 % vol.

Toutes les eaux-de-vie jeunes sont logées pendant au moins quatre mois dans des cuves en inox ou en bois. On les goûte ensuite pour voir si elles sont aptes à devenir *Reposado* ou *Anejo*. L'entreprise produit les qualités *Plata* et *Oro*. La Hornito est une *Reposado* 100 % agave. Il y a aussi deux *Anejos* : Conmemorativo, qui passe deux ans dans du chêne blanc américain, et Tres

Don Cenobio Sauza. Il fonda son entreprise en 1873 et fut le premier distillateur à exporter de la tequila aux États-Unis.

Generaciones – le joyau de la gamme –, vieillie quatre ans en fût, qui doit être bue pour elle-même. Les tequilas Sauza sont corpulentes et fortement aromatiques.

Sierra • Marque d'une société allemande. Les bouteilles de Sierra se distinguent par leur bouchon en forme de chapeau mexicain. La gamme compte les qualités *Plata*, *Oro* et *Antiguo* (une *Anejo*).

En haut à gauche : seize de ces cuves contiennent l'équivalent de 850 000 bouteilles avant l'évaporation de la « part des anges ». Sous le climat mexicain, cette perte annuelle peut s'élever à 30 % du volume.

En haut à droite : les armoiries de la tequila Sauza.

Ci-contre : la silhouette de l'agave est incontestablement un des symboles du Mexique.

De nos jours, pour faire de l'aquavit, on fait infuser des substances aromatiques dans de l'eau et de l'eau-de-vie, et l'on distille ce mélange pour obtenir un extrait. On verse ensuite dans de grandes cuves de l'eau-de-vie, de l'eau pure et de l'extrait, puis on laisse la préparation se stabiliser pendant un certain temps avant de la mettre en bouteilles.

L'aquavit peut être bu pour lui-même, mais les Scandinaves en arrosent traditionnellement leur *smörgasbord*, un assortiment de mets froids, comprenant notamment divers poissons fumés.

Aalborg • La ville d'Aalborg a donné son nom au plus célèbre des aquavits du pays qui est élaboré aujourd'hui par Danish Distillers. Il fut produit pour la première fois par Isidor Henius, un distillateur à peine sorti de l'adolescence, qui arriva à Aalborg avec des idées très personnelles sur l'élaboration de l'aquavit et une recette bien à lui. Sa formule est aujourd'hui la plus répandue. L'Aalborg est une eau-de-vie de grain neutre à très forte teneur en alcool. Aromatisée au cumin, elle est ensuite redistillée. 45 % vol.

Aquavit

Scandinavie

Au Danemark, la production d'aquavit (écrit généralement akvavit) commença au XVe siècle, à l'époque où l'art de la distillation se répandait partout en Europe. L'élaboration d'eau-de-vie resta plus ou moins libre jusqu'à ce que l'État institue son contrôle dans les années 1840. Et malgré le monopole, le pays comptait plus de 2 000 distilleries légales en activité, la ville d'Aalborg étant le principal centre de production.

Autrefois, on faisait de l'aquavit aussi bien avec des pommes de terre qu'avec des céréales. Comme celles-ci étaient plutôt rares, on y ajoutait divers végétaux, y compris des mauvaises herbes. Une pomme de terre est suffisante pour tirer un petit verre d'aquavit, aussi cette eau-de-vie était-elle jadis l'alcool des pauvres.

En haut : vue de la Sankt Peder Strade à Copenhague. L'aquavit a toujours été l'eau-de-vie préférée des Danois.

Brondum Kummen • Marque danoise. Anton Brondum, un petit distillateur de schnaps installé à Copenhague, fabriquait diverses eaux-de-vie avant 1880. Il a laissé nombre de recettes, parmi lesquelles celle d'un aquavit aromatisé au cumin, avec des notes persistantes de cannelle, qui eut beaucoup de succès après son lancement en 1893. Le « Snaps » de la même maison, bien structuré, est très apprécié de ceux qui aiment aromatiser eux-mêmes leur eau-de-vie.

Harald Jensen • Marque danoise. Excellent aquavit aromatique de style traditionnel. Il s'est toujours bien vendu depuis son lancement en 1883. 45 % vol.

Jubilaeums • Aquavit de Danish Distillers. Il fut lancé en 1946 pour commémorer le centenaire de l'Aalborg♦, produit par la même firme. Sa jolie couleur or pâle vient du cumin, de la coriandre et de l'aneth qui le parfument. 42 % vol. et 45 % vol.

Lysholm Linie • Marque norvégienne d'aquavit (les Norvégiens préfèrent l'orthographe « aquavit »). On fait dans le pays de l'eau-de-vie de pomme de terre parfumée avec du cumin et des herbes, depuis plus de deux cents ans.

« Linie » se réfère au « passage de la ligne », c'est-à-dire de l'équateur. L'aquavit norvégien, comme le madère, subit un vieillissement désormais traditionnel : les fûts sont embarqués sur des navires desservant l'hémisphère austral, et franchissent donc l'équateur à l'aller et au retour. Les mouvements incessants du navire, le contact dynamique de l'alcool avec le chêne, ainsi que les variations de température au cours du voyage provoquent une maturation particulière du contenu des fûts.

Il y a plus d'un siècle, on s'est aperçu que l'aquavit tiré de fûts débarqués de voiliers en provenance d'Australie avait acquis une souplesse et un velouté exceptionnels ainsi qu'une robe or pâle. Les producteurs passèrent donc un contrat avec la compagnie maritime Wilhelmsen qui devait faire embarquer des fûts d'aquavit sur ses navires au long cours mettant le cap sur l'Australie. Depuis 1985, les fûts voyagent sur des bateaux qui font le

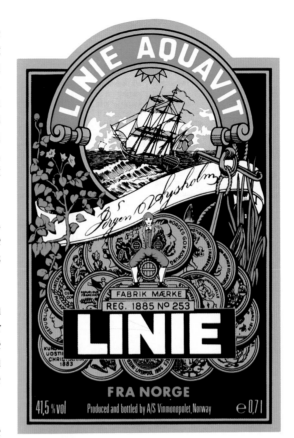

tour du monde, en passant invariablement par l'Australie. On indique toujours sur l'étiquette le nom du navire à bord duquel a voyagé l'aquavit Linie. Le Lysholm Linie, séduisant et aromatique, est exporté aux États-Unis et dans divers pays d'Europe. Il est surtout présent sur le marché hors taxes. 41,5 % vol.

Loiten Export • Aquavit norvégien du même producteur que le Lysholm Linie♦. Moins connu que celui-ci, il fait également le tour du monde avant d'être embouteillé, mais il est élaboré selon une recette différente. On parfume de l'eau-de-vie neutre avec un distillat de plantes aromatiques, puis on loge l'aquavit en fût de chêne. 40 % vol.

Schnaps

Schnaps est un terme générique qui recouvre toute une gamme d'eaux-de-vie, aromatisées ou non, produites en Europe septentrionale, notamment en Allemagne, aux Pays-Bas et dans les pays scandinaves. Certaines variétés, comme l'aquavit danois, sont des boissons nationales, relativement peu connues sur le marché mondial. Comme le schnaps est souvent fait avec des céréales, des pommes de terre ou du résidu de betteraves sucrières, il pourrait porter le nom de vodka, mais les producteurs choisissent tout naturellement de conserver la spécificité et l'appellation traditionnelle de ce type de spiritueux.

Allemagne

Le *Kornbranntwein* (« brandy de blé ») possède les caractéristiques d'un whisky « blanc », c'est-à-dire non coloré, et ne titre que 32 %

Jeunes Lituaniennes en costume national. Le schnaps a beau être une sorte de vodka, son nom, comme ces éléments du folklore, témoigne de l'identité nationale.

vol. La teneur en alcool du *Doppelkorn* est plus élevée : 38 % vol. à 45 % vol. *Korn* et *Doppelkorn* sont considérés comme des boissons bien distinctes depuis le XVIe siècle, et des dispositions légales relatives aux critères de l'authenticité des produits ont été prises en 1909.

Le terme de « schnaps » désigne aussi des boissons moins riches en alcool, comportant de l'eau-de-vie et des arômes de fruits. L'*Apfelkorn* (eau-de-vie de blé aromatisée à la pomme) est particulièrement populaire. Il existe de nombreux producteurs d'*Apfelkorn*, dont le plus célèbre est sans doute Berentzen. Des marques internationales, comme Archer's Peach County, connaissent aussi une progression sur le marché. Ces boissons ont en général une teneur en alcool allant de 20 % vol. à 22 % vol.

Alter Koerner • Schnaps doux de blé produit par la société Stonsdorfer. 32 % vol.

Berentzen Appel • Schnaps doux aromatisé à la pomme. Berentzen, fondé en 1758, est actuellement le deuxième producteur allemand d'eaux-de-vie, avec 10 % du marché.

Des études avaient déjà montré qu'il y avait une demande pour les eaux-de-vie de céréales modérément aromatisées aux fruits. Le schnaps à la pomme, léger et fruité, que Berentzen mit sur le marché européen dans les années 80 fut le premier produit en son genre. Les ventes dépassent maintenant 300 000 caisses pour la seule exportation. Berentzen détient les trois quarts du marché allemand de l'*Apfelkorn* et produit également un *Doppelkorn* de très bonne qualité.

Doornkat • Schnaps issu de blé malté. Cette eau-de-vie bénéficie d'une triple distillation, ce qui lui donne une certaine richesse aromatique. Le Doornkat présente quelques analogies avec un whisky très léger. Disponible à 38 % vol.

Kornelius • *Doppelkorn* tiré du blé cultivé dans le nord de l'Allemagne. Ce schaps robuste a une teneur en alcool de 38 % vol.

Lituanie

Suktinis • Schnaps d'une grande richesse aromatique. Cet alcool, que l'on appelle familièrement le « baume lituanien », est un véritable distillat de goûts et d'odeurs de la campagne. Le miel, les baies de genièvre et la menthe poivrée font figure de parfums courants à côté des arômes particuliers qui complètent la recette de cette eau-de-vie hors du commun : cannelle, graines d'aneth, feuilles de laurier, fleurs de giroflier, bourgeons de peuplier et glands. Après sa distillation, le Suktinis passe vingt-deux ans en fûts de chêne : il en sort un nectar assez fort (50 % vol.), d'une opulence et d'une complexité inégalables.

Zalgiris • Schnaps très fort et délicatement parfumé. Il est tiré de l'hydromel (boisson à base de miel fermenté), auquel on ajoute du jus d'airelles et d'autres ingrédients. Le Zalgiris est embouteillé sans coupage avec de l'eau (75 % vol.). L'hydromel et l'eau-de-vie de miel sont très populaires en Lituanie.

Au temps jadis, le schnaps lituanien, fort et inimitable, aurait été la boisson rêvée pour les hôtes du château Trakai.

TRAUKTINĖ
SUKTINIS
0,25 dm³ • 50%

Anis et amers

Anis

Les anis constituent une vaste famille d'alcools dont les formules varient selon le pays ou la région d'origine. Secs ou doux, à teneur en alcool variable, ces spiritueux peuvent être obtenus par distillation d'anis étoilé, ou badiane, et d'autres plantes aromatiques ou par infusion de ces végétaux dans de l'eau-de-vie neutre, ou encore par association des deux procédés.

France

Les apéritifs anisés français sont parmi les plus appréciés dans le monde, avec une production importante, malgré une aire de distribution relativement limitée : le groupe Pernod-Ricard commercialise dix millions de caisses d'anis et de pastis chaque année, en France et à l'étranger. Il s'y ajoute les gammes des entreprises comme Casanis, Duval, Janot, etc., ainsi que les différentes marques des supermarchés. Les anis sont obtenus par distillation, alors que les pastis résultent de l'infusion de réglisse et d'essences variées dans de l'eau-de-vie.

Depuis quelques années, les magasins de vins et spiritueux proposent des pastis artisanaux « à l'ancienne ». Pour en apprécier toute la richesse aromatique, il est recommandé d'ajouter l'eau ou bien les glaçons au pastis, et non l'inverse, comme on le fait en général.

Berger • Marque de deux apéritifs anisés : un pastis classique et le Berger Blanc, aromatisé exclusivement à l'anis. La famille suisse Berger racheta en 1870 une distillerie de Neuchâtel qui produisait de l'absinthe depuis 1830. En 1923, les Berger déplacèrent leur entreprise à Marseille, où ils commencèrent à produire l'anis et le pastis que l'on connaît. Les deux apéritifs titrent 45 % vol.

Jean Boyer • Pastis à l'ancienne à base d'anis étoilé, élaboré selon la recette de l'abbé Jean Boyer par une entreprise des Landes. Trois qualités sont

Page de gauche : le précieux anis étoilé, que l'on appelle aussi badiane, est le fruit d'un arbuste répandu à l'état sauvage dans le sud-ouest de la Chine et au Viêt-Nam.

Ci-dessous : la maison Piccini était célèbre pour son riche assortiment d'amers.

Anis

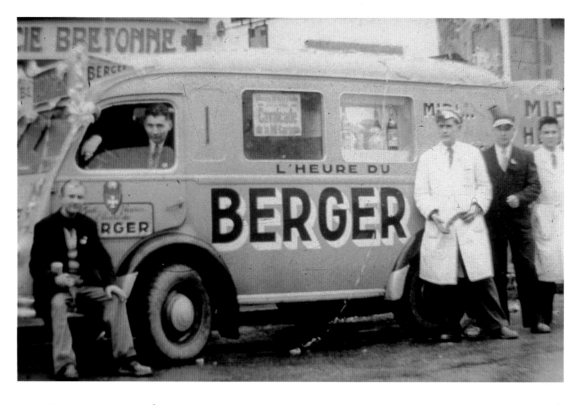

La société Berger, qui s'installa à Marseille en 1923, après la levée de l'interdiction sur les boissons anisées, fut une des premières à pratiquer la publicité.

disponibles : Le Rayon vert ; Émeraude, plus rond et plus fin, à base de vingt-quatre plantes aromatiques et de six épices ; Sauvage, plus sec, fait avec soixante-douze plantes et six épices. 45 % vol.

Henri Bardouin • Pastis à l'ancienne à base d'essence d'anis étoilé, d'alcoolat de plantes aromatiques et d'épices de Provence ainsi que d'infusion d'armoise. Il est élaboré par une entreprise des Alpes-de-Haute-Provence. 45 % vol.

Pastis 51 • Pastis produit par l'entreprise Pernod du groupe Pernod-Ricard. Lancé en 1951, il fut d'abord appelé Pernod 51, mais ce nom engendra la confusion avec le Pernod ; de plus, les consommateurs pensaient que « 51 » indiquait la teneur en alcool, alors que celle-ci est en réalité de 45 % vol. L'apéritif fut donc rebaptisé Pastis 51. On fait infuser de la racine de réglisse pulvérisée dans un mélange d'eau-de-vie et d'eau. La préparation est sucrée et aromatisée avec de l'extrait d'anis. Ce dernier est obtenu par distillation d'anis étoilé et de graines de fenouil. Dans le produit final, la réglisse domine l'anis. Les ventes s'élèvent à 2,5 millions de caisses par an, dont 99 % en Europe occidentale.

Pernod • Célèbre apéritif anisé. À l'origine, il devait remplacer l'absinthe, boisson interdite. Henri-Louis Pernod commença à produire de l'absinthe en 1805 à Pontarlier, selon une recette communiquée à son beau-père par deux sœurs vivant en Suisse. La formule comportait quatre plantes (absinthe, anis vert, fenouil, hysope) infusées dans de l'eau-de-vie de vin. L'absinthe de Pernod eut un immense succès et fut rapidement imitée par des marques « homophones » comme Perenod, Pernaud ou Pernot. Avant la fin du siècle, d'autres branches de la famille Pernod avaient fondé des entreprises concurrentes, si bien que le marché se trouva inondé d'absinthes dont les noms pouvaient facilement abuser les consommateurs.

Au début du XXᵉ siècle, on accusa l'absinthe – *Artemisia absinthium* L., une plante aromatique de la famille des armoises qui servait aussi à la fabrication du vermouth – d'être responsable de nombreux troubles mentaux et organiques. En Suisse, la boisson fut interdite en 1910 et inscrite comme article prohibé dans la Constitution, à la suite d'un triple meurtre commis par un paysan rendu fou par l'absinthe. Cinq ans plus tard, la France mettait, elle aussi, hors la loi les boissons anisées. Ces mesures provoquèrent la disparition de tous les Pernod, authentiques ou de contrefaçon.

220

Avec un peu de bon sens, on aurait dû incriminer non la composition mais la forte teneur en alcool – jusqu'à 75 % vol. – de l'absinthe de bonne qualité. Par ailleurs, les graves atteintes nerveuses observées chez des écrivains et des artistes étaient probablement des manifestations tardives de la syphilis. Néanmoins, si les apéritifs anisés furent de nouveau autorisés en 1922, les tentatives pour lever l'interdiction frappant la production et la consommation d'absinthe n'ont pas abouti.

Le Pernod que nous connaissons fut mis sur le marché après la fusion de trois distilleries Pernod en 1928. Le goût d'anis vient d'essences d'anis étoilé – qui ne pousse qu'au Viêt-Nam et dans le sud-ouest de la Chine – et d'anis vert obtenues par distillation. La formule du Pernod comprend aussi les distillats de quinze ingrédients tenus secrets, de l'extrait de réglisse, de l'eau adoucie, du sucre et de l'alcool neutre.

Le Pernod diffère de pastis comme le Ricard♦ et le Pastis 51♦ en ce qu'il est en partie obtenu par distillation et que la quantité de réglisse est plus faible. C'est un apéritif assez sec, anisé, avec des nuances de menthe et de réglisse. Il s'en vend un peu moins d'un million de caisses par an. 40 % vol.

Ricard • Pastis qui se classe au troisième rang mondial des spiritueux. Lancé en 1932, il est fait avec de l'anis étoilé et de l'anis vert, de la réglisse et d'autres plantes aromatiques de Provence. Ces ingrédients infusent dans de l'alcool neutre et donnent un pastis au goût très riche. Ricard en vend 7,5 millions de caisses par an.

Pendant la campagne d'Algérie de 1847, les soldats bénéficiaient d'une ration quotidienne d'absinthe. Cet apéritif anisé devint ainsi une boisson très populaire dans les cafés de France vers la fin du siècle.

RICARD®

APÉRITIF **45** ANISÉ

70cl e   45% vol.

FRANCE

RICARD - 4 ET 6, RUE BERTHELOT - 13014 MARSEILLE - FRANCE -

PASTIS DE MARSEILLE

PASTIS   **PRODUCE OF FRANCE**

DISTRIBUTED BY CAMPBELL DISTILLERS LTD., BRENTFORD, MIDDLESEX

Italie

Sambuca

Bien qu'obtenue par distillation, la sambuca contient beaucoup de sucre (environ 350 g/l), ce qui en fait une liqueur et non un apéritif. Pour renforcer ses arômes, on l'additionne souvent d'huile essentielle de graines de fenouil (dont le bouquet est proche de celui de l'anis vert) rectifiée à faible teneur en alcool. On trouve de nombreuses références à des boissons anisées dans les textes latins, notamment dans l'*Histoire naturelle* de Pline l'Ancien (23-79 apr. J.-C.). On sait que des cordiaux à l'anis étaient utilisés par les marins pour leurs propriétés médicinales et que les Arabes emportèrent des boissons anisées lorsqu'ils envahirent la Sicile. On faisait à l'époque une boisson à l'anis non alcoolique, appelée *zammu*. Plus tard, lorsqu'on lui ajouta de l'alcool, elle prit le nom de *zambur*, qui est devenu « sambuca ».

La coutume veut que l'on serve la sambuca *con mosca* (« avec des mouches »), c'est-à-dire avec trois grains de café.

Cette distillerie moderne de l'Italie septentrionale perpétue la tradition millénaire des boissons aromatiques.

Ramazzotti • Sambuca d'une entreprise probablement plus réputée pour ses amers. La recette comporte du distillat d'anis étoilé, associé à de l'eau-de-vie neutre. Cette sambuca a un caractère sec et rafraîchissant, avec des nuances de menthe. 40 % vol.

Romana • Cette marque romaine fut parmi les premières sambucas destinées à la commercialisation. Créée par les Pallini, liquoristes depuis 1875, la Romana se classe première à l'exportation. 42 % vol.

Vaccari • Autrefois vendue sous le nom de sambuca Galliano, cette marque a été rebaptisée en hommage à Arturo Vaccari, pionnier de la distillation en Italie et créateur de la liqueur Galliano♦. On utilise pour son élaboration de l'anis étoilé aussi bien que du fenouil méditerranéen. L'anis étoilé infuse quatre jours dans de l'eau-de-vie neutre, les graines de fenouil deux jours. Les deux préparations sont redistillées, puis assemblées et enrichies d'huiles essentielles. La sambuca Vaccari repose deux mois pour s'homogénéiser. 38 % et 42 % vol.

Grèce

Ouzo et tsipouro

L'ouzo est un distillat clair, assez sec (moins de 50 g de sucre par litre), au goût d'anis. Selon la loi, sa teneur en alcool doit atteindre au moins 37,5 % vol., mais les puristes assurent qu'un ouzo de bonne qualité titre au minimum 45 % vol. On le boit généralement à l'apéritif, sec, avec des gorgées d'eau fraîche, ou bien coupé d'eau comme le pastis. Comme tous les anis, il devient trouble quand on l'additionne d'eau : plus l'ouzo contient d'anis, meilleur il est et plus il se trouble. L'ouzo a un proche cousin, le tsipouro, qui est une eau-de-vie aromatisée à l'anis.

L'ouzo était appelé raki du temps de la domination turque ; le terme désigne à la fois le marc de pressurage du vin et l'eau-de-vie similaire à la grappa obtenue par distillation. Le raki turc était habituellement aromatisé avec de l'anis, du fenouil, du mastic (résine de lentisque) et des herbes. Le nom d'ouzo lui vient de la phrase « *Uso Massalia* » (en italien) qui marquait les envois de raki destinés à Marseille.

On fait de l'ouzo et du tsipouro un peu partout en Grèce continentale et dans les îles de la mer Égée. Certains ouzos, élaborés de façon artisanale, sont des boissons superbes ; c'est surtout le cas de ceux qui sont produits dans les îles – comme, par exemple, l'ouzo de Mytilène (Lesbos) – mais malheureusement ils sont encore assez rares sur le marché de l'exportation.

*I*doniko • Tsipouro produit en petite quantité par la distillerie du domaine vinicole Lazaridi, situé à Adriani Drama. Constantin Lazaridi a aménagé une petite salle de distillation, immaculée comme un laboratoire, où brillent les alambics à chauffe directe et les colonnes de rectification en cuivre, les cuves et les tuyauteries en acier inoxydable. Chaque séance de distillation dure trois heures, et l'on ne conserve que le « cœur » du distillat, qui représente à peine plus de la moitié du volume total.

L'eau-de-vie sort de l'alambic à chauffe directe à 84 % vol. environ ; on en ramène la teneur en alcool à 40 % vol. On y fait infuser de l'anis de Macédoine, puis la préparation est redistillée et coupée afin de ramener sa teneur en alcool à 46 % vol. avant mise en bouteilles.

*O*uzo 12 • Probablement l'ouzo le plus vendu dans le monde. Les frères Kaloyannis distillèrent leur premier ouzo en 1880. Lors de sa mise en vente, l'assemblage contenu dans le fût n° 12 fut considéré comme le meilleur, d'où le nom de la marque.

Metaxa a racheté l'affaire Kaloyannis en 1988. La réussite commerciale de la marque a suscité nombre de contrefaçons et d'imitations, la plus flagrante étant l'Ouzo 21, dont l'étiquette ne se distingue de celle de l'Ouzo 12 que par la permutation des chiffres !

Parmi les marques largement distribuées, citons également Metaxa, Tsantali, Sans Rival, Achaia Clauss et Boutari.

Ηδωνικό

ζωγραφική   Ι. Νάνος

ΤΣΙΠΟΥΡΟ ΜΕ ΓΛΥΚΑΝΙΣΟ
TSIPOURO ANISE

Η απόσταξη και η εμφιάλωση
έγινε στο κτήμα μας στην
Αδριανή Δράμας από την
ΠΟΤΟΠΟΙΪΑ ΚΩΣΤΑ ΛΑΖΑΡΙΔΗ
Distilled & Bottled by
DISTILLERY CONSTANTIN LAZARIDI
ADRIANI DRAMA

e 200 ml   46 % vol.

ΕΛΛΗΝΙΚΟ ΠΡΟΪΟΝ
PRODUCT OF GREECE
L. 3340

Tout comme le pastis dans le Midi, l'ouzo se boit en Grèce à la terrasse des cafés avec un peu d'eau... et beaucoup de soleil !

Espagne

La variété d'anis la plus utilisée en Espagne pour la production des boissons anisées porte le nom de *matalauva*. Les anis, secs et doux, sont très populaires, et le marché offre un très large éventail de choix. Comme ailleurs en Europe, on considère que les boissons distillées les plus fortes sont les meilleures. Les anis doux sont apparus en 1920, quand on a ajouté du sirop de sucre à l'eau avec laquelle on réduit la teneur en alcool avant embouteillage.

La production espagnole est illustrée ici par deux marques importantes.

Alcholera de Chinchón • Anis d'une qualité exceptionnelle provenant de Chinchón, une localité située à 50 km de Madrid. En 1777, la cour d'Espagne demanda au maire de Chinchón et aux viticulteurs locaux de lui livrer 100 000 l de liqueur anisée. Pour honorer cette commande extraordinaire, il fallut réunir la production d'innombrables petits alambics dispersés dans la région. La distillation se poursuivit dans ce cadre artisanal jusqu'à ce qu'une loi y mît fin en 1904.

Sept ans plus tard, la coopérative Alcholera de Chinchón reprit le flambeau de cette activité. Elle resta d'ailleurs fidèle aux traditions régionales après sa transformation en société anonyme en 1945. Alcholera de Chinchón produit un anis de grande qualité à partir

d'une variété d'anis très exigeante, qui ne permet qu'une culture annuelle et qu'il faut récolter à la main. Notons également que tous les spiritueux de l'entreprise sont obtenus par distillation.

Devant la distillerie actuelle, très moderne, se trouve un monument à la gloire des anciens producteurs d'anis de Chinchón : il s'agit de la tour de rectification de la première distillerie, fondée en 1912.

L'anis de Chinchón est disponible en trois versions : *dulce* (38 % vol. et plus de 260 g de sucre par litre), *seco* (48 % vol. et non sucré) et *seco especial* (74 % vol.), qui a nécessité une autorisation spéciale de vente en raison de sa teneur en alcool très élevée.

Anis del Mono • Marque créée à la fin du XIXᵉ siècle à Badalona, près de Barcelone, par l'industriel catalan Vicente Bosch. On distille les trois variétés courantes d'anis ainsi que d'autres plantes aromatiques pour obtenir les huiles essentielles qui serviront à l'assemblage (100 g de graines d'anis fournissent 2 g d'huile odorante).

L'entreprise fut la première en Espagne à utiliser des panneaux publicitaires lumineux. La bouteille à facettes de l'Anis del Mono s'inspire d'un flacon de parfum que Bosch avait rapporté de Paris pour sa femme. Il existe deux qualités : *dulce* (étiquette rouge) et *seco* (étiquette verte).

Amers

Les amers sont plus proches des potions préparées autrefois par les apothicaires que des liqueurs modernes. Leur amertume, due à l'addition de diverses herbes et substances à saveur austère, est invariablement associée aux vertus thérapeutiques des boissons médiévales... converties en délicieux apéritifs modernes. Certains sont encore convaincus qu'il n'y a rien de mieux pour se revigorer ou pour se soigner lorsqu'ils ont la tête lourde après un abus d'alcool.

À base d'herbes, de racines et de plantes odorantes, comme nombre de liqueurs, les amers contiennent toutefois moins de sucre et de jus de fruits.

Angostura • Amer d'une concentration exceptionnelle. J.B.G. Siegert était médecin militaire dans l'armée prussienne et participa à la bataille de Waterloo. Il émigra au Venezuela, où il servit dans l'armée de Bolivar qui chassa les Espagnols du pays. Nommé médecin chef d'un hôpital militaire, il entreprit d'étudier les propriétés thérapeutiques des plantes tropicales indigènes. Après quatre ans de recherches, il mit au point la formule d'un produit qu'il utilisa avec succès comme stomachique et tonique pour soigner ses patients. Siegert finit par

commercialiser cette préparation qu'il appela Angostura, non parce qu'elle contient une plante de ce nom, comme on le croit généralement, mais parce qu'il vivait dans la ville de San Tomás de la Nueva Guyana de la Angostura, rebaptisée Ciudad Bolivar en 1846 en l'honneur du libérateur du pays. En 1875, cinq ans après la mort de Siegert, ses fils quittèrent le pays alors plongé dans la guerre civile et s'installèrent dans l'île de la Trinité, colonie anglaise des Petites Antilles, au large de la côte vénézuélienne.

Aujourd'hui, l'Angostura, élaboré à partir de rhum, est toujours produit par leurs descendants. Son principal ingrédient est la racine de gentiane, mais on ignore les noms – et même le nombre ! – des autres composants. 44,7 % vol.

Les fleurs dorées de la gentiane, dont le développement s'étale sur deux décennies, illuminent le paysage, mais ce sont les racines de la plante qui intéressent les producteurs d'amers.

En haut : couleurs fraîches, géométrie et gaieté caractérisent le style publicitaire imposé par Davide Campari.

Ci-contre : Gaspare Campari créa son entreprise en 1860.

Campari • Marque italienne. Gaspare Campari était le propriétaire d'une série de cafés-bars à Turin et Novare. En 1862, il lança un amer de son invention dans le café qu'il venait d'acquérir à Milan, puis il le servit aux clients de son restaurant – le Camparino – installé dans la majestueuse galerie au toit vitré qui relie le *Duomo* à La Scala. Ernest Hemingway et le prince de Galles figurèrent parmi les clients illustres du Camparino. Les salles des cafés de Campari ont été reconstituées dans la Casa Alta, la belle villa qui est aujourd'hui le siège de la société Campari. Avec 2,8 millions de caisses par an, le Campari est l'amer le plus vendu au monde. 25 % vol.

Echt Stonsdorfer • Marque allemande créée en 1810 en Silésie, à Stonsdorf, non loin de la source de l'Elbe (qui se trouve en Bohême). Aujourd'hui, l'affaire est dirigée de Hambourg, ville établie sur l'estuaire du fleuve.

Christian Koerner, un distillateur expérimenté, reprit une brasserie à Stonsdorf et s'intéressa aux nombreuses potions curatives à base d'herbes aromatiques que l'on préparait dans la région. L'Echt Stonsdorfer est le fruit de ses observations. La recette, qui compte quarante-trois ingrédients, est inhabituelle en ce qu'elle comprend environ 10 % de jus de myrtille. L'Echt

Stonsdorfer est un amer corpulent, avec des nuances fruitées, qui titre 32 % vol.

Fernet-Branca • Marque de la distillerie des frères Branca. La société Fernet-Branca, fondée à Milan en 1845, fut à l'origine une entreprise commerciale. L'amer qu'elle allait rendre célèbre était déjà préparé depuis le début du siècle par un herboriste de la ville. Le Fernet-Branca trouva rapidement un marché à l'exportation, et l'on dit que l'aigle surmontant une mappemonde qui orne l'étiquette du produit symbolise la clairvoyance des frères Branca.

La recette comprend trente racines et herbes aromatiques. Sa composition exacte n'a pas été dévoilée, mais on sait que cet amer contient de la gentiane, de la rhubarbe, de la camomille et du safran. On commence par faire infuser les produits aromatiques dans de l'eau-de-vie chaude et froide, on mélange ces infusions puis on fait vieillir la préparation dans des cuves en chêne de Slavonie d'une capacité de 100 hl. Le chêne joue un rôle très important dans l'élaboration de cet amer – le fond des cuves est remplacé périodiquement par du bois neuf. L'extrait obtenu selon la recette d'origine dans les usines de Milan et de Chiasso (Suisse) est expédié à des entreprises qui produisent le Fernet-Branca sous licence dans divers pays d'Europe, aux États-Unis et en Argentine. À l'amer classique s'ajoute une variante « estivale » aromatisée à la menthe, le Brancamenta. Les deux versions titrent 40 % vol.

Gammel Dansk Bitter Dram • Cet amer danois est le spiritueux le plus vendu dans le pays. La marque fut lancée à la fin des années 60, après trois ans d'essais effectués avec une centaine d'herbes et d'épices combinées selon toutes sortes de vieilles recettes. La formule choisie compte vingt-neuf composants dont aucun ne domine dans le produit final. Après son assemblage, l'amer repose trois mois pour s'homogénéiser. La racine de gentiane apporte à cet apéritif sa saveur douce-amère. On utilise aussi des baies de sorbier : les enfants qui habitent aux environs de Roskilde, où est produit le Gammel Dansk, savent qu'ils peuvent se faire de l'argent de poche en cueillant ces fruits. Le secret de la formule est bien gardé : les deux seules personnes qui connaissent la recette ont la réputation d'être incorruptibles et insensibles au sérum de vérité.

Pour de nombreux consommateurs, cet amer fait office de remède et de tonique : il réchaufferait, soulagerait les maux de tête après une soirée trop arrosée, fortifierait l'organisme, lui donnerait de l'énergie. 38 % vol.

La rhubarbe, dont la racine se retrouve parmi les trente composants du Fernet-Branca.

RHUBARB.
Rheum palmatum.

Jägermeister • Marque allemande. La société date de 1878, mais son amer ne fut mis sur le marché qu'en 1935. *Jägermeister* signifie « grand veneur ». Sur l'étiquette, le cerf dont les bois encadrent une croix évoque une vision qu'eut saint Hubert, le patron des chasseurs.

La recette comprend cinquante-six ingrédients (zeste de citron, anis, réglisse, graines de pavot, safran, gingembre, baies de genièvre, ginseng...). Les composants regroupés par lots macèrent dans de l'eau-de-vie jusqu'à six semaines. Les eaux-de-vie ainsi aromatisées passent ensuite une année en fût de chêne avant d'être assemblées. Jägermeister vend 2,6 millions de caisses par an, ce qui en fait le numéro deux des amers dans le monde. 35 % vol.

Punt e Mes • Apéritif italien doux-amer. La société Carpano, créée à Turin en 1786, produisait toute une gamme de boissons et avait ouvert un bar dans la ville. Un jour de 1870, un courtier de la Bourse commanda distraitement un apéritif en disant *punt e mes*, ce qui signifie « un point et demi » en dialecte piémontais. Absorbé par une discussion d'affaires, il pensait sans doute aux cotations des titres. Comme à l'époque le vin et l'amer étaient mélangés par le barman, le serveur transmit la commande en demandant une mesure de vin et une demi-mesure d'amer. Le mélange se révéla très réussi, et Carpano décida de le commercialiser sous le nom de Punt e Mes.

Ramazzotti • Marque italienne. En 1815, un herboriste milanais nommé Ausano Ramazzotti confectionna une boisson amère à partir de trente-trois racines et herbes aromatiques infusées dans de l'alcool. Comme les cafés étaient à la mode à Milan, Ramazzotti en ouvrit un près de La Scala et y servit son *amaro* (« amer ») à la place du café. Le succès fut prodigieux. Il décida alors de le vendre en bouteilles... et employa bientôt plus de cent personnes pour le fabriquer. Sa recette comprend, entre autres, de la gentiane, du zeste d'orange, du quinquina, de l'angélique, du zédoaire, du benjoin, de l'anis et de l'iris. Cet apéritif très fort, doux au premier abord, a une finale sèche et amère.

La nature n'est pas avare de parfums au nord de l'Italie. Nombre de racines et d'herbes aromatiques indigènes servent à l'élaboration des amers.

Riga Black Balsam / Melnais Balzams • Amer letton qui fait figure de boisson nationale : consommé comme apéritif ou comme digestif, il est présent dans presque tous les foyers.

Au XVIIIe siècle, un pharmacien de Riga nommé Abraham Kunze mit au point le Riga Black Balsam que nous connaissons, mais ce type de préparation est vraisemblablement beaucoup plus ancien. Dans les années 1840, l'amer était fabriqué par les Wolfschmidt, dont les descendants distillent toujours de la vodka aux États-Unis. On sait que Charles de Gaulle et la reine Élisabeth II apprécièrent le Black Balsam qui leur fut offert.

La recette compte seize ingrédients dont certaines résines connues pour avoir des propriétés thérapeutiques et analgésiques. Framboise, miel, menthe, absinthe, tilleul et bien d'autres racines et plantes aromatiques en font partie. Tous ces composants infusent dans de l'eau-de-vie neutre.

Le Melnais Balzams est riche, complexe, avec une finale douce-amère. Il est vendu dans de petites bouteilles en céramique semblables aux flacons dans lesquels les apothicaires de Riga conservaient leurs potions.

Suze • Marque d'un apéritif français à la gentiane. Les Grecs de l'Antiquité avaient déjà découvert les vertus médicinales de cette plante, mentionnée dans une recette établie par Pythagore. Encore récemment, on ignorait son mode de germination, mais l'espèce mise en culture en Auvergne et dans le Jura commence à remplacer la gentiane sauvage. Il s'agit d'une plante vigoureuse, aux fleurs de couleur jaune, qui met vingt ans à atteindre sa pleine maturité. Seules les racines, qui ont un usage médicinal, intéressent les producteurs de Suze. On les arrache à grand-peine avec un outil spécial à long manche appelé « fourche du diable ». Pour élaborer la Suze, on mélange les distillats et infusions de racine de gentiane à d'autres herbes et plantes aromatiques.

Lancée en 1889, la Suze eut beaucoup de succès. En moins d'un siècle, on a identifié plus de deux cents contrefaçons vendues dans des flacons semblables aux longues bouteilles de Suze, ornées d'un ruban allant du bouchon à l'étiquette. L'entreprise conserve dans ses archives un exemplaire de chacune de ces imitations. Les recherches menées pendant ces vingt dernières années par le groupe Pernod-Ricard, qui a racheté la marque, ont permis de commencer à cultiver la gentiane, ce qui devrait limiter considérablement l'arrachage des gentianes sauvages. La Suze, de couleur jaune , a une saveur légèrement amère. 16 % vol.

En haut à droite : on arrache la gentiane au moyen de la « fourche du diable ». Ci-dessous : les petites bouteilles d'Underberg sont vendues par packs.

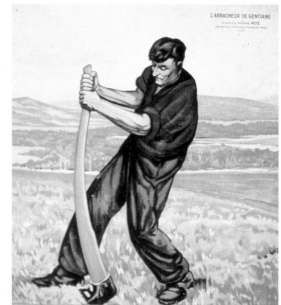

Underberg • Amer conçu pour aider à la digestion. Sa fonction se rapprocherait de celle du cognac et autres spiritueux employés comme « digestifs ».

« Après un bon repas », lit-on sur l'étiquette – et les fioles entourées de papier brun sont d'ailleurs des objets familiers dans de nombreux restaurants du monde entier. L'élixir, fait d'un nombre non spécifié d'herbes provenant de quarante-trois pays, repose plusieurs mois dans des fûts en chêne avant la mise en bouteilles. La vertu première de l'Underberg serait sa capacité de stimuler la digestion sans augmenter l'acidité gastrique.

Un jour de juin 1846, Hubert Underberg eut beaucoup à faire à la mairie de Rheinberg : il s'y rendit d'abord pour fonder sa société puis... pour se marier. Après plusieurs années de recherches, il avait réussi à concocter la recette de son amer. Son affaire est aujourd'hui dirigée par ses héritiers de la cinquième génération. Christiane, l'épouse de l'actuel président de la société, Emil Underberg, fut le modèle de la jeune femme qui figure sur le matériel publicitaire de la marque.

Depuis les années 40, cet amer est conditionné uniquement en bouteilles de 2 cl. 44 % vol.

Zwack Unicum • Marque hongroise. Joszef Zwack était le médecin de l'empereur d'Autriche, lequel prenait sans rechigner la potion stimulante à base de simples que Zwack avait imaginée en 1790 et baptisée Unicum. Un de ses descendants, qui avait hérité de la recette, prénommé lui aussi Joszef et âgé de 20 ans seulement, ouvrit une fabrique de liqueurs à Budapest en 1840 et devint le fournisseur officiel de la cour des Habsbourg. L'Unicum, qui occupait une place de choix dans sa production, était en quelque sorte la boisson nationale de la Hongrie. L'entreprise perdit tous ses biens (bâtiments, usine et stocks) quand les communistes prirent le pouvoir après la Deuxième Guerre mondiale. Peter Zwack et son père s'exilèrent aux États-Unis. Ayant emporté la recette, ils firent produire l'Unicum en Italie.

Peter Zwack revint en Hongrie en 1990, après quarante-deux ans d'exil, et racheta ce qui, de fait, avait été l'entreprise familiale confisquée en 1948. « Je suis parti au dernier moment et je suis revenu dès que cela a été possible », dit-il. Depuis, la production du Zwack Unicum d'origine a repris en Hongrie. La recette compte quarante plantes aromatiques, et l'amer passe six mois dans le chêne avant d'être mis en bouteilles. 42 % vol.

C'est à Budapest, sur les rives calmes du Danube, que le Zwack Unicum a connu les heures les plus dramatiques de son histoire.

Liqueurs

Entourées de mystère, les liqueurs nous viennent d'un autre âge, avec leurs parfums évoquant les jardins de simples et les terres lointaines. Il y a toujours un brin d'histoire dans les recettes de ces alcools que l'on prépare sous le sceau du secret. On connaît, certes, aujourd'hui l'origine des épices, et nombre d'arômes autrefois rares accompagnent désormais notre quotidien. Pourtant, la plupart des Européens ont découvert l'orange il y a seulement un siècle. Un distillateur français, Cointreau, fit sensation avec son « Curaçao blanc triple sec ». Cette liqueur faite avec des zestes d'oranges importées de Curaçao, une île des Antilles néerlandaises, connut un tel succès qu'elle fut bientôt largement imitée, ce qui incita Cointreau à lui donner son nom (qu'elle porte toujours). Les termes de « curaçao » et « triple sec », devenus génériques, désignent aujourd'hui toute liqueur à base d'oranges.

Le mot « liqueur » s'applique en général aux boissons alcooliques sucrées, mais sa signification connaît quelques variations nationales : le terme italien de *liquori* recouvre aussi les eaux-de-vie et les vins vinés (additionnés d'eau-de-vie) ; les Américains ont adopté le vieux vocable français « cordial » pour désigner les liqueurs, alors que *liquor* concerne toute la catégorie des vins et spiritueux. Par ailleurs, des produits comme le cherry brandy ne sont pas des brandies (eaux-de-vie de vin non sucrées) mais bien des liqueurs.

Il faut chercher l'origine des liqueurs parmi les potions et les élixirs du Moyen Âge : pour masquer leur goût et leur odeur désagréables, les apothicaires les additionnaient d'épices et d'essences de fruits ou d'herbes aromatiques. La première liqueur connue, un kummel (eau-de-vie au cumin), fut distillée en 1575 par Lucas Bols près d'Amsterdam. Le cumin avait la réputation de faciliter la digestion, et l'eau-de-vie était connue pour ses propriétés anesthésiques. Bols aurait ainsi été le créateur du « digestif », qui est devenu chez nous synonyme de liqueur.

Dans toute l'Europe, les ordres religieux pratiquaient la distillation et s'intéressaient aux propriétés thérapeutiques des plantes qui poussaient autour des monastères et des abbayes. La Bénédictine doit son nom au monastère bénédictin de Fécamp, en Normandie, où elle est attestée en 1510 ; la Chartreuse, dont la recette remonterait à 1606, était élaborée par les moines chartreux de la Grande-Chartreuse, en Savoie, pour leur propre usage, avant d'être commercialisée à partir de 1848.

On distingue les différentes liqueurs selon leurs ingrédients : épices, herbes odorantes, fruits charnus ou à écale, crème, etc. Indépendamment de leurs arômes, les meilleures sont obtenues par la distillation de substances aromatiques fermentées ou d'eau-de-vie parfumée par infusion de ces substances. Le cognac, le whisky et le rhum entrent souvent dans la composition des liqueurs. Nombre de producteurs font simplement macérer les aromates dans de l'alcool neutre.

Les crèmes (de menthe, de banane, de cacao...) sont des liqueurs élaborées à partir d'une base aromatique unique.

Page de gauche : bien avant d'entrer dans la composition de liqueurs raffinées, les cerises servaient à masquer le goût désagréable des potions préparées par les apothicaires.

Ci-contre : les fruits exotiques sont très appréciés par les liquoristes.

Ci-dessous : *Angelica baccifera* est une plante aromatique dont on utilise aussi bien les feuilles que les fleurs.

Amaretto di Saronno • Liqueur italienne à base d'amande et d'abricot. *Amaretto* (« légèrement amer » en italien) est un terme générique, mais Amaretto di Saronno est une marque déposée appartenant à l'entreprise ILLVA, installée dans la ville de Saronno, en Lombardie.

Selon la légende, le premier amaretto aurait été élaboré par le modèle ayant posé pour la figure de la Vierge dans *L'Adoration des mages* que l'on peut admirer dans l'église Santa Maria delle Grazie à Saronno. Cette fresque fut peinte en 1525 par un élève de Léonard de Vinci, Bernardino Luini, qui avait choisi comme modèle une veuve, propriétaire de l'auberge où il était descendu. Pour le remercier de cet honneur, elle lui prépara une liqueur avec les fruits de son jardin. Les parfums de l'amande amère et de l'abricot vont très bien ensemble, car ces arbres fruitiers appartiennent tous deux au genre *Prunus* (l'amande amère est la graine de la sous-espèce *Prunus amygdalus amara*, qui a donné son nom à la liqueur). Le premier amaretto destiné à la vente fut produit au XVIIIe siècle par les Reina dans leur boutique de la grande place de Saronno. L'Amaretto di Saronno (28 % vol.) compte dix-sept ingrédients. ILLVA en vend 1,8 million de caisses par an.

Aurum • Liqueur d'orange italienne. Elle doit son nom à un parrain illustre, Gabriele D'Annunzio. Le distillateur Amedeo Pomilio lui avait demandé de baptiser la liqueur d'orange qu'il venait d'inventer. Le poète avait d'abord songé à *aurantium* (« orange » en latin), puis il suggéra *aurum* (« or »). La première distillerie, qui rappelait un amphithéâtre romain, fut construite dans une pinède près de Pescara. L'Aurum est un assemblage : le produit de la distillation de l'orange amère des Abruzzes est mélangé à une eau-de-vie de vin de dix ans d'âge. La liqueur (40 % vol.) vieillit ensuite en fût de chêne. Sa bouteille est la réplique d'un flacon à vin exhumé à Pompéi.

Baileys Irish Cream • Association de whiskey irlandais et de crème de lait. Lancée dans les années 70, l'Irish Cream eut un succès fulgurant : la progression des ventes fut si spectaculaire que son producteur se targua bientôt d'occuper le quart du marché mondial des liqueurs. La mise au point du produit avait exigé un important travail de recherche : il fallait, d'une part, éviter que la crème ne coagule au contact de l'alcool, et d'autre part, obtenir une durée de conservation acceptable. On trouve actuellement sur le marché plusieurs liqueurs similaires.

Bénédictine D.O.M • Célèbre liqueur française à base d'herbes aromatiques. Son histoire commence en 1510 dans l'abbaye bénédictine de Fécamp, sur la côte normande, où Dom Bernardo Vincelli mit au point un élixir qui rendait vigueur aux moines apathiques et soignait les maladies infectieuses. Pendant la Révolution, l'ordre des bénédictins fut dispersé et l'abbaye rasée, mais ses

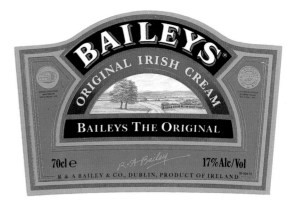

que l'entreprise soit séculière, l'étiquette de la Bénédictine conserve la mention D.O.M. (*Deo optimo maximo*). La distillerie produit aussi une variété de Bénédictine appelée « B & B » (Bénédictine et Brandy), que le mélange avec de l'eau-de-vie rend moins douce.

Bols • Une des plus célèbres maisons néerlandaises de liqueur et d'eau-de-vie, et la plus ancienne entreprise de ce genre au monde. Lucas Bols l'a créée en 1575 aux portes d'Amsterdam, car la municipalité lui refusait le droit d'installer son alambic dans la ville à cause du risque d'incendie. À l'époque, les marchands hollandais ramenaient de leurs lointains voyages une multitude d'épices, de plantes aromatiques et de fruits exotiques – cannelle, agrumes, clous de girofle, vanille, essence de rose, café... –, qui furent à l'origine d'une industrie de spiritueux prospère.

La gamme des produits de Bols comprend trente-quatre liqueurs : des classiques comme Cherry Brandy, Abricot Brandy, Advocaat et Crème de Bananes ; mais aussi des spécialités de renom comme Blue Curaçao, Pisang Ambon et Teardrop Crème de Menthe ; et des innovations récentes comme Red Orange, Noix de Coco et Kiwi.

La liqueur haut de gamme de l'entreprise, Bols Premier, lancée au début des années 90, est à base de plantes aromatiques, de cognac et de genièvre élaboré à l'ancienne.

documents avaient été mis à l'abri. Alexandre Legrand, qui les dépouilla en 1863, retrouva la recette et fonda une entreprise pour l'exploiter. Il donna à la liqueur le nom de Bénédictine et fit construire l'édifice aux allures néogothiques et néorenaissance qui abrite encore aujourd'hui la distillerie et le musée du fameux spiritueux.

La Bénédictine est faite de vingt-sept plantes et aromates, dont les principaux sont la muscade, l'hysope, l'angélique, le thym, la cardamome, la cannelle, le coriandre et... le thé. On prépare quatre combinaisons végétales que l'on fait ensuite infuser dans de l'alcool. Les infusions sont redistillées séparément dans des alambics en cuivre, puis logées pendant trois mois en fût de chêne, pour être enfin assemblées dans des proportions données ; la liqueur retourne ensuite dans le chêne pour huit mois afin de laisser à ses constituants le temps de se marier intimement. Le résultat est une boisson jaune verdâtre au goût relevé (40 % vol.).

Les vertus thérapeutiques de l'élixir de Don Bernardo sont encore appréciées en Extrême-Orient, où la Bénédictine sert aux mineurs de remède contre les rhumatismes et aux femmes enceintes de tonique. Bien

En haut à gauche : la Bénédictine était à l'origine un tonique pour les moines fatigués.

Cointreau • Liqueur française à base d'oranges dont il se vend chaque année plus d'un million de caisses dans le monde. Le Cointreau est un curaçao, ou triple sec. Au milieu du siècle dernier, Édouard Cointreau, fils d'un producteur de liqueurs d'Angers, se rendit pour affaires dans la colonie hollandaise de Curaçao. Il y découvrit une orange amère dont le parfum lui parut prometteur et fit expédier une grosse quantité de zestes séchés à Angers. La maison les associa à des oranges douces et à d'autres ingrédients pour en tirer une liqueur appelée Curaçao triple sec, qui eut beaucoup de succès en France et, après 1870, à l'étranger. Pour éviter la confusion avec les nombreux produits qui imitaient son style et s'intitulaient « triple sec », la famille Cointreau décida de donner son propre nom à sa liqueur.

En haut : le monastère de la Grande-Chartreuse. En bas : les moines sont depuis des siècles des liquoristes émérites.

Chartreuse • Liqueur française élaborée par les frères chartreux à Voiron, près de Grenoble, avec des herbes, des plantes aromatiques et de l'eau-de-vie de vin. Sa recette aurait été donnée aux moines en 1605 par un officier de l'armée d'Henri IV. Commercialisée seulement en 1848, la Chartreuse connut un tel succès qu'il fallut construire une nouvelle distillerie. Expulsés de la Grande-Chartreuse en 1903, les moines fondèrent une distillerie à Tarragone, en Espagne. Depuis 1932, ils ont repris la production de la Chartreuse à Voiron.

La recette ne compte pas moins de 130 ingrédients. La Chartreuse verte, produite selon la formule d'origine, a une forte teneur en alcool : 55 % vol. La Chartreuse jaune est une variante qui ne titre que 40-43 % vol. Certains prétendent qu'il est préférable de mélanger les deux liqueurs plutôt que de les boire séparément. Il existe également une troisième version, la V.E.P., plus rare. Elle séjourne plus longtemps en fût (une douzaine d'années). La tradition des potions médicinales se perpétue grâce à l'Élixir Végétal, redoutable remède contre les refroidissements (80 % vol.), classé produit pharmaceutique.

Cocoribe • Liqueur américaine à base de noix de coco et de rhum. Le choix de ces ingrédients aurait été suggéré par le cérémonial nuptial des Antilles au cours duquel le jeune marié offrait à son épouse une noix de coco remplie de rhum : ce geste signifiait qu'il assurerait sa subsistance.

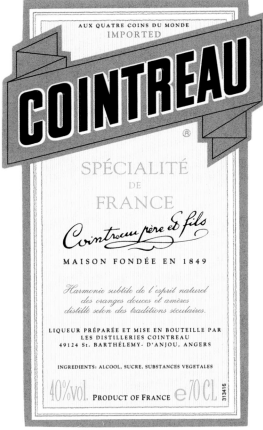

Cuarenta Y Tres • Liqueur espagnole à base d'herbes, ainsi nommée car ses ingrédients sont au nombre de quarante-trois (*cuarenta y tres* en espagnol). On l'appelle aussi Licor 43.

236

L'ART DES ALCOOLS

sur les rayons. Cette liqueur fut créée en 1896 par Armando Vaccari en l'honneur de Giuseppe Galliano, le héros italien qui avait tenu pendant quarante-quatre jours le fort d'Enda Jesus assiégé par l'armée éthiopienne. La Galliano devint vite très populaire aux États-Unis car elle était alors produite en Toscane, à Livourne, point d'embarquement pour des milliers d'émigrants qui en emportaient une bouteille en souvenir de leur pays. La Galliano a connu un regain de popularité aux États-Unis depuis deux décennies grâce à un cocktail inventé par le surfeur californien Harvey : un mélange de Screwdriver (*voir Annexes*) et de Galliano.

La liqueur est maintenant fabriquée près de Milan. Elle compte quarante ingrédients, dont les plus importants sont la vanille et l'anis. Son élaboration nécessite sept infusions, sept distillations, deux assemblages et un repos de six mois afin que les constituants se marient intimement. 35 % vol.

***G**layva* • Liqueur écossaise à base de plantes aromatiques et de whisky. Son nom est la transcription phonétique de l'expression gaélique *Gle mhath*, qui signifie « très bon ». Il s'agit, semble-t-il, de l'exclamation spontanée d'un dégustateur qui trouva enfin un alcool satisfaisant après avoir goûté de nombreuses formules lors des tests de mise au point qui précédèrent le lancement de la marque. La Glayva est commercialisée depuis 1947.

***G**rand Marnier* • Liqueur française à base d'orange qui se distingue du curaçao en ce qu'elle présente la particularité de contenir du cognac au lieu de l'eau-de-vie de vin habituelle ou d'un alcool neutre. Le cognac est élevé dans la région charentaise, dans les caves du magnifique château de Bourg qui appartient à

***D**rambuie* • Liqueur écossaise à base de whisky et de plantes aromatiques. Charles Édouard Stuart, éphémère prétendant au trône d'Angleterre vers 1740, en aurait donné la recette à un certain Mackinnon de Strathaird on Skye pour le remercier de l'avoir aidé à échapper aux troupes qui le poursuivaient après sa défaite à Culloden. Un tel don pouvait sembler dérisoire ou saugrenu alors que, partout dans les Highlands, ceux qui l'avaient hébergé étaient fusillés et leur demeure incendiée ; il s'avéra cependant précieux pour les descendants de Mackinnon lorsqu'ils entreprirent en 1906 de commercialiser la liqueur. Le Drambuie, dont les Mackinnon préparaient à l'origine quelque six bouteilles par semaine, se retrouva finalement à la table du Parlement britannique et de Buckingham Palace, ainsi que dans les verres de tous les Écossais dispersés à travers le monde. Aujourd'hui, on le sert à bord du *Queen Elizabeth 2*, du Concorde et de l'Orient-Express.

La recette, que l'on n'a jamais dévoilée, repose sur un mélange de sirop à base de miel et d'herbes aromatiques avec un *blend* de whiskies de malt et de grain. *An dram buidheach* (prononcer « drambuie ») signifie « la boisson qui satisfait ».

***G**alliano* • Liqueur italienne aux plantes aromatiques. Facile à identifier, elle est vendue dans une bouteille longue et étroite qui dépasse toutes les autres

l'entreprise, mais la liqueur est distillée à Neauphle-le-Château, à l'ouest de Paris, où les Lapostolle produisaient déjà des liqueurs au début du XIXᵉ siècle.

Vers 1870, ils prirent une participation dans une distillerie de cognac et procédèrent à des essais pour marier des oranges amères de Haïti et du cognac. Le résultats de ces expériences fut le Grand Marnier, mis sur le marché en 1880. Aujourd'hui, on vend une bouteille de Grand Marnier toutes les deux secondes quelque part dans le monde, ce qui représente 1,3 million de caisses par an.

La méthode de production implique l'infusion du zeste d'orange dans de l'eau-de-vie, qui est ensuite distillée ; on additionne le cognac de ce distillat parfumé à l'orange et de sirop de sucre ; après une période d'homogénéisation, la liqueur est filtrée et mise en bouteilles.

À droite : le mûrissement très lent des cerises Stevns dans le climat froid du Danemark explique leurs qualités aromatiques exceptionnelles.

Le Grand Marnier standard est le Cordon Rouge (40 % vol.). La Cuvée du Centenaire, lancée en 1927 pour célébrer les cent ans de l'entreprise, est faite avec du cognac de 10 ans d'âge (40 % vol.). La maison produit également le Cherry Marnier (24 % vol.), à base de cerises de Dalmatie et de brandy, et le Grande Passion (24 % vol.), aux fruits de la passion et à l'armagnac.

Heering • Liqueur danoise aux cerises. Au début du siècle dernier, Peter Heering, qui venait d'ouvrir une épicerie à Copenhague, acquit la recette d'un cordial aux cerises qu'il décida de commercialiser en 1818. Il choisit les cerises Stevns que l'on cultive dans le sud du Danemark, où il construisit sa distillerie, et nomma sa liqueur Cherry Heering.

Les cerises sont écrasées pour en extraire le jus, auquel on ajoute des plantes aromatiques. On fait infuser ce mélange plusieurs mois dans de l'eau-de-vie logée dans de grandes cuves en bois, puis la liqueur vieillit trois années en fût de chêne. Son élaboration présente des similitudes avec celle du brandy et du xérès élevés en solera (voir p. 115), car on assemble la nouvelle liqueur avec des productions antérieures. Cinq générations de Heering se sont succédé aux commandes de la firme avant que l'entreprise ne soit vendue à Danish Distillers en 1990. 25 % vol.

Irish Velvet • Liqueur irlandaise à base de whiskey Jameson ✦. Elle peut être bue pour elle-même ou servir à la confection de l'Irish coffee.

Izarra • Liqueur basque à base d'armagnac, de plantes aromatiques et de miel des Pyrénées. Ce pur produit du Pays Basque, dont les ingrédients viennent de la montagne, garde tout son mystère. *Izarra* signifie « étoile » en eskuara, l'étrange langue basque qui n'est pas apparentée au groupe indo-européen.

L'Izarra existe en deux versions : la verte, qui titre 51 % vol., et la jaune, à teneur alcoolique inférieure. La liqueur est fabriquée à Bayonne depuis les années 1830.

Krupnik • Liqueur de miel polonaise. Sa recette vient du sud-est de la Pologne, où se perpétue la tradition de ces boissons sucrées. Le miel d'abeilles sauvages est récolté dans les zones boisées, puis relevé par différentes épices. Le Krupnik est souvent bu brûlant, notamment en hiver par les chasseurs. À température ambiante, cette liqueur accompagne agréablement le café et la pâtisserie. 40 % vol.

De **K**uyper • Maison hollandaise de liqueurs fondée en 1695. Les ventes de la gamme De Kuyper, élaborée sous licence aux États-Unis par Jim Bean, sont de l'ordre de quatre millions de caisses par an, un résultat qui place la marque au premier rang mondial des liqueurs. Outre les variétés courantes, De Kuyper produit des spécialités comme la crème de cacao, le triple sec blanc, le blackberry brandy (mûre), une liqueur de cerise et de whisky, des curaçaos et, en exclusivité, le Peachtree (liqueur de pêche) et le Kwai Feh, à base de litchis.

Kahlúa • Liqueur de café. Elle est connue comme un produit mexicain à base du café cultivé dans la région. Cependant, le personnage qui figurait sur l'étiquette d'origine ne portait pas un sombrero et un poncho, mais un turban. Cette liqueur venait-elle du Maroc ou de Turquie ? D'un pays producteur de café ? L'arc reproduit sur l'étiquette actuelle évoque l'architecture de l'Islam.

L'origine de la Kahlúa reste incertaine. Introduite aux États-Unis après la Prohibition, la marque devint américaine et changea de mains plusieurs fois avant de s'imposer dans les années 50 grâce à un cocktail très populaire, le Sombrero – mélange de Kahlúa et de lait –, inventé à Boston, sur la côte est.

Cette liqueur se boit aujourd'hui avec du lait, un peu partout dans le monde. Corpulente et richement aromatisée, faite d'eau-de-vie de canne à sucre, de café et de vanille, elle se classe au deuxième rang mondial des liqueurs. La Kahlúa est fabriquée au Mexique et sous licence dans un certain nombre de pays.

Mandarine Napoléon • Liqueur belge à base de cognac et de mandarine. Inventée en 1892, elle serait inspirée de la boisson offerte par Napoléon à Mademoiselle Mars, une actrice qu'il s'efforçait de séduire. On fait infuser des zestes frais de mandarine dans de l'eau-de-vie, qui est ensuite redistillée ; après une période de repos, on mélange le distillat avec du cognac Napoléon, on filtre la liqueur et on la coupe avec de l'eau pour ramener sa teneur en alcool à 38 % vol. La Mandarine Millenium (une autre formule), lancée pour célébrer le millénaire de Bruxelles, est commercialisée dans des flacons faits à la main.

Pimm's • Ce breuvage, que les Anglais appellent *cup*, n'est pas une liqueur au sens strict du terme, mais un mélange d'extraits de fruits et de gin. Le Pimm's, boisson anglaise par excellence – et non britannique ! –, est un vrai régal en été dans un jardin ombragé. Il est de rigueur à Wimbledon, aux régates de Henley et aux courses d'Ascot. Conçue pour être diluée, cette excellente boisson douce-amère est de toutes les fêtes. Le Pimm's actuel était à l'origine une des six variétés de *cups* qui se distinguaient par la nature de l'eau-de-vie employée pour l'assemblage. On ne produisait plus, depuis un certain temps, que la version au gin, jusqu'à la réapparition récente du Pimm's à base de vodka.

Au début du XIXe siècle, James Pimm servait au verre ses *cups* aux fruits dans son bar à huîtres de la City. Le produit ne fut mis en bouteilles que lorsque l'établissement de Pimm (avec ses recettes secrètes) changea de mains, en 1880. La maison ne commande plus les ingrédients du Pimm's en bloc depuis qu'un employé indélicat a tenté de reconstituer la recette d'après les factures des fournisseurs.

Polmos Goldwasser • Liqueur polonaise contenant des paillettes d'or. La Goldwasser (« eau d'or » en allemand et *zlota woda* en polonais) remonte à 1598. Produite à Gdansk (Dantzig) et longtemps connue sous le nom d'eau-de-vie de Dantzig, elle fut utilisée à l'origine comme médicament : on lui attribuait des vertus thérapeutiques, car on pensait que toutes les maladies pouvaient être soignées avec de l'or. De minuscules paillettes d'or sont ajoutées à l'eau-de-vie, ainsi qu'une douzaine de plantes aromatiques, notamment de l'anis et du cumin. La Goldwasser est une liqueur très douce, agréablement corpulente, qui titre 40 % vol. Sa recette a très probablement plus de quatre cents ans.

Royal Mint Chocolate • Liqueur française élaborée par Peter Hallgarten, un spécialiste des assemblages. Sa mise au point nécessita deux ans de recherches, que Hallgarten aime comparer à la création d'une œuvre musicale.

Il voulait obtenir une boisson ayant le goût du chocolat à la menthe que l'on déguste parfois après le dîner. Son « orchestration » faisait appel à divers ingrédients qui, tout comme les éléments d'une partition, devaient se suivre dans un certain ordre pour composer une mélodie. Au Royal Mint Chocolate, commercialisé dans les années 60, la firme a ajouté une large gamme de liqueurs.

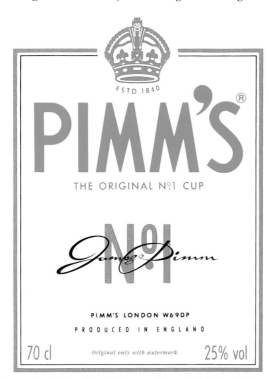

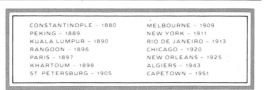

CONSTANTINOPLE – 1880	MELBOURNE – 1909
PEKING – 1889	NEW YORK – 1911
KUALA LUMPUR – 1890	RIO DE JANEIRO – 1913
RANGOON – 1896	CHICAGO – 1920
PARIS – 1897	NEW ORLEANS – 1925
KHARTOUM – 1898	ALGIERS – 1943
ST PETERSBURG – 1905	CAPETOWN – 1951

l'Ouest. L'histoire du Southern Comfort vit encore dans le slogan qui figure sur son étiquette : *The Grand Old Drink of the South* (« le magnifique vieux breuvage du Sud »). On y voit également reproduite une belle lithographie d'époque représentant une demeure de l'ancienne plantation de canne à sucre Woodland, située non loin de l'endroit où le Mississippi se jette dans le golfe du Mexique.

Le Southern Comfort a fait son chemin : il occupe la quatrième place des liqueurs pour les ventes (plus de deux millions de caisses par an) ; il est fabriqué sous licence dans plusieurs pays.

*S*abra • Liqueur israélienne au chocolat et à l'orange de Jaffa. Elle fut créée dans les années 60 avec le jus d'un cactus appelé sabra, qui pousse en Israël ainsi que dans d'autres pays du sud et de l'est de la Méditerranée. On appelle « sabras » les Juifs nés en Israël, car ils ont la réputation d'être comme le cactus : épineux à l'extérieur mais doux à l'intérieur.

La bouteille du Sabra a pris la forme d'un flacon à vin phénicien vieux de 2 000 ans que l'on peut admirer au musée national. Le Sabra à l'orange, fabriqué à Rehovot, dans une distillerie située au milieu d'un verger d'agrumes, a une teneur en alcool de 26 % vol. Il existe également une version au café, plus forte (30 % vol.).

*S*outhern Comfort • Liqueur américaine au goût de pêche. On croit souvent qu'il s'agit d'un bourbon (whiskey de maïs) ou d'une liqueur à base de whiskey. Fait à l'origine avec du whiskey, le Southern Comfort est élaboré de nos jours à partir d'alcool neutre et d'un assortiment étonnamment complexe de 100 ingrédients. Sa recette est due à un jeune barman de La Nouvelle-Orléans nommé Heron, qui s'efforça d'améliorer un whiskey lamentable tiré du fût. Il imagina vers 1860 un mélange qui rendait sa réserve buvable, et sa préparation connut un franc succès. Il déménagea en 1889 à Memphis, où il ouvrit un bar sur Beale Street. Plus tard, il entreprit de mettre sa boisson en bouteilles à Saint-Louis, qui était à l'époque la principale ville-étape sur la route de

Sur les rayons, les bouteilles de Southern Comfort voisinent souvent avec les whiskies. Pourtant, il s'agit d'une liqueur à base d'alcool neutre.

La société qui produit la Tia Maria à la Jamaïque, une des îles des Grandes Antilles, utilise le célèbre café de la montagne Bleue.

Stag's Breath • Liqueur écossaise au miel et au whisky. Stag's Breath était le nom d'un des whiskies récupérés par les habitants de l'île écossaise d'Eriskay dans l'épave du *SS Politician*. Le navire faisait route vers La Nouvelle-Orléans pendant la Deuxième Guerre mondiale lorsqu'il s'échoua sur des récifs (ce naufrage a inspiré le film *Whisky à gogo*). La société Meikle de Newtonmore a baptisé Stag's Breath sa liqueur faite avec du miel fermenté et un *blend* de whiskies de malt. Légère et musquée, elle a une fin de bouche sèche. (19,8 % vol.)

Strega • Célèbre liqueur italienne aux herbes aromatiques. Elle fut inventée par Giuseppe Alberti à Bénévent en 1860, l'année même où Garibaldi et son armée s'emparaient de cette enclave papale d'Italie méridionale. Les Alberti, exportateurs de vin, voyant leur affaire s'étioler à cause d'un conflit douanier entre la France et l'Italie, se rabattirent sur leur modeste liqueur. Vers la fin du siècle, la Strega était la liqueur aux herbes la plus vendue au monde. Faite de plus de soixante-dix espèces végétales, elle est distillée en alambic et vieillie dans le bois (40 % vol.). Son nom (*strega* signifie « sorcière » en italien) évoque une légende locale dans laquelle des vierges déguisées en sorcières préparent une potion magique.

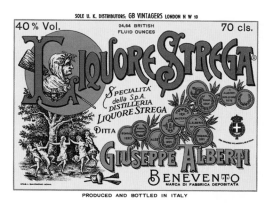

Tía Maria • Liqueur de café élaborée à la Jamaïque. La recette aurait appartenu à une domestique surnommée *Tía Maria* (la mère Marie), qui quitta la Jamaïque peu avant que les Anglais ne s'emparent de l'île, en 1655. Le café jamaïcain de la montagne Bleue est au cœur de cette liqueur qui présente aussi des nuances de chocolat. Tía Maria est assez légère et moins onctueuse que d'autres liqueurs du même genre.

Vana Tallinn • Liqueur estonienne à base d'agrumes et de rhum. Des infusions de cannelle et de vanille dans de l'alcool neutre sont parfumées avec de l'essence de rhum et additionnées d'huiles essentielles d'orange et de citron. Créée en 1960, la Vana Tallinn est une liqueur tendre et bien équilibrée. 45 % vol.

Verpoorten • Advocaat allemand. À base de jaunes d'œuf, de sucre et d'eau-de-vie, l'advocaat – connu aussi sous le nom d'eggnog ou eggflip –, qui ressemble au lait de poule, dérive d'un breuvage inventé par les colons hollandais d'Amérique latine. Ils le préparaient avec la pulpe de couleur jaune ou verdâtre d'un fruit appelé *abacate* (du mot aztèque *ahuacatl*), dont ils firent *advocaat* ; les colons portugais du Brésil le nommèrent *avocado* (en espagnol, *abogado* ; en anglais, *avocado* ou *alligator pear* ; en français, « avocat »). Aux Pays-Bas, le jaune d'œuf remplaça la pulpe d'avocat.

La maison, fondée en 1876, se targue de produire l'advocaat le plus vendu au monde. Originaire des Pays-Bas, la famille allemande Verpoorten possède des usines en Allemagne, aux Pays-Bas, en Italie, en Suisse et en Autriche. Pour une production quotidienne pouvant atteindre 130 000 bouteilles, on utilise 1,3 million d'œufs frais. 20 % vol.

Warnink's • Advocaat des Pays-Bas. La maison Warnink's, fondée en 1616 à Amsterdam, est aujourd'hui le plus gros producteur d'advocaat des Pays-Bas (elle utilise plus de soixante millions d'œufs par an). Outre la liqueur servie normalement dans un verre, il existe une version épaisse qui se prend à la cuillère.

L'entreprise possède un département spécialisé dans la casse des œufs, équipé de machines qui séparent le jaune du blanc à la cadence de 18 000 œufs à l'heure. Les quatre lignes de production mélangent donc 72 000 jaunes d'œuf à l'heure avec du sucre, de l'eau-de-vie de vin et de la vanille. La liqueur séjourne ensuite en cuve avant d'être mise en bouteilles. 17,2 % vol.

Annexes

Les mots en **gras** renvoient à d'autres entrées.

Aguardente • Terme portugais désignant, en général, une eau-de-vie de raisin. Au Brésil, eau-de-vie pouvant provenir d'une matière autre que le raisin ; par exemple, *aguardente de cana de azúcar* (eau-de-vie de canne à sucre), appelée plus couramment *cachaça*.

Aguardiente • Terme espagnol désignant une eau-de-vie de raisin ou de vin.

Aguardiente de orujo • Terme espagnol désignant une eau-de-vie de marc.

De nombreux spiritueux bénéficient d'un vieillissement dans le bois.

Alambic à chauffe directe • Appareil de distillation constitué d'une bouilloire – la **cucurbite** – surmontée d'un vase sphérique ou ovoïde – le **chapiteau** – sur la paroi interne duquel se liquéfient les vapeurs les moins volatiles qui, ainsi condensées, retournent dans la cucurbite ; le **col de cygne**, tube incurvé, conduit les vapeurs dans le **serpentin** – plongé dans un liquide réfrigérant – à la sortie duquel coule le **distillat**.

L'alambic est l'appareil de distillation traditionnel qui permet de préserver au mieux la richesse aromatique de la matière première. Toutefois, il exige beaucoup de temps et de main-d'œuvre. Devant être nettoyé et rechargé fréquemment, il ne fonctionne que par intermittence ; en outre, pour obtenir un titre alcoométrique suffisant, on doit généralement procéder à une deuxième distillation. L'alambic Lomond est un appareil similaire, mais le col de cygne est ici remplacé par un cylindre trapu. Encore en service dans quelques distilleries écossaises, il donne une eau-de-vie plus forte. Les alambics à chauffe directe sont en général agencés par paire afin que l'on puisse procéder simultanément à la deuxième distillation. Le premier alambic reçoit le moût, le second le distillat issu du premier. La distillation réduisant considérablement le volume de liquide utilisable, le second alambic est habituellement beaucoup plus petit que le premier.

Alambic armagnaçais • Alambic à distillation continue conçu par M. Verdier vers 1850, dans la région de production de l'armagnac. Le distillat obtenu possède plus de corps, un goût de raisin plus marqué, mais un titre alcoométrique moindre que celui de l'eau-de-vie issue de l'**alambic** dit **charentais** ou **cognaçais** (55 % au lieu de 70 % vol.). L'utilisation de cet appareil fut rendue obligatoire en 1936. Aujourd'hui, l'alambic armagnaçais sert encore à la distillation des meilleurs armagnacs ; cependant, l'alambic charentais est également autorisé, son distillat servant à l'assemblage des armagnacs plus jeunes et à plus grande diffusion.

Alambic charentais ou **cognaçais** • Alambic à feu nu utilisé dans les Charentes pour la distillation du cognac. Comme tous les **alambics à chauffe directe**, cet appareil est à distillation intermittente, c'est-à-dire qu'il doit être nettoyé et rechargé après chaque distillation. L'alambic charentais fut mis au point au XVIᵉ siècle par les marchands hollandais afin que les viticulteurs puissent distiller d'avance l'eau-de-vie qui serait embarquée à La Rochelle pour être transportée vers le Nord.

Alquitara • Terme espagnol désignant un type d'alambic et l'eau-de-vie qui en est issue.

Americano • Cocktail de Campari à base de vermouth rouge et d'un zeste de citron.

Assemblage • Mélange d'eaux-de-vie de différentes provenances et/ou d'âges différents pour parvenir à un produit d'une plus grande complexité aromatique ou obtenir une qualité constante. La plupart des cognacs, des whiskies et des rhums sont des assemblages. *Voir* aussi **coupe** dans le Cognaçais.

Bagaceira • Terme portugais désignant une eau-de-vie de marc.

Blend • En Écosse, assemblage de whisky de malt et de whisky de grain. La plupart des whiskies écossais, tels Famous Grouse, Johnnie Walker et Cutty Sark, sont des *blends*. Aux États-Unis, un *blended whiskey* est un mélange de whiskey et d'alcool neutre.

Blending • Terme anglais désignant l'assemblage de différents whiskies avant leur commercialisation.

Bloody Mary • Cocktail à base de vodka, de jus de tomate, de jus de citron, de sauce Worcester , de sel et de poivre, ou de Tabasco (sauce pimentée).

Boisé • 1) Essence de chêne ajoutée à certains cognacs et autres eaux-de-vie françaises et étrangères.

L'utilisation du boisé est parfois abusive ; elle vise notamment à tromper le consommateur sur la durée

L'armagnac traditionnel est distillé dans des alambics d'un type spécial.

réelle du vieillissement en fût de chêne. Il y a quelques années, les autorités américaines ont souhaité rendre obligatoire la mention de la présence de boisé sur l'étiquette du cognac ainsi « amélioré », mais, après des démarches répétées des producteurs de cognac, ce projet fut abandonné. On ajoute parfois, pour les mêmes raisons, des copeaux de chêne dans les fûts de vieillissement.

2) Adjectif qualifiant un vin ou un spiritueux qui présente des arômes caractéristiques d'un séjour en fût de chêne.

Bonne chauffe • Seconde (et généralement dernière) distillation dans un **alambic à chauffe directe** (cognac et autres eaux-de-vie). C'est au début du XVIIᵉ siècle que le chevalier de La Croix Maron eut l'idée de procéder à une seconde distillation pour améliorer la qualité du cognac. *Voir* **brouillis**.

Bouilleur de cru • En France, propriétaire ou fermier qui avait le droit de distiller sa propre récolte pour la commercialiser directement ou la céder à un assembleur. Le terme désignait autrefois les distillateurs ambulants qui passaient de ferme en ferme. L'ordonnance du 29 novembre 1960 a supprimé le privilège héréditaire des bouilleurs de cru.

Bouilleur professionnel • Distillateur à façon.

Brandewijn • Terme néerlandais (« vin brûlé ») désignant une eau-de-vie, probablement à l'origine du mot **brandy**. Les Italiens font remarquer que l'eau-de-vie est appelée *branda* en vieux piémontais.

Brandy • Terme anglais, adopté dans le monde entier, signifiant eau-de-vie de vin (ou de fruit), notamment celle qui est vieillie en fût de chêne, ressemblant au cognac. En France, le terme désigne un assemblage d'alcool rectifié et d'eau-de-vie de vin qui n'est pas produite dans une aire d'appellation d'origine.

Brassage • Étape de l'élaboration de la bière et du whisk(e)y. Le malt est broyé juste avant le brassage proprement dit, qui achève la conversion de l'amidon en maltose. Mélangé à de l'eau chaude, il est brassé mécaniquement pour que l'extraction du sucre soit régulière et complète. On obtient ainsi un **moût** appelé *wort*.

Brouillis • Terme désignant la première distillation dans l'élaboration du cognac et d'autres eaux-de-vie. *Voir* **bonne chauffe**.

Brûlage • Flambage des fûts lors duquel se libèrent des arômes de vanille et de caramel qui imprégneront l'eau-de-vie pendant son vieillissement.

Buza • Eau-de-vie égyptienne obtenue par distillation de dattes fermentées.

Calandre • Alambic à double enveloppe, chauffé à la vapeur, utilisé en France pour la distillation de certains marcs. Un appareil similaire est employé en Italie (où on le nomme *bagna-maria*) pour la production de grappa artisanale.

Cachiri • Liqueur de Guyane à base de manioc.

Caña • Genre de rhum distillé en Uruguay.

Caramel • Sucre brûlé, presque insipide, servant à renforcer la coloration des eaux-de-vie, généralement pour donner l'impression qu'elles ont vieilli longtemps dans le chêne.

Chai • Entrepôt situé au rez-de-chaussée d'une maison de production (à la différence de la cave), où l'on fait vieillir l'eau-de-vie en fût.

Chapiteau • Partie sphérique ou ovoïde de l'**alambic** qui provoque, avec le **col de cygne**, la retombée des vapeurs liquéfiées les moins volatiles dans la **cucurbite**, ce qui contribue à l'obtention d'un **distillat** plus fin. On dit aussi « tête-de-maure ».

Chaudière • Autre nom de la **cucurbite**.

Chauffe-vin • Récipient bulbeux en cuivre, placé à côté de la **cucurbite** dans un alambic. Il sert à réchauffer le vin destiné à être distillé grâce au tuyau qui relie l'extrémité du **col de cygne** au **serpentin**.

Chêne • Bois d'usage quasi universel pour la fabrication des fûts destinés au vieillissement du vin, des eaux-de-vie et d'autres spiritueux. Tous les chênes n'ont pas les mêmes propriétés : dans les bois dont les pores sont grands, le contenu évolue plus vite que dans ceux dont la structure est plus dense ; certains communiquent davantage de principes aromatiques que d'autres. De manière générale, un boisé subtil rappelant la glace à la vanille est considéré comme une qualité, tandis qu'un boisé trop marqué, masquant les arômes délicats du produit, semble un défaut. La conduite du vieillissement dans le chêne exige donc du doigté. L'usage du chêne neuf, qui peut communiquer des arômes puissants, doit être modéré. En revanche, la loi exige que tous les fûts servant au vieillissement du bourbon soient neufs, ce qui explique le boisé dominant de cet alcool.
Les producteurs de bourbon revendent leurs « vieux » fûts à des distillateurs écossais, qui y élèvent leurs

On vérifie périodiquement l'évolution du cognac logé en fût de chêne.

propres eaux-de-vie. Il en va de même des futailles qui ont contenu du xérès. Les fûts ayant déjà servi une ou deux fois au vieillissement d'un spiritueux sont utiles aux distillateurs qui, en combinant leurs caractères respectifs, peuvent donner à leurs propres produits les nuances aromatiques qu'ils désirent. Les goûts et les arômes transmis par un fût seront différents selon que le récipient aura conservé plus ou moins longtemps de l'eau-de-vie. Aussi la plupart des producteurs gardent-ils un fichier informatique où est inscrite l'histoire détaillée de tous les fûts qu'ils possèdent. Après une trentaine d'années d'utilisation, les principes aromatiques de la plupart des fûts sont épuisés. Ils servent alors de contenant neutre ou bénéficient d'une **rénovation.**

Chêne blanc • Chêne américain utilisé notamment pour le vieillissement du bourbon.

Chêne du Limousin • Bois exporté dans le monde entier principalement utilisé pour la confection des fûts dans lesquels sont élevés le cognac, des eaux-de-vie comme le brandy et nombre de grands vins.

Chêne du Tronçais • Bois d'une grande forêt, qui s'étend au nord-ouest de l'Allier, à l'est de la vallée du Cher, dont on fait des fûts pour l'élevage du cognac et des vins.

Chiu yeh ching • Boisson estivale populaire en Chine, élaborée à partir de **kao liang** (eau-de-vie de sorgho) parfumé. Des herbes aromatiques, des épices et des feuilles de bambou pulvérisées, mélangées et enfermées dans une poche, infusent dans l'eau-de-vie à laquelle on ajoute ensuite du sucre caramélisé et du sirop. Après une période de repos, le chiu yeh ching est filtré et mis en bouteilles. Cette boisson rafraîchissante a une jolie couleur verte transparente, et un goût piquant et douceâtre. Son titre alcoométrique est de 45 % vol.

Cœur • Partie intermédiaire des vapeurs condensées dans le **serpentin**, suivant la **tête** et précédant la **queue**. C'est la seule que l'on utilise directement, soit pour une deuxième distillation, soit pour un vieillissement en fût. Tout l'art du distillateur consiste à déterminer, *de visu* et selon le titre alcoométrique, le moment approprié pour diriger le liquide vers le **réservoir-récepteur**. La tête et la queue seront ajoutées au liquide fermenté lors de la distillation suivante.

La tradition monastique de la distillation est toujours vivante.

Coffey (système) • *Voir* **colonne à alimentation continue**.

Col de cygne • Partie de l'**alambic** consistant en une conduite incurvée qui dirige les vapeurs du **chapiteau** vers le **serpentin** et contribue à la retombée dans la **cucurbite** des vapeurs les moins volatiles.

Colonne à alimentation continue • Appareil permettant la distillation en continu, conçu en 1828 en Écosse par un membre de la famille Haig, Robert Stein, puis perfectionné deux ans plus tard en Irlande par Aeneas Coffey. L'invention de la colonne à alimentation continue provoqua une révolution dans la production du whisky. Elle permet de distiller une eau-de-vie de bonne qualité plus vite et à moindre coût que l'**alambic à chauffe directe**, car l'appareil n'a pas besoin d'être déchargé et nettoyé.

Concassage • Broyage du malt précédant le **brassage**.

Coupe • Synonyme d'assemblage dans le Cognaçais.

Cucurbite • Partie inférieure de l'**alambic** dans laquelle le produit à distiller est vaporisé. On dit aussi **chaudière**.

Crise du whisky • Le whisky écossais connut un essor extraordinaire pendant la dernière décennie du XIXᵉ siècle. De nouvelles distilleries furent construites un peu partout en Écosse et particulièrement dans le Speyside.

Ce fut l'âge d'or des « barons du whisky », qui firent fortune non comme producteurs, mais en assemblant des whiskies de diverses provenances et en les commercialisant sous leur propre marque. Le whisky était devenu une véritable industrie. Cependant, la surproduction de whiskies de malt et de grain devait conduire à une crise. Celle-ci fut déclenchée par l'écroulement de l'empire Pattison, qui entraîna le déclin de toute l'industrie du whisky et ternit pour longtemps sa réputation.

Deux frères, Robert et Walter Pattison, avaient fondé en 1887 la société de **blending** Pattison, Elder & Co qui connut rapidement le succès. Les deux frères se firent construire des résidences somptueuses, dignes de leur nouveau statut social. Ils déménagèrent aussi leur entreprise dans de luxueux bâtiments. Cependant, dès 1894, l'entreprise ne parut pas disposer d'une situation financière solide. Cinq ans plus tard, on s'aperçut que les Pattison avaient surévalué leur actif au moment de créer leur société. Ils purent néanmoins continuer leur activité pendant trois ans avant que la liquidation de leur entreprise ne fût prononcée. Leurs dettes se montaient à 500 000 livres, et leur actif représentait une valeur bien moindre. Les frères furent condamnés à la prison, mais leur échec eut des conséquences autrement dramatiques pour l'industrie du whisky.

Les bouteilles de grès du Cornewyn sont façonnées à la main.

En effet, les Pattison avaient tissé un écheveau complexe de crédits, de distillateur à distillateur et de courtier à courtier. Ceux-ci ne furent plus capables d'honorer leurs engagements. Plus grave encore, les banques révisèrent leur position vis-à-vis d'une industrie où de telles pratiques paraissaient monnaie courante. Elles exigèrent le remboursement des prêts et des découverts qui, jusqu'alors, avaient été facilement accordés. Plusieurs distilleries furent contraintes de fermer leurs portes. Il fallut de nombreuses années pour qu'une certaine confiance fût rétablie. Aujourd'hui encore, la prudence est de mise.

Dah chiu • Eau-de-vie chinoise très forte et sucrée à base de sorgho et de blé, produite dans le Sichuan et le Guizhou. Le mélange de ces deux céréales est soumis à trois fermentations combinées non liquides et à trois distillations successives avant d'être assemblé à du **kao liang**. Cet assemblage vieillit un certain temps avant d'être mis en bouteilles à 66 % vol.

Daiquiri • Cocktail à base de rhum blanc, de sirop de sucre et de jus de citron.

Dégustation olfactive • Si les dégustateurs professionnels goûtent effectivement les vins qui leur sont soumis, les experts en spiritueux ne font confiance qu'à leur nez, car, s'ils les mettaient en bouche, leur jugement serait vite faussé. Les responsables des **assemblages** de whisk(e)y, de cognac, de rhum et d'autres eaux-de-vie n'en boivent (s'ils en boivent) qu'en dehors des heures de travail. Le sens de l'odorat est aussi fragile, sinon plus, que celui du goût. Les arômes de l'eau-de-vie se déploient davantage lorsque l'on y ajoute un peu d'eau pure : il se produit alors une réaction chimique qui engendre de la chaleur et libère les parfums les plus volatils. Les amateurs de cognac réchauffent d'ailleurs leur verre dans le creux de la main avant d'en déguster le contenu.

Distillat • Eau-de-vie recueillie à la sortie de l'**alambic à chauffe directe** ou de la **colonne à alimentation continue**.

Distillation • Procédé consistant à porter à ébullition un liquide alcoolique, à en recueillir la vapeur et à la condenser pour obtenir un produit à plus forte teneur en alcool. Par exemple, un vin titrant 8 % vol. donnera une eau-de-vie à 20 % vol. environ, après une première distillation en **alambic à chauffe directe**. Une deuxième distillation en alambic portera le titre alcoométrique à 70 % vol. environ.

Lors de la distillation en alambic à chauffe directe, la première et la dernière parties du liquide qui coule du **serpentin**, où se sont condensées les vapeurs (la **tête** et la **queue**), sont indésirables et éliminées. Seule la partie intermédiaire, appelée **cœur**, est directement utilisée. La **colonne à alimentation continue** permet d'obtenir de l'eau-de-vie beaucoup plus forte en alcool, pouvant atteindre 96 % vol. Plus le **distillat** est riche en alcool, moins il l'est en saveur et en principes aromatiques.

Douelles • Planches longues et cintrées formant le corps des fûts.

Dry Martini • Cocktail à base de gin et de vermouth.

Eau-de-vie • Alcool consommable obtenu par distillation d'une matière fermentée, notamment du vin, du **marc**, du cidre, du poiré, des céréales, de la pomme de terre et de certains fruits.

Eau-de-vie de lie • Eau-de-vie provenant de la distillation des dépôts qui se forment au fond des cuves et des barriques de vin.

Eau-de-vie neutre • Eau-de-vie d'une grande pureté distillée en **colonne à alimentation continue**. D'un très fort titre alcoométrique, elle est dépouillée de presque tous ses arômes.

Fine • Eau-de-vie d'appellation d'origine contrôlée (par exemple, fine Bordeaux). La fine Champagne est un assemblage d'eaux-de-vie issues de deux aires du Cognaçais : la Grande Champagne et la Petite Champagne.

Fût de bourbon • Fût en chêne américain utilisé d'abord aux États-Unis pour le vieillissement du bourbon, puis réutilisé ailleurs pour faire vieillir d'autres spiritueux, dont certains rhums. Aux États-Unis, seuls des fûts neufs peuvent être employés pour le bourbon, car le législateur considère que les tanins et les arômes vanillés communiqués par le chêne sont une des caractéristiques essentielles de ce whiskey.

D'autres distillateurs apprécient l'influence plus subtile des futailles déjà utilisées et achètent d'anciens fûts de bourbon pour élever leur propre whisk(e)y (notamment en Écosse et en Irlande). Bien souvent, ils logent leur produit successivement – et pendant une durée déterminée – dans des fûts d'origines différentes ayant servi une, deux, voire trois fois, afin d'obtenir des nuances aromatiques.

Fût de xérès • Fût en chêne utilisé d'abord en Espagne pour la fermentation ou le vieillissement du xérès oloroso, puis réutilisé pour le vieillissement du whisk(e)y auquel il apporte douceur, arôme et corps.

Gin Fizz • Cocktail à base de gin, de jus de citron, de sucre et d'eau gazeuse.

Grappa • Terme italien désignant les eaux-de-vie de **marc** et de **lie** (l'eau-de-vie de vin étant appelée **brandy**). L'intérêt pour la grappa, autrefois produite exclusivement en Italie, ayant dépassé les frontières de la péninsule, on en produit maintenant dans plusieurs contrées, notamment en Californie.

Highball • Whiskey coupé d'eau gazeuse.

Holandas • Eau-de-vie aromatique, de titre alcoométrique moyen, destinée à l'assemblage du brandy de xérès et obtenue en **colonne à alimentation continue**.
Elle est ainsi nommée car elle fut d'abord élaborée au Moyen Âge pour les marchands hollandais.

La lie, résidu de la distillation du vin, a donné son nom à une eau-de-vie.

Infuser • Faire macérer des matières dans de l'eau-de-vie pour en extraire la saveur et les arômes.

Kao liang • Eau-de-vie de sorgho distillée dans le nord de la Chine. On la fait vieillir peu de temps avant de l'assembler à d'autres eaux-de-vie et de l'embouteiller. C'est aussi la base de diverses autres boissons parfumées, élaborées dans différentes régions de Chine.

Kiln • Terme anglais désignant une touraille, c'est-à-dire un four surmonté d'une cheminée caractéristique en forme de pagode, dans laquelle on fait sécher le **malt vert** pour arrêter la germination de l'orge. Le combustible traditionnel est la tourbe. En Écosse, sa fumée parfume le malt en traversant des trous forés dans le plancher du four ; elle donnera ensuite au whisky son goût de fumée. En Irlande, en revanche, quand on brûle de la tourbe pour le séchage, le whiskey n'a pas de goût de fumée, car le plancher du four est étanche. *Voir* aussi **maltage**.

Kummel • Liqueur de Russie et des pays nordiques à base d'eau-de-vie de grain additionnée de sucre candi, dans laquelle on a fait infuser des graines de cumin ou de carvi.

Lie • Dépôt dans le fond des cuves de vinification formé de tartre, de pellicules de raisin, de levures mortes et d'autres matières solides. On en tire l'eau-de-vie de lie, communément appelée lie.

Liquor • Terme anglais désignant toute boisson alcoolique. Aux États-Unis, il s'applique au whisk(e)y, au gin ou à tout autre spiritueux.

Malt • Orge dont l'amidon a commencé à se transformer en sucre lors de la germination, que l'on arrête par séchage dans un **kiln**.

Malt vert • Orge qui commence à germer.

Maltage • Transformation de l'orge en malt. La méthode traditionnelle consistait à étendre l'orge – préalablement trempée pendant quelques jours dans de l'eau – sur des aires de maltage, dans un local chaud et humide. L'orge était retournée périodiquement pour favoriser une germination régulière et éviter la formation de moisissures. L'orge germée était ensuite séchée dans des **kilns**.

Sauf dans quelques distilleries, les opérations de maltage sont aujourd'hui largement mécanisées. Le maltage est suivi du **concassage** et du **brassage**.

Manhattan • Cocktail à base de vermouth, de whiskey de seigle et d'un filet d'Angostura.

Mao tai • Liqueur chinoise élaborée dans la province de Liu-chouen. Des épices sont infusées dans du **kao liang** (eau-de-vie de sorgho), puis sont ajoutés du sucre et du sirop. Après une période de repos favorisant son homogénéisation, le mélange est filtré et mis en bouteilles. Riche et aromatique, le mao tai est souvent servi chaud. Son titre alcoométrique est de 55 % vol.

Marc • 1) Résidu du pressurage du raisin (pellicules, pépins, rafle).
2) Eau-de-vie de marc. Avant sa distillation, le marc est logé pendant plusieurs jours dans des cuves hermétiques où se développent les arômes qui se retrouveront ensuite dans l'eau-de-vie. On élabore du marc dans la plupart des régions viticoles françaises, mais son importance économique est faible. Les marcs les plus connus sont ceux de Bourgogne et de Champagne.

Mei kwei lu • Liqueur chinoise épicée et parfumée à la rose, traditionnellement servie à la fin du repas dans les restaurants chinois. Son titre alcoométrique est de 44 % vol.

Michiu • Eau-de-vie de riz à teneur en alcool modérée ; c'est la plus populaire des boissons alcooliques de Taïwan. Le *pon-lai*, le riz local, fermente, est distillé puis assemblé à de l'eau-de-vie neutre de mélasse. Son titre alcoométrique est ramené à 20 % vol ou 30 % vol. avant embouteillage. L'eau-de-vie de riz pure est appelée *mizhiu tou*.

Mizuwari • Au Japon, whisky coupé d'eau. Il s'agit de l'une des manières les plus populaires de boire le whisky.

Moscow Mule • Cocktail à base de vodka et de soda parfumé au gingembre.

Moût • 1) Jus de raisin servant à l'élaboration de vin.
2) Dans la fabrication du whisky, liquide riche en sucre, (*wort*), issu du **brassage**. On l'ensemence avec des levures pour provoquer sa fermentation et obtenir une bière légère, le **wash**, qui sera ensuite distillée.

250

Ng ka py • Spiritueux chinois très aromatique et riche en extraits, considéré comme une nourriture complémentaire. Comme pour la préparation du **chiu yeh ching**, on enferme des herbes aromatiques et des épices pulvérisées dans une poche pour les faire infuser dans du **kao liang** (eau-de-vie de sorgho). Cette préparation est mélangée à des extraits aromatiques obtenus par cuisson sous pression d'autres produits végétaux, de carame, de sirop et de maltose. Le ng ka py est mis en bouteilles après une période d'homogénéisation. C'est une boisson au goût concentré, assez corpulente et richement aromatique. Son titre alcoométrique est de 46 % vol.

Old Fashion • Cocktail à base de whiskey de seigle, d'un peu de sucre en poudre et d'un filet d'Angostura. Il est agrémenté d'une tranche d'orange.

Part des anges • Perte par évaporation d'une partie de l'eau-de-vie logée en fût (environ 4 % en poids par an). On estime qu'il se dissipe dans le ciel chaque année autant de cognac qu'il en est bu en France.

Pink Gin • Cocktail à base de gin et d'un filet d'Angostura.

Pisco • Eau-de-vie obtenue par distillation du vin de muscat. Originaire du Pérou, elle est produite dans plusieurs autres pays d'Amérique latine.

Prohibition • En décembre 1933, l'Utah fut le trente-sixième État à ratifier le XXIᵉ amendement à la Constitution des États-Unis, ce qui permit l'abrogation du XVIIIᵉ amendement. Cette abrogation rendit aux Américains le droit de boire des spiritueux sans craindre d'être persécutés.

Les campagnes prohibitionnistes avaient pris de l'ampleur aux États-Unis dès le début du XIXᵉ siècle. La première loi prohibant les alcools fut adoptée par l'État du Maine en 1846. L'*Anti-Saloon League*, fondée en 1893, soutenue par les mouvements religieux qui voyaient dans toute boisson alcoolique une tentation du diable, mena une campagne prohibitionniste très active dès 1906 sur tout le territoire des États-Unis. Plusieurs États avaient déjà interdit la consommation d'alcool sur leur territoire quand une prohibition générale fut imposée pour la durée de la Première Guerre mondiale afin de réserver les céréales à l'alimentation.

Cuves de fermentation du *wash* dans une distillerie de whisky.

Cependant, les partisans d'une interdiction au niveau fédéral avaient gagné à leur cause de nombreux hommes politiques, et une résolution pour la soumission à tous les États d'un projet d'amendement de la Constitution avait obtenu la majorité requise des deux tiers au Congrès en 1917. La prohibition avait déjà été adoptée par trente-trois États (comptant 63 % de la population de l'Union) quand, le 29 janvier 1920, les dispositions du « Volstead Act », base du XVIIIᵉ amendement, furent étendues à l'ensemble des États-Unis (Andrew J. Volstead, représentant du Minnesota, était un zélateur connu de la prohibition). La fabrication, la vente et l'achat de toutes les boissons contenant plus de 0,5 % d'alcool étaient désormais interdits sur l'ensemble du territoire fédéral. Toutefois, quelques distilleries furent autorisées, un peu plus tard, à produire une faible quantité de bourbon « médicinal ».

La prohibition engendra un nouveau genre de criminalité, le *bootlegging* (contrebande et trafic des boissons alcooliques). Le whisk(e)y fut, certes, importé en fraude du Canada, d'Irlande et d'Écosse, de même que le rhum des Antilles, mais les quantités ne suffisaient pas à étancher la soif de millions d'Américains. Les brasseries et les distilleries illégales se multiplièrent, ainsi que les *speakeasies* (bars clandestins) où l'on servait souvent des spiritueux douteux et même dangereux pour la santé. Ainsi, les Américains – à l'exception des plus riches, qui pouvaient s'en procurer – perdirent le goût des produits authentiques. Les gangsters se déchirèrent pour prendre le contrôle de ces activités aussi illégales que lucratives. On a estimé que le revenu annuel qu'en tirait, à la fin des années 20, le gangster sans doute le plus célèbre, Al Capone, atteignait soixante millions de dollars de l'époque. Tandis que la guerre des gangs faisait rage (le massacre à Chicago en 1929, le jour de la Saint-Valentin, de sept membres du gang de « Buds » Morgan par des hommes de main d'Al Capone déguisés en policiers est resté célèbre), il devenait patent que la prohibition allait à l'encontre du but recherché.

Les démocrates se firent les champions de son abrogation pendant la campagne présidentielle de 1932, et l'élection de Franklin D. Roosevelt sonna le glas de la Prohibition. Ses conséquences furent durables : corruption politique et policière, criminalité organisée. En outre, de nombreuses distilleries qui avaient fermé leurs portes en Irlande et au Kentucky ne les rouvrirent jamais. L'industrie du whiskey ne retrouva jamais son éclat d'antan.

Proof • *Voir* **titre alcoométrique.**

Punch • Boisson chaude à base de sucre, de rhum flambé, de cannelle et de thé. Elle est agrémentée d'une tranche de citron.

Punch martiniquais • Boisson glacée à base de rhum blanc, de sirop de sucre et d'un zeste de citron vert.

Pure malt whisk(e)y • Assemblage de plusieurs whiskies de malt.

Pussycat • Cocktail à base de whiskey (en général du bourbon) et de fruits.

Queue • Troisième et dernière partie des vapeurs condensées dans le **serpentin** d'un **alambic**. Trop faible en alcool pour pouvoir être utilisée directement, elle sera mélangée au **moût** fermenté avant sa distillation.

Rancio • Goût et arôme moelleux caractéristiques des très vieux brandies, dus à une surmaturité. Le rancio est, pour les brandies, l'amorce du déclin.

Rébellion du whiskey • À peine la production et la distribution du whisky eurent-elles pris une importance significative qu'elles furent fiscalisées. Après les Irlandais et les Écossais, ce fut le tour des Américains, qui s'étaient affranchis de la tutelle britannique depuis peu, de se voir imposer de lourdes redevances en 1791. Beaucoup d'entre eux étaient des Écossais et des Irlandais qui avaient fui la Grande-Bretagne et ses taxes sur leur précieuse eau-de-vie. Ces colons s'étaient fixés dans l'ouest de la Pennsylvanie ; ceux qui pratiquaient l'art de la distillation et disposaient des appareils nécessaires en tiraient un revenu complémentaire bienvenu. Aussi, la décision des autorités d'exiger des fermiers le paiement d'un impôt annuel donnant le droit de distiller ou celui d'une taxe sur chaque gallon d'eau-de-vie produite provoqua une levée de boucliers.

Il y eut d'abord des meetings de protestation et l'envoi de pétitions. Quand le gouvernement fit marche arrière en proposant des mesures moins contraignantes, le mal était déjà fait. Des assignations en justice avaient été adressées à plus de cinquante fermiers au bord de la ruine. En 1794, des escarmouches entre la population et les forces de l'ordre firent plusieurs morts, et des bâtiments furent incendiés. Les chefs de la rébellion, dont l'objectif était la sécession, réunirent une véritable armée de 6 000 hommes et marchèrent sur Pittsburgh. Mais le Président George Washington envoya des troupes deux fois plus nombreuses pour rétablir l'ordre et s'emparer des meneurs. Il y eut encore quelques morts, la rébellion s'essouffla, puis le calme revint. Deux hommes furent condamnés à mort mais bénéficièrent, un peu plus tard, d'une mesure de grâce et furent remis en liberté.

Rectification • Redistillation d'une eau-de-vie dans le but de la rendre la plus pure possible. Cette opération augmente aussi considérablement son **titre alcoométrique**.

Rénovation des fûts • Opération consistant à donner une nouvelle vie aux vieux fûts, dont les principes aromatiques sont épuisés, en les démontant pour raboter les **douelles**, en les remontant et en les soumettant à un nouveau **brûlage**. Un tel travail est rentable, car l'achat d'un fût en bois neuf représente aujourd'hui un investissement de l'ordre de 3 000 francs au minimum.

Repasse • Mélange des produits de **tête** et de **queue** que l'on additionne au liquide à distiller pour le faire repasser dans l'alambic.

Réservoir-récepteur • Récipient dans lequel se déverse l'eau-de-vie à la sortie de l'**alambic**.

Saké • Boisson japonaise à base de riz cuit fermenté (12 % vol. à 16 % vol.). Le saké est parfois distillé.

Screwdriver • Cocktail à base de vodka et de jus d'orange.

Serpentin • Partie de l'alambic constituée d'un tuyau en cuivre hélicoïdal, plongé dans un liquide réfrigérant, dans lequel les vapeurs se condensent.

Shochu • Eau-de-vie japonaise non colorée. Le shochu serait né au XVe siècle dans le Pacifique, sur Okinawa, une des îles Ryukyu, qui n'appartenaient pas alors au Japon (il les annexera en 1874). Quand le shochu parvint à Kyushu, la plus méridionale des îles de l'archipel japonais, ce n'était qu'une eau-de-vie d'importance locale, un sous-produit de la fabrication du **saké**. Mais, depuis les années 60, sa popularité s'est étendue à l'ensemble du Japon. L'île de Kyushu est toujours le principal producteur de shochu. Celui que l'on distille à Okinawa est appelé *awamori*.

Il existe deux types de shochu : l'*otsu*, distillé en **alambic à chauffe directe**, dans lequel on retrouve les principes aromatiques de ses composants – l'orge, le seigle, le maïs, la patate douce, le riz malté – additionnés de sucre ; le *ko*, à base de mélasse et de riz malté, distillé en **colonne à alimentation continue**, est sec et franc, mais dénué de goût caractéristique.

Le shochu peut se boire pur, coupé d'eau chaude ou froide (le mélange moitié shochu, moitié eau est appelé *gogowari*), avec des glaçons ou associé à une autre boisson. Mélangé à du soda, à du sirop aromatisé, à de la glace et agrémenté d'une tranche de citron, il devient alors un *chuhai*. Le titre alcoométrique du shochu est généralement de l'ordre de 25 % vol., mais il peut atteindre 40 % vol.

Side Car • Cocktail à base de brandy, de jus de citron et de curaçao.

Single malt • Whisk(e)y de malt produit par une seule distillerie (par opposition au **vatted malt**), mis en bouteille par le producteur ou vendu en vrac pour constituer des **blends**.

Singleton • Synonyme de **single malt**.

Sloe gin • Gin dans lequel ont macéré des prunelles.

À la sortie de l'alambic, l'eau-de-vie est transparente comme de l'eau pure.

Spirit safe • Boîte de contrôle vitrée traditionnelle permettant au distillateur d'orienter le liquide issu de l'**alambic à chauffe directe** vers tel ou tel **réservoir-récepteur**. Pour le scotch, cette boîte est cadenassée par le représentant du fisc ; aussi le distillateur ne peut-il se fier qu'à sa vue. En revanche, pour le gin, le couvercle peut être ouvert afin de permettre au distillateur de humer le produit.

Straight brandy • En Californie, brandy non « amélioré » avec du jus de prune ou du vin du style xérès.

Straight whiskey • Aux États-Unis, whiskey qui n'a pas été assemblé à de l'eau-de-vie neutre avant embouteillage, par opposition au **blend**.

Système Saladin • Système mécanique conçu par un

ingénieur français nommé Saladin. Il a été utilisé par l'industrie du whisky pendant plusieurs décennies, au milieu du XXe siècle, pour faciliter le maltage : l'orge, qui germe dans des caissons rectangulaires, est retournée par des pales qui parcourent lentement le caisson en un mouvement de va-et-vient.

Tafia • Ancien nom du rhum aux Antilles.

Teneur en alcool • Synonyme de **titre alcoométrique**.

Tête • Première partie des vapeurs condensées dans le **serpentin** d'un **alambic**. Elle est éliminée en raison de sa teneur en sous-produits nuisibles.

Tête-de-Maure • Autre nom du **chapiteau**.

Titre alcoométrique • Proportion d'alcool présente dans l'eau-de-vie, généralement exprimée en pourcentage du volume total de liquide. Le titre alcoométrique est porté sur l'étiquette et suivi de l'abréviation « vol. » (par exemple, 40 % vol.).
Si l'on compare des titres alcoométriques, il est important de ne pas confondre le pourcentage du volume total et la mention « *proof* » qui figure parfois sur l'étiquette. Le terme *proof* (« épreuve ») remonte à l'époque où il n'existait pas d'autre moyen de s'assurer qu'une eau-de-vie avait un titre alcoométrique suffisant que de la mélanger à de la poudre de chasse et d'y mettre le feu (*voir p. 15*). La Grande-Bretagne et les États-Unis ont adopté des systèmes de *proof* différents. La méthode américaine repose sur le volume d'alcool ; toutefois, la valeur numérique représente le double de celle que nous utilisons : ainsi, 40 % vol. équivaut à 80 % US *proof* (mais à 70 % vol. selon le système anglais, heureusement abandonné, dans lequel une eau-de-vie 100 % *proof* ne contenait que 57,1 % vol. d'alcool).

Tom Collins • Cocktail à base de gin (ou de vodka), de sucre, de jus de citron vert et d'eau gazeuse.

Touraille • *Voir* **kiln**.

Uisge beatha • Terme gaélique écossais désignant une eau-de-vie. Le mot « whisky » dérive de la première partie du terme (ou de son équivalent en gaélique irlandais, *uisce*).

Van der Hum • Liqueur d'Afrique du Sud à base d'oranges amères, appelées *naartjies*. Cette boisson était très appréciée des Boers, notamment parce que le brandy qu'ils produisaient au Cap était fort mauvais. Le nom de son inventeur fut vite oublié, et l'on prit l'habitude d'appeler cette liqueur *van der hum*, ce qui signifie en afrikaans « la liqueur de M. Machin ». Le terme est resté et s'applique à différentes marques de liqueur.

Vatted malt • Assemblage d'au moins deux whiskies de malt, par opposition au **single malt**.

Vieillissement • Élevage de certaines eaux-de-vie, généralement en fût de chêne, afin de les rendre moins ardentes et d'améliorer leurs arômes et leur goût. Plusieurs années sont souvent nécessaires pour que la porosité du fût permette à l'air et à l'humidité d'atteindre le **distillat,** qui va alors s'assouplir et s'imprégner des substances contenues dans le bois : lignine, vanilline et tanins. Le vieillissement fait l'objet de réglementations s'il procure une des caractéristiques intrinsèques du produit. Lorsque l'étiquette indique l'âge d'un whisk(e)y, d'un cognac ou d'un rhum, il s'agit soit de l'âge de la plus jeune eau-de-vie assemblée (*voir* **blend**), soit de celui du produit lui-même dans le cas où l'eau-de-vie ne provient pas d'un assemblage.

Vinacce • Terme italien désignant le **moût** utilisé pour la production de **grappa** (singulier *vinaccia*).

Wash • Dans la production du whisk(e)y, bière à faible titre alcoométrique obtenue par la fermentation du **wort**.

Weinbrand • Terme allemand signifiant eau-de-vie de vin. *Deutscher Weinbrand* désigne un **brandy** élaboré en Allemagne, et *Alter Weinbrand* celui qui a passé au minimum une année dans le bois.

Whisk(e)y • Eau-de-vie de grain. Par convention, on appelle *whisky* les produits écossais, canadiens et japonais, et *whiskey* les produits américains et irlandais.
Jusqu'à la mise en service de la **colonne à alimentation continue**, l'authenticité des whiskies ne fut pas mise en doute, car ils étaient tous distillés en **alambic à chauffe directe** en cuivre à partir de **moûts** issus, suivant la région de production, d'orge, maltée ou non, de seigle, de blé ou de maïs. Dans tous les

cas, il s'agissait d'une eau-de-vie très aromatique. Le rendement de la colonne à alimentation continue étant beaucoup plus élevé, cet appareil permettait aux distillateurs de produire à moindre coût, mais donnait une eau-de-vie plus légère et dévoilant moins de caractère. Une nouvelle catégorie de marchands, les *blenders*, y virent un avantage : en assemblant le whisky sorti de l'alambic à celui qui était distillé en colonne, ils obtenaient un produit plus tendre, plus uniforme et meilleur marché. Ils adoptèrent ce procédé non seulement pour le scotch, mais aussi pour le whiskey irlandais. Des distillateurs de Dublin, comme Jameson et Powers, s'indignèrent de cet affront fait à leur eau-de-vie nationale et publièrent ensemble un livre, *La Vérité sur le whiskey*, condamnant le procédé.

De fait, quiconque commandait du whisky dans un *pub* du Royaume-Uni n'avait aucun moyen de vérifier l'authenticité du produit, au désespoir des distillateurs traditionalistes, en guerre ouverte avec les modernistes. L'offensive vint pourtant d'ailleurs : en novembre 1905, le conseil municipal d'Islington, près de Londres, assigna en justice des débitants de whisky de sa circonscription qui vendaient des produits non conformes aux dispositions du *Food and Drugs Act* de 1875. Ceux-ci furent condamnés, bien que leur association professionnelle eût fait cause commune, pour ce procès, avec les puissants distillateurs de whisky de grain.

La querelle ne prit fin qu'en 1909, quand furent adoptées les conclusions d'une commission royale chargée de donner une définition du whisky authentique. Après avoir procédé, pendant trois ans, à de longues auditions d'experts en la matière, celle-ci avait conclu que pouvait également être qualifiée de whisky l'eau-de-vie issue d'une colonne à alimentation continue.

Whisk(e)y de grain • Eau-de-vie obtenue par distillation de céréales non maltées.

Whisk(e)y de malt • Eau-de-vie obtenue par distillation d'orge maltée.

Whisky Sour • Cocktail à base de whiskey de seigle ou de bourbon, de sirop de sucre et de jus de citron.

Wort • Terme anglais désignant le **moût** qui, après fermentation, donne le **wash** qui sera distillé pour obtenir le whisk(e)y.

Alambics traditionnels chauffés au gaz dans une distillerie de cognac.

Index des marques

Locke's Distillery, whiskey, Irlande 56
Loiten Export, aquavit, Norvège 215
Long John, whisky, Écosse 43
Longrow, whisky, Écosse 43
Luis Caballero, brandy, Espagne 116
Luksusowa, vodka, Pologne 162
Lungarotti, grappa, Italie 112
Lysholm Linie, aquavit, Norvège 215

Macallan, whisky, Écosse 43
Macduff, whisky, Écosse 44
Macieira, brandy, Brésil 147
Mackinlay, whisky, Écosse 44
Mainstay, eau-de-vie de canne, Afrique du Sud 204
Maker's Mark, bourbon, États-Unis 64
Mandarine Napoléon, liqueur, Belgique 240
Maqintosh, whisky, Inde 81
Mariachi, tequila, Mexique 210
Mariacron, brandy, Allemagne 107
Marolo, grappa, Italie 112
Marquis de Caussade, armagnac, France 99
Marquis de Montesquiou, armagnac, France 99
Marquis de Puységur, armagnac, France 100
Martel, brandy, Brésil 141
Martell, cognac, France 93
Martignac, brandy, Slovaquie 149
Mascaro, brandy, Espagne 120
McDowell's, whisky, Inde 81
Melcher's Rat, brandy, Allemagne 107
Mellow-Wood, brandy, Afrique du Sud 132
Men's Club, whisky, Inde 81
Metaxa, brandy, Grèce 148
Metaxa, ouzo, Grèce 223
Meukow, cognac, France 94
Meyboom, genièvre, Belgique 187
Midleton, whiskey, Irlande 57
Miltonduff, whisky, Écosse 44
Monopolowa, vodka, Pologne 162
Mons Ruber, brandy, Afrique du Sud 132
de **Montal**, armagnac, France 100
Montebello, rhum, Guadeloupe 199
Mount Gay, rhum, Barbade 199
Moskovskaya, vodka, Russie 156

Nardini, grappa, Italie 113
Natu Nobilis, whisky, Brésil 80
Nemunas, gin, Lituanie 188
Nikka, whisky, Japon 75
Nonino, grappa ,Italie 113
Notaris, genièvre, Pays-Bas 178
Noyac, brandy, Arménie 143

Oban, whisky, Écosse 44
Okhotnichya, vodka, Russie 156
Old, whisky, Japon 76
Old Cask, rhum, Trinité 200

Old Charter, bourbon, États-Unis 64
Old Château, brandy, Afrique du Sud 133
Old Crow, bourbon, États-Unis 65
Old Elgin, whisky, Écosse 44
Old Fitzgerald, bourbon, États-Unis 65
Old Forester, bourbon, États-Unis 65
Old Oak, rhum, Trinité 200
Old Parr, whisky, Écosse 44
Old Smuggler, whisky, Écosse 45
Olmeca, tequila, Mexique 210
Olof Bergh, brandy, Afrique du Sud 130
Original Bushmills, whiskey, Irlande 55, 57
Oro Pilla, brandy, Italie 109
Osborne, brandy, Espagne 119
Otard, cognac, France 94
Oude Meester, brandy, Afrique du Sud 133
Ouzo 12, ouzo ,Grèce 223

Paarl Rock, brandy, Afrique du Sud 134
Paddy, whiskey, Irlande 57
Pampero, rhum, Venezuela 203
Passport, whisky, Écosse 45
Pastis 51, pastis, France 220
Paul Masson, brandy, États-Unis 125
Peket De Houyeu, genièvre, Belgique 187
Pepe Lopez, tequila, Mexique 212
Père François, calvados, France 102
Père Magloire, calvados, France 102
Perfect vodka, Pologne, 163
Pernod, anis, France 220
Pertsovka, vodka, Russie 156
Pieprzówka, vodka, Pologne 163
Pig's Nose, whisky, Écosse 45
Pimm's, liqueur, Grande-Bretagne 240
Pinch, whisky, Écosse 45
Pirassununga, alcool blanc, Brésil 205
Player Special, whisky, Écosse 46
Plymouth gin, Angleterre 185
Poit Dubh, whisky, Écosse 45
Polignac, cognac, France 95
Polish Pure Spirit, vodka, Pologne 163
Polmos Goldwasser, liqueur, Pologne 240
Polmos Winiak Luksusowy, brandy, Pologne 149
Polonaise, vodka, Russie 163
Posolskaya, vodka, Russie 157
Power, whiskey, Irlande 58
Presidente, brandy, Mexique 141
Pride of Strathspey, whisky, Écosse 46
Prima, vodka, Pologne 163
Prince of Wales, whisky, Pays de Galles 85
Pshenichnaya, vodka, Russie 157
Punt e Mes, amer, Italie 228
Pure Malt Black, whisky, Japon 76
Pure Malt Red, whisky, Japon 77
Pure Malt White, whisky, Japon 77
Pusser's, rhum, Îles Vierges (Grande-Bretagne) 200
Ramazzotti, amer, Italie 228

Ramazzotti, sambuca, Italie 222
Raynal/Three Barrels, brandy, France 104
Real Mackenzie, whisky, Écosse 46
Rebeka, vodka, Pologne 163
Rebel Yell, bourbon, États-Unis 66
Rémy Martin, cognac, France 95
Renault, cognac, France 96
Reserve, whisky, Japon 77
Ricard, pastis, France 221
Richelieu, brandy, Afrique du Sud 134
Riga Black Balsam/Melnais Balzams, amer, Lettonie 229
Rives Pitman, gin, Espagne 189
RMS, brandy, États-Unis 125
Robin, cognac, France 96
Romana sambuca, Italie, 222
Romano Levi, grappa, Italie 112
Ronsard, brandy, France 104
Royal, whisky, Japon 77
Royal Citation, whisky, Écosse 46
Royal Dark, genièvre, Pays-Bas 179
Royal Lochnagar, whisky, Écosse 46
Royal Mint Chocolate, liqueur, France 240
Royal Oak, brandy, Afrique du Sud 134
Royal Oak, rhum, Trinité 200
Royal Salute, whisky, Écosse 46
Ruche, brandy, France 104
Russkaya, vodka, Russie 157
Rye Base, whisky, Japon 78
Ryn, brandy, Afrique du Sud 134

S.S.Politician, whisky, Écosse 48
Sabra, liqueur, Israël 241
Sans Rival, ouzo, Grèce 223
St Agnes, brandy, Australie 137
St George Spirit, grappa, États-Unis 126
Saint-James, rhum, Martinique 200
St Nicolaus, brandy, Pologne 149
Samalens, armagnac, France 100
Sanchez Romate, brandy, Espagne 119
São Francisco, alcool blanc, Brésil 205
Sauza, tequila, Mexique 212
Scapa, whisky, Écosse 47
Seagram's, gin, États-Unis 189
Seagram's VO, whisky, Canada 72
Select, vodka, Pologne 163
Sempé, armagnac, France 100
Séverin, rhum, Guadeloupe 200
Sheep Dip, whisky, Écosse 47
Sibirskaya, vodka, Sibérie 169
Sierra, tequila, Mexique 213
Singleton, whisky, Écosse 47
Slonignac, brandy, République tchèque 148
Smeets, genièvre, Belgique 187
Smirnoff, vodka, Grande-Bretagne 166
Somerset Royal, brandy, Angleterre 145
Soplica, vodka, Pologne 163
Southern Comfort, liqueur, États-Unis 241

Index général

Remerciements

Les éditeurs remercient les firmes et organismes suivants pour l'intérêt qu'ils ont bien voulu prendre à cet ouvrage :

Absolut
Allied
Heather Angel 218
Angove's
Asbach
Aveleda
Bénédictine
Berger
Rick Bolen 124, 247
Bols
Bombay Spirits Company
Bonny Doon 126/Shmuel Thaler
Borco
Brown-Forman International Ltd
Bulmer Ltd
Michael Busselle 13 (haut), 88, 99, 249
Buton
Calvados Boulard
Camel
Campari
Campbell
Camus
Cephas 82/Colin Culbert; 12, 101
  haut/Daniel Czap ; 61/John Heinrich ;
  146/John Millwood ; 88, 96 (les deux),
  114, 139, 146/Mick Rock ; 188/Roy
  Stedall ; 105 ; 147/Helen Stylianou ;
  203/Graham Wicks
Ceretto
Chartreuse
Château de Laubade
Clear Creek
Cognac Information Center
Courvoisier
Danish Distillers
Danish Tourist Board/Ole Akhoj 214
Delon
Domecq
Drambuie
Patrick Eagar/Jan Traylen 144
Eckes AG
Filliers
Finlandia
Derek Forss 57

Fourcroy
Fratelli Branca
Galliano
Germain-Robin
Gibson International
Matthew Gloag
Godot Frères
Gonzalez Byass
Hardley, Dennis 16, 18, 19, 20, 23, 48
Heaven Hill
Henchell & Sohnlein
Hennessy
Herbertsons
Herradura
Heublein USA
Hiram Walker
Hooghoudt
Hutchison Library 130, 142, 165, 191,
  193, 195, 205, 206
Images 54, 59, 70 (haut), 80, 135, 136,
  140, 141, 150, 151, 159, 176, 180,
  186, 190, 229
Japan National Tourist Office 73
KWV
Kirin-Seagram
Laird
Lang Bros.
Martin Leckie 22
Macallan
Maker's Mark
Mansell Collection 24, 154, 192 (haut),
  181, 194, 198, 201, 221, 227
Marnier Lapostelle
Martell
Metaxa
Metzendorff
Mons Ruber
Nardini, Dita Bortolo
Nature Photographers' Ltd/Robin Bush
  174
Peter Newark 66, 72, 192 (bas), 264
Nikka
Noyac
Nonino

Osborne
Pernod-Ricard
Polmos
Ronald Grant Archive 22, 39
Russia & Republics Photolibrary/Mark
  Wadlo 152, 155, 169, 170
St George Spirits
Sanchez Romate
Sauza
Seagram
Spectrum 101 (bas), 122, 123, 153,
  157, 160, 167, 202, 216, 217, 231,
  232
Spink & Son Ltd 20 (haut)
Stock
Suntory
Suze
Swedish Travel & Tourism/Ake Mokvist
  171
Torres
Underberg
United Distillers
UTO
Valdespino
Wenneker
World Pictures 128